ДИАЛОГИ

С ИОСИФОМ БРОДСКИМ

ЛИТЕРАТУРНЫЕ
БИОГРАФИИ

СОЛОМОН ВОЛКОВ

МОСКВА
Издательство Независимая Газета

ББК 83.3(2Рос-Рус)6-8
В 67

Волков С.

В 67   Диалоги с Иосифом Бродским / Вступительная статья Я. Гордина.
М.: Издательство Независимая Газета, 1998. — 328 с., ил.
(Серия «Литературные биографии»).

«Доверие к жизни и здравый смысл, в сильнейшей степени присущие Бродскому, в его организованных текстах прячутся за конденсированную мысль и музыку стиха. При всей заданной жанром фрагментарности самое ценное в книге — то общее ощущение, которое возникает при чтении. Это даже не образ... скорее — масса или волна... Поле мощного магнетического воздействия, когда хочется слушать и слушаться» (Петр Вайль).

ББК 83.3(2Рос-Рус)6-8

Фотографии Марианны Волковой, Александра Бродского, Михаила Мильчика.

ISBN 5-86712-049-X

«Своя версия прошлого...»

«**Д**иалоги с Бродским» — книга для русской литературной культуры уникальная. Сам Волков пишет в авторском предисловии об экзотичности для России этого жанра, важность которого, однако, очевидна. Единственный известный автору этих страниц прямой диалог — записи обширных разговоров с Пастернаком — блестящая работа Александра Константиновича Гладкова. Но она, как мы увидим, принципиально отлична от «Диалогов».

В предисловии к «Разговорам с Гете» Эккермана — неизбежно возникающая параллель, подчеркнутая Волковым в названии, — В.Ф. Асмус писал: «От крупных мастеров остаются произведения, дневники, переписка. Остаются и воспоминания современников: друзей, врагов и просто знакомых... Но редко бывает, чтобы в этих материалах и записях сохранился на длительном протяжении след живых бесед и диалогов, споров и поучений. Из всех проявлений крупной личности, которые создают ее значение для современников и потомков, *слово, речь, беседа* — наиболее эфемерные и преходящие. В дневники попадают события, мысли, но редко диалоги. Самые блистательные речи забываются, самые остроумные изречения безвозвратно утрачиваются... Во всем услышанном они (мемуаристы. — *Я.Г.*) произведут, быть может, незаметно для самого собеседника, *отбор, исключение, перестановку* и — что самое главное — *перетолкование* материала. <...> Что уцелело от бесед Пушкина, Тютчева, Байрона, Оскара Уайльда? А между тем современники согласно свидетельствуют, что в жизни этих художников беседа была одной из важнейших форм существования их

гения»*. В русской культуре существует также феномен Чаадаева, само-
выражение, творчество которого в течение многих лет после катастрофы, вызванной публикацией одного из «Философических писем»,
происходило именно в форме публичной беседы. Судьба разговоров
Пушкина подтверждает мысль Асмуса — все попытки задним числом
реконструировать его блестящие устные импровизации не дали сколько-нибудь заметного результата.

Но существо проблемы понимали не только теоретики, но и прак-
тики. Поль Гзелль, выпустивший книгу «Беседы Анатоля Франса», писал: «Превосходство великих людей не всегда проявляется в их
наиболее обработанных произведениях. Едва ли не чаще оно узнается
в непосредственной и свободной игре их мысли. То, под чем они и не
думают ставить свое имя, что они создают интенсивным порывом мысли, давно созревшие, падающие непроизвольно, само собой — вот, не-
редко, лучшие произведения их гения»**.

Но как бы высока ни была ценность книги «Разговоры с Гете», сам
Асмус признает: «И все же «Разговоры» воссоздают перед читателем образ всего лишь *эккермановского* Гете. Ведь интерпретация... остается
все же интерпретацией».

«Диалоги с Бродским» — явление принципиально иного характера.
Наличие магнитофона исключает фактор даже непредумышленной
интерпретации. Перед читателем не *волковский* Бродский, но Бродский как таковой. Ответственность за все сказанное — на нем самом.

При этом Волков отнюдь не ограничивает себя функцией включе-
ния и выключения магнитофона. Он искусно направляет разговор, не
влияя при этом на характер сказанного собеседником. Его задача —
определить круг стратегических тем, а внутри каждой темы он отво-
дит себе роль интеллектуального провокатора. Кроме того — и это
принципиально! — в отличие от Эккермана и Гзелля Волков старается
получить и чисто биографическую информацию.

Однако все же главное — не задача, которую ставит перед собой Волков, — она понятна, — а задача, решаемая Бродским.

Несмотря на огромное количество интервью поэта и его публич-
ные лекции, Бродский как личность оставался достаточно закрытым,
ибо все это не составляло системы, объясняющей судьбу.

Известно, что в последние годы Бродский крайне болезненно и раз-
драженно относился к самой возможности изучения его, так сказать,
внелитературной биографии, опасаясь — не без оснований — что интерес к его поэзии подменяется интересом к личным аспектам жизни
и стихи будут казаться всего лишь плоским вариантом автобиографии.
И то, что в последние годы жизни он часами — под магнитофон — рассказывал о себе увлеченно и, казалось бы, весьма откровенно — пред-

* Иоган Петер Эккерман. «Разговоры с Гете». М.-Л., с. 7.
** Поль Гзелль. «Беседы Анатоля Франса». Петербург-Москва, 1923, с.10.

ставляется противоречащим резко выраженной антибиографической позиции.

Но это ложное противоречие. Бродский не совершал случайных поступков. Когда Ахматова говорила, что власти делают «рыжему» биографию, она была права только отчасти. Бродский принимал в «делании» своей биографии самое непосредственное и вполне осознанное участие, несмотря на всю юношескую импульсивность и кажущуюся бессистемность поведения. И в этом отношении, как и во многих других, он чрезвычайно схож с Пушкиным.

Большинством своих современников Пушкин, как известно, воспринимался как романтический поэт, поведение которого определяется исключительно порывами поэтической натуры. Но близко знавший Пушкина умный Соболевский писал в 1832 году Шевыреву, опровергая этот расхожий взгляд: «Пушкин столь же умен, сколь практичен; он практик, и большой практик».

Речь не идет о демонстративном жизнетворчестве байронического типа или образца Серебряного века. Речь идет об осознанной стратегии, об осознанном выборе судьбы, а не просто жизненного стиля.

В 1833 году, в критический момент жизни, Пушкин начал вести дневник, цель которого была — не в последнюю очередь — объяснить выбранный им стиль поведения после 26-го года и причины изменения этого стиля. Пушкин объяснялся с потомками, понимая, что его поступки будут толковаться и перетолковываться. Он предлагал некий путеводитель.

Есть основания предполагать, что диалоги с Волковым под магнитофон, которые — как Бродский прекрасно понимал — в конечном итоге предназначались для печати, выполняли ту же функцию. Бродский предлагал свой вариант духовной и бытовой биографии в наиболее важных и дающих повод для вольных интерпретаций моментах.

В «Диалогах» крайне значимые проговорки на эту тему. «У каждой эпохи, каждой культуры есть своя версия прошлого», — говорит Бродский. За этим стоит: у каждого из нас есть своя версия собственного прошлого. И здесь, возвращаясь к записям А. К. Гладкова, нужно сказать, что Пастернак явно подобной цели не преследовал. Это был совершенно вольный разговор на интеллектуальные темы, происходивший в страшные дни мировой войны в российском захолустье. В монологах Пастернака нет системной устремленности Бродского, осознания программности сказанного, ощущения подводимого итога. И отсутствовал магнитофон — что психологически крайне существенно.

«Диалоги» нельзя воспринимать как абсолютный источник для жизнеописания Бродского. При том, что они содержат гигантское количество фактического материала, они являются и откровенным вызовом будущим исследователям, ибо собеседник Волкова менее всего мечтает стать безропотным «достоянием доцента». Он воспроизводит прошлое как художественный текст, отсекая лишнее — по его мнению, — выявляя не букву, а дух событий, а когда в этом есть надобность, и конструируя ситуации. Это не обман — это творчество, мифотворчество. Перед нами — в значительной степени — автобиографический миф. Но ценность «Диалогов» от этого не уменьшается, а увеличивается. Выяснить те или иные бытовые обстоятельства, в конце концов, по силам старательным и профессиональным исследователям. Реконструировать представление о событиях, точку зрения самого героя невозможно без его помощи.

В «Диалогах» выявляется *самопредставление, самовосприятие* Бродского.

«Диалоги», условно говоря, состоят из двух пластов. Один — чисто интеллектуальный, культурологический, философический, если угодно. Это беседы о Цветаевой, Одене, Фросте. Это — важнейшие фрагменты духовной биографии Бродского, не подлежащие критическому комментарию. Лишь иногда, когда речь заходит о реальной истории, суждения Бродского нуждаются в корректировке, так как он решительно предлагает свое представление о событиях вместо самих событий.

Это, например, разговор о Петре I. «В сознании Петра Великого существовало два направления — Север и Запад. Больше никаких. Восток его не интересовал. Его даже Юг особо не интересовал...»

Но в геополитической концепции Петра Юго-Восток играл не меньшую роль, чем Северо-Запад. Вскоре после полтавской победы он предпринял довольно рискованный Прутский поход против Турции, едва не кончившийся катастрофой. Сразу после окончания двадцатилетней Северной войны Петр начинает Персидский поход, готовя прорыв в сторону Индии — на Восток (с чего, собственно, началась Кавказская война). И так далее.

Это, однако, достаточно редкий случай. Когда речь шла о реальности объективной, внешней — в любых ее ипостасях, если она не касается непосредственно его жизни, — Бродский вполне корректен в обращении с фактами.

Ситуация меняется, когда мы попадаем во второй слой «Диалогов», условно говоря, автобиографический.

Здесь будущим биографам поэта придется изрядно потрудиться, чтобы объяснить потомкам, скажем, почему Бродский повествует о полутора годах северной своей ссылки как о пустынном отшельничестве, как о пространстве, населенном только жителями села Норенское, не упоминая многочисленных гостей.

Но, пожалуй, наиболее выразительным примером художественного конструирования события стало описание суда 1964 года. Вся эта ситуация принципиально важна, ибо демонстрирует не только отношение Бродского к этому внешне наиболее драматическому моменту его жизни, но объясняет экзистенциальную установку зрелого Бродского по отношению к событиям внешней жизни. Отвечая на вопросы

Волкова о ходе суда, он утверждает, что Фриду Вигдорову, сохранившую в записи происходивший там злобный абсурд, рано вывели из зала и потому запись ее принципиально не полна. Вигдорова, однако, присутствовала в зале суда на протяжении всех пяти часов, и хотя в какой-то момент — достаточно отдаленный от начала — судья запретил ей вести запись, Вигдорова с помощью еще нескольких свидетелей восстановила ход процесса до самого конца. Все это Бродский мог вспомнить. Но дело в том, что он был категорически против того, чтобы события ноября 1963 — марта 1964 года рассматривались как определяющие в его судьбе. И был совершенно прав. К этому времени уже был очевиден масштаб его дарования, и вне зависимости от того, появились бы в его жизни травля, суд, ссылка или не появились, он все равно остался бы в русской и мировой культуре. Бродский сознавал это, и его подход к происшедшему многое объясняет в его зрелом мировидении. «Я отказываюсь все это драматизировать!» — резко отвечает он Волкову. На что следует идеально точная реплика Волкова: «Я понимаю, это часть вашей эстетики». Здесь ключ. Изложение событий так, как они выглядели в действительности, ретроспективно отдавало бы мелодрамой. Но Бродский девяностых резко поднимает уровень представления о драматичности по сравнению с шестидесятыми, и то, что тогда казалось высокой драмой, оказывается гораздо ниже этого уровня. Истинная драма переносится в иные сферы.

Восприятие Бродским конкретной картины суда трансформировалось вместе с его эстетическими и философскими установками, вместе с его стилистикой в ее не просто литературном, но экзистенциальном плане. И прошлое должно соответствовать этой новой стилистике даже фактологически.

«Диалоги» не столько информируют — хотя конкретный биографический материал в них содержится огромный, — сколько провоцируют догадки совсем иного рода. Рассказывая о возникновении идеи книги «Новые стансы к Августе», Бродский вдруг говорит: «К сожалению, я не написал «Божественной комедии». И, видимо, уже никогда не напишу». Затем следует обмен репликами про поводу эпичности поздней поэзии Бродского и отсутствии при этом в ее составе «монументального романа в стихах». Бродский иронически вспоминает «Шествие» и — как образец монументальной формы — «Горбунова и Горчакова», вещи, которая представляется ему произведением чрезвычайно серьезным. « А что касается «Комедии Дивины»... ну, не знаю, но, видимо, нет — уже не напишу. Если бы я жил в России, дома, — тогда...» И дальше всплывает у Волкова слово «изгнание» — намек на то, что именно в изгнании Данте написал «Божественную комедию», и тень Данте витает над финалом «Диалогов». Во всем этом чувствуется какая-то недоговоренность... «Величие замысла» — вариант известного высказывания Пушкина о плане «Божественной комедии» — было любимым словосочетанием молодого Бродского, о чем ему не раз напоминала в письмах Ахматова. И написать свою «Комедию Дивину» он пробовал. В пятилетие — с 1963 по 1968 год — Бродский предпринял попытку, которую можно сравнить по величию замысла и по сложности расшифровки разве что с пророческими поэмами Уильяма Блейка, которого Бродский внимательно читал в шестидесятые годы. (Однотомник Блейка — английский оригинал — находился в его библиотеке.)

Это был цикл «больших стихотворений» — «Большая элегия Джону Донну», «Исаак и Авраам», «Столетняя война», «Пришла зима...», «Горбунов и Горчаков». Это единое грандиозное эпическое пространство, объединенное общей метрикой, сквозными образами-символами — птицы, звезды, снег, море — общими структурными приемами и, главное, общим религиозно-философским фундаментом. Как и у Блейка — это еретический эпос. Но и «Божественная комедия» родилась в контексте сектантских еретических утопий. Рай и Ад присутствуют в эпосе Бродского. В неопубликованной «Столетней войне» есть потрясающее описание подземного царства, где «Корни — звезды, черви — облака», «где воет Тартар страшно» и откуда вырывается зловещий ангел — птица раздора*.

Таков фон разговора о ненаписанной «Божественной комедии», такова и глубинная тематика многих диалогов книги.

Монологи и диалоги о Цветаевой, Мандельштаме, Пастернаке, Одене, Фросте — быть может, в большей степени автобиографичны, чем иронический рассказ о собственной жизни. И ни один исследователь жизни и творчества Бродского не может отныне обойтись без этой книги.

Яков Гордин

---

* Соображения о пяти «больших стихотворениях» как о едином эпическом пространстве были высказаны автором этого предисловия в 1995 году (Russian Literature XXXVII, North-Holland) и прочитаны И. Бродским — возражений не последовало.

Соломон Волков и Иосиф Бродский. Нью-Йорк, 1982.

Вместо вступления

Начальным импульсом для книги «Диалоги с Иосифом Бродским» стали лекции, читанные поэтом в Колумбийском университете (Нью-Йорк) осенью 1978 года. Он комментировал тогда для американских студентов своих любимых поэтов: Цветаеву, Ахматову, Роберта Фроста, У.Х.Одена.

Эти лекции меня ошеломили. Как это случается, страстно захотелось поделиться своими впечатлениями с возможно большей аудиторией. У меня возникла идея книги «разговоров», которую я и предложил Бродскому. Он сразу же ответил согласием. Так началась многолетняя, потребовавшая времени и сил работа. Результатом её явился объемистый манускрипт. В нем, кроме глав, посвященных вышеназванным поэтам, большое место заняли автобиографические разделы: воспоминания о детстве и юности в Ленинграде, о «процессе Бродского», ссылке на Север и последующем изгнании на Запад, о жизни в Нью-Йорке, путешествиях и т.д.

Отдельные главы публиковались еще при жизни Бродского. Предполагалось, что завершающий раздел книги будет посвящен впечатлениям от новой встречи поэта с Россией, с его родным Питером. Не получилось...

Жанр «разговора» особый. Сравнительно давно укоренившийся на Западе, в России он пока не привился. Классическая книга Лидии Чуковской об Анне Ахматовой, при всей ее документальности, есть все же в первую очередь дневник самой Чуковской.

Русский читатель к «разговорам» со своими поэтами не привык. Причин на то много. Одна из них — поздняя профессионализация литературы на Руси. К поэту прислушивались, но его не уважали.

Эккерман свои знаменитые «Разговоры с Гете» издал в 1836 году; на следующий год некролог Пушкина, в котором было сказано, что поэт «скончался в середине своего великого поприща», вызвал гнев русского министра просвещения: «Помилуйте, за что такая честь? Разве Пушкин был полководец, военачальник, министр, государственный муж? Писать стишки не значит еще проходить великое поприще».

Ситуация стала меняться к началу XX века, с появлением массового рынка для стихов. Но было поздно — пришла революция; с ней все и всяческие разговоры укрылись в глухое подполье. И, хотя звукозапись уже существовала, не осталось записанных на магнитофон бесед ни с Пастернаком, ни с Заболоцким, ни с Ахматовой.

Между тем на Западе жанр диалога процветает. Родоначальник его, «Разговоры с Гете», все еще стоит особняком. Другая вершина — пять книг бесед со Стравинским, изданных Робертом Крафтом в сравнительно недавние годы; эта блестящая серия заметно повлияла на наши культурные вкусы.

Откристаллизовалась и эстетика жанра. Тут можно назвать «Разговоры беженцев» Брехта и некоторые пьесы Бёккета и Ионеско. Успех фильма Луи Малля «Обед с Андре», целиком построенного на разговоре двух реально существующих лиц, показал, что и сравнительно широкой публике этот прием интересен.

Внимательный читатель заметит, что каждый разговор с Бродским тоже строился как своего рода пьеса — с завязкой, подводными камнями конфликтов, кульминацией и финалом.

Соломон Волков

Дома, на улице Пестеля, 24. 1960.

В экспедиции. Малошуйка, Архангельская область. 1958.

Глава 1

Детство и юность в Ленинграде: лето 1981–зима 1992

Волков: Вы родились в мае 1940 года, то есть за год с небольшим до нападения армии Гитлера на Россию. Помните ли вы блокаду Ленинграда, которая началась в сентябре 1941 года?

Бродский: Одну сцену я помню довольно хорошо. Мать тащит меня на саночках по улицам, заваленным снегом. Вечер, лучи прожекторов шарят по небу. Мать протаскивает меня мимо пустой булочной. Это около Спасо-Преображенского собора, недалеко от нашего дома. Это и есть детство.

Волков: Вы помните, что взрослые говорили о блокаде? Насколько я понимаю, ленинградцы старались избегать этой темы. С одной стороны, тяжело было обсуждать все эти невероятные мучения. С другой стороны, это не поощрялось властями. То есть блокада была полузапретной темой.

Бродский: У меня такого ощущения не было. Помню, как мать говорила, кто как умер из знакомых, кого и как находили в квартирах — уже мертвыми. Когда отец вернулся с фронта, мать с ним часто говорила об этом. Обсуждали, кто где был в блокаду.

Волков: А о людоедстве в осажденном Ленинграде говорили? Эта тема была, пожалуй, самой страшной и запретной; о ней говорить боялись, — но, с другой стороны, трудно было ее обойти...

Бродский: Да, говорили и о людоедстве. Нормально. А отец вспоминал прорыв блокады в начале 1943 года — он ведь в нем участвовал. А полностью блокаду сняли еще через год.

Волков: Вы ведь были эвакуированы из Ленинграда?

Бродский: На короткий срок, меньше года, в Череповец.

Волков: А возвращение из эвакуации в Ленинград вы помните?

Бродский: Очень хорошо помню. С возвращением из Череповца связано одно из самых ужасных воспоминаний детства. На железнодорожной станции толпа осаждала поезд. Когда он уже тронулся, какой-то старик-инвалид ковылял за составом, все еще пытаясь влезть в вагон. А его оттуда поливали кипятком. Такая вот сцена из спектакля «Великое переселение народов».

Волков: А ваши эмоции по поводу Дня Победы в 1945 году вы помните?

Бродский: Мы с мамой пошли смотреть праздничный салют. Стояли в огромной толпе на берегу Невы у Литейного моста. Но эмоций своих абсолютно не помню. Ну какие там эмоции? Мне ведь было всего пять лет.

Волков: В каком районе Ленинграда вы родились?

Бродский: Кажется, на Петроградской стороне. А рос главным образом на улице Рылеева. Во время войны отец был в армии. Мать, между прочим, тоже была в армии — переводчицей в лагере для немецких военнопленных. А в конце войны мы уехали в Череповец.

Волков: И вернулись потом на то же место?

Бродский: Да, в ту же комнату. Поначалу мы нашли ее опечатанной. Пошли всякие склоки, война с начальством, оперуполномоченным. Потом нам эту комнату вернули. Собственно говоря, у нас было две комнаты. Одна у матери на улице Рылеева, а другая у отца на проспекте Газа, на углу этого проспекта и Обводного канала. И, собственно, детство я провел между этими двумя точками.

Волков: В ваших стихах, практически с самого начала, очень нетрадиционный взгляд на Петербург. Это как-то связано с географией вашего детства?

Бродский: Что вы имеете в виду?

Волков: Уже в ваших ранних стихах Петербург — не музей, а город рабочих окраин.

Бродский: Где вы нашли такое?

Волков: Да хотя бы, к примеру, ваше стихотворение «От окраины к центру», написанное, когда вам было чуть больше двадцати. Вы там описываете Ленинград как «полуостров заводов, парадиз мастерских и аркадию фабрик».

Бродский: Да, это Малая Охта! Действительно, есть у меня стихотворение, которое описывает индустриальный Ленинград! Это поразительно, но я совершенно забыл об этом! Вы знаете, я не в состоянии говорить про свои собственные стихи, потому что не очень хорошо их помню.

Волков: Это стихотворение для своего времени было, пожалуй, революционным. Потому что оно заново открывало официально как бы несуществующую — по крайней мере, в поэзии — сторону Ленинграда. Кстати, как вы предпочитали называть этот город — Ленинградом, Петербургом?

Бродский: Пожалуй, Питером. И для меня Питер — это и дворцы, и каналы. Но, конечно, мое детство предрасположило меня к острому восприятию индустриального пейзажа. Я помню ощущение этого огромного пространства, открытого, заполненного какими-то не очень значительными, но все же торчащими сооружениями...

Волков: Трубы...

Бродский: Да, трубы, все эти только еще начинающиеся новостройки, зрелище Охтинского химкомбината. Вся эта поэтика нового времени...

Волков: Как раз можно сказать, что это, скорее, против поэтики нового, то есть советского, времени. Потому что задворки Петербурга тогда просто перестали изображать. Когда-то это делал Мстислав Добужинский...

Бродский: Да, арт нуво!

Волков. — А потом эта традиция практически прервалась. Ленинград — и в изобразительном искусстве, и в стихах — стал очень условным местом. А читающий ваше стихотворение тут же вспоминает реальный город, реальный пейзаж — его краски, запахи.

Бродский: Вы знаете, в этом стихотворении, насколько я сейчас помню, так много всего наложилось, что мне трудно об этом говорить. Одним словом или одной фразой этого ни в коем случае не выразить. На самом деле это стихи о пятидесятых годах в Ленинграде, о том времени, на которое выпала наша молодость. Там даже есть, буквально, отклик на появление узких брюк.

Волков: «... Возле брюк твоих вечношироких»?

Бродский: Да, совершенно верно. То есть это как бы попытка сохранить эстетику пятидесятых годов. Тут многое намешано, в том числе и современное кино — или то, что нам тогда представлялось современным кино.

Волков: Это стихотворение воспринимается как полемика с пушкинским «... Вновь я посетил...».

Бродский: Нет, это скорее перифраза. Но с первой же строчки все как бы ставится под сомнение, да? Я всегда торчал от индустриального пейзажа. В Ленинграде это как бы антитеза центра. Про этот мир, про эту часть города, про окраины, действительно, никто в то время не писал.

Волков: Ни вы, ни я, Питер уже много лет не видели. И для меня лично Питер — вот эти стихи...

Бродский: Это очень трогательно с вашей стороны, но у меня эти стихи вызывают совершенно другие ассоциации.

Волков: Какие?

Бродский: Прежде всего, воспоминания об общежитии Ленинградского университета, где я «пас» девушку в то время. Это и была Малая Охта. Я все время ходил туда пешком, а это далеко, между прочим. И вообще в этом стихотворении главное — музыка, то есть тенденция к такому метафизическому решению: есть ли в том, что ты видишь, что-либо важное, центральное? И я сейчас вспоминаю конец этого стихотворения — там есть одна мысль... Да ладно, неважно...

Волков: Вы имеете в виду строчку «Слава Богу, что я на земле без отчизны остался»?

Бродский: Ну да...

Волков: Эти слова оказались пророческими. Как они у вас выскочили тогда, в 1962 году?

Бродский: Ну, это мысль об одиночестве... о непривязанности. Ведь в той, ленинградской топографии — это все-таки очень сильный развод, колоссальная разница между центром и окраиной. И вдруг я понял, что окраина — это начало мира, а не его конец. Это конец привычного мира, но это начало непривычного мира, который, конечно, гораздо больше, огромней, да? И идея была в принципе такая: уходя на окраину, ты отдаляешься от всего на свете и выходишь в настоящий мир.

Волков: В этом я чувствую какое-то отталкивание от традиционного декоративного Петербурга.

Бродский: Я понимаю, что вы имеете в виду. Ну, во-первых, в Петербурге вся эта декоративность носит несколько безумный оттенок. И тем она интересна. А во-вторых, окраины тем больше мне по душе, что они дают ощущение простора. Мне кажется, в Петербурге самые сильные детские или юношеские впечатления связаны с этим необыкновенным небом и с какой-то идеей бесконечности. Когда эта перспектива открывается — она же сводит с ума. Кажется, что на том берегу происходит что-то совершенно замечательное.

Волков: Та же история с перспективами петербургских проспектов — кажется, что в конце этой длинной улицы...

Бродский: Да! И хотя ты знаешь всех, кто там живет, и все тебе известно заранее — все равно, когда ты смотришь, ничего не можешь с этим ощущением поделать. И особенно это впечатление сильно, когда смотришь, скажем, с Трубецкого бастиона Петропавловской крепости в сторону Новой Голландии вниз по течению и на тот берег. Там все эти краны, вся эта чертовщина.

Волков: Страна Александра Блока...

Бродский: Да, это то, от чего балдел Блок. Ведь он балдел от петербургских закатов, да? И предрекал то-се, пятое-десятое. На самом деле главное — не в цвете заката, а в перспективе, в ощущении бесконечности, да? Бесконечности и, в общем, какой-то неизвестности. И Блок, на мой взгляд, со всеми своими апокалиптическими видениями пытался все это одомашнить. Я не хочу о Блоке говорить ничего дурного, но это, в общем, банальное решение петербургского феномена. Банальная интерпретация пространства.

Волков: Эта любовь к окраинам связана, быть может, и с вашим положением аутсайдера в советском обществе? Ведь вы не пошли по протоптанному пути интеллектуала: после школы — университет, потом приличная служба и т.д. Почему так получилось? Почему вы ушли из школы, недоучившись?

Бродский: Это получилось как-то само собой.

Волков: А где находилась ваша школа?

Бродский: О, их было столько!

Волков: Вы их меняли?

Бродский: Да, как перчатки.

Волков: А почему?

Бродский: Отчасти потому, что я жил то с отцом, то с матерью. Больше с матерью, конечно. Я сейчас уже путаюсь во всех этих номерах, но сначала я учился в школе, если не ошибаюсь, номер 203, бывшей «Петершуле». До революции это было немецкое училище. И в числе воспитанников были многие довольно-таки замечательные люди. Но в наше время это была обыкновенная советская школа. После четвертого класса почему-то оказалось, что мне оттуда надо уходить — какое-то серафическое перераспределение, связанное с тем, что я оказался принадлежащим к другому микрорайону. И я перешел в 196 школу на Моховой. Там опять что-то произошло, я уже не помню что, и после трех классов пришлось мне перейти в 181 школу. Там я проучился год, это седьмой класс был. К сожалению, я остался на второй год. И, оставшись на второй год, мне было как-то солоно ходить в ту же самую школу. Поэтому я попросил родителей перевести меня в школу по месту жительства отца, на Обводном канале. Тут для меня настали замечательные времена, потому что в этой школе был совершенно другой контингент — действительно рабочий класс, дети рабочих.

Волков: Вы почувствовали себя среди своих?

Бродский: Да, ощущение было совершенно другое. Потому что мне опротивела эта полуинтеллигентная шпана. Не то чтобы у меня тогда были какие-то классовые чувства, но в этой новой школе все было просто. А после седьмого класса я попытался поступить во Второе Балтийское училище, где готовили подводников. Это потому, что папаша был во флоте, и я, как всякий пацан, чрезвычайно торчал от всех этих вещей — знаете?

Волков: Погоны, кителя, кортики?

Бродский: Вот-вот! Вообще у меня по отношению к морскому флоту довольно замечательные чувства. Уж не знаю, откуда они взялись, но тут и детство, и отец, и родной город. Тут уж ничего не поделаешь! Как вспомню Военно-морской музей, андреевский флаг — голубой крест на белом полотнище... Лучшего флага на свете вообще нет! Это я уже теперь точно говорю! Но ничего из этой моей попытки, к сожалению, не вышло.

Волков: А что помешало?

Бродский: Национальность, пятый пункт. Я сдал экзамены и прошел медицинскую комиссию. Но когда выяснилось, что я еврей — уж не знаю, почему они это так долго выясняли — они меня перепроверили.

И вроде выяснилось, что с глазами лажа, астигматизм левого глаза. Хотя я не думаю, что это чему бы то ни было мешало. При том, кого они туда брали... В общем, погорел я на этом деле, ну это неважно. В итоге я вернулся в школу на Моховую и проучился там год, но к тому времени мне все это порядком опротивело.

Волков: Ситуация в целом опротивела? Или сверстники? Или кто-нибудь из педагогов вас особенно доставал?

Бродский: Да, там был один замечательный преподаватель — кажется, он вел Сталинскую Конституцию. В школу он пришел из армии, армейский, бывший. То есть рожа — карикатура полная. Ну, как на Западе изображают советских: шляпа, пиджак, все квадратное и двубортное. Он меня действительно люто ненавидел. А все дело в том, что в школе он был секретарем парторганизации. И сильно портил мне жизнь. Тем и кончилось — я пошел работать фрезеровщиком на завод «Арсенал», почтовый ящик 671. Мне было тогда пятнадцать лет.

Волков: Бросить школу — это довольно радикальное решение для ленинградского еврейского юноши. Как реагировали на него ваши родители?

Бродский: Ну, во-первых, они видели, что толку из меня все равно не получается. Во-вторых, я действительно хотел работать. А в семье просто не было башлей. Отец то работал, то не работал.

Волков: Почему?

Бродский: Время было такое, смутное. Гуталин только что врезал дуба. При Гуталине папашу выгнали из армии, потому что вышел ждановский указ, запрещавший евреям выше какого-то определенного звания быть на политработе, а отец был уже капитан третьего ранга, то есть майор.

Волков: А кто такой Гуталин?

Бродский: Гуталин — это Иосиф Виссарионович Сталин, он же Джугашвили. Ведь в Ленинграде все сапожники были айсоры.

Волков: В первый раз слышу такую кличку.

Бродский: А где вы жили всю жизнь, Соломон? В какой стране?

Волков: Когда умер Сталин, я жил в Риге.

Бродский: Тогда понятно. В Риге так, конечно, не говорили.

Волков: Кстати, разве в пятнадцать лет можно было работать? Разве это было разрешено?

Бродский: В некотором роде это было незаконно. Но вы должны понять, это был 1955 год, о какой бы то ни было законности речи не шло. А я вроде был парень здоровый.

Волков: А в школе вас не уговаривали остаться? Дескать, что же ты делаешь, опомнись?

Бродский: Как же, весь класс пришел ко мне домой. А в то время я уже за какой-то пионервожатой ухаживал, или мне так казалось. Помню, возвращаюсь я домой с этих ухаживаний, совершенно раздерганный, вхожу в комнату — а у нас всего две комнаты и было, одна побольше, другая поменьше — и вижу, сидит почти весь класс. Это меня, надо сказать, взбесило. То есть реакция была совершенно не такая, как положено в советском кинофильме. Я нисколько не растрогался, а наоборот — вышел из себя. И в школу, конечно, не вернулся.

Волков: И никогда об этом не жалели?

Бродский: Думаю, что в итоге я ничего не потерял. Хотя, конечно, жалко было, что школу не закончил, в университет не пошел и так далее. Я потом пытался сдать экзамены за десятилетку экстерном.

Волков: Я знал, что такая возможность — сдавать экзамены экстерном — в Советском Союзе существовала, но в первый раз говорю с человеком, который этой возможностью воспользовался. По-моему, власти к этой идее всегда относились достаточно кисло.

Бродский: Да нет, если подготовиться, то можно сдать за десятилетку совершенно спокойно. Я, в общем, как-то подготовился, по всему аттестату. Думал, что погорю на физике или на химии, но это я как раз сдал. Как это ни комично, погорел я на астрономии. По астрономии я решительно ничего не читал тем летом. Действительно, руки не доходили. Чего-то они меня спросили, я походил вокруг доски. Но стало совершенно ясно, что астрономию я завалил. Можно было попробовать пересдать, но я уже как-то скис: надоело все это, эти детские игры. Да я уж и пристрастился к работе: сначала был завод, потом морг в областной больнице. Потом геологические экспедиции начались.

Волков: А что именно вы делали в морге? И как вы туда попали?

Бродский: Вы знаете, когда мне было шестнадцать лет, у меня возникла идея стать врачом. Причем нейрохирургом. Ну нормальная такая мечта еврейского мальчика. И вслед появилась опять-таки романтическая идея — начать с самого неприятного, с самого непереносимого. То есть, с морга. У меня тетка работала в областной больнице, я с ней поговорил на эту тему. И устроился туда, в морг. В качестве помощника прозектора. То есть, я разрезал трупы, вынимал внутренности, потом зашивал их назад. Снимал крышку черепа. А врач делал свои анализы, давал заключение. Но все это продолжалось сравнительно недолго. Дело в том, что тем летом у отца как раз был инфаркт. Когда он вышел из больницы и узнал, что я работаю в морге, это ему, естественно, не понравилось. И тогда я ушел. Надо сказать, ушел безо всяких сожалений. Не потому, что профессия врача мне так уж разонравилась, но частично эта идея как бы улетучилась. Потому что я уже поносил белый халат, да? А это, видимо, было как раз главное, что меня привлекало в этой профессии.

Волков: Вас не воротило от работы в морге? Чисто физически?

Бродский: Вы знаете, сейчас я такое ни в коем случае не смог бы сдюжить. А в юности ни о чем метафизическом не думаешь, просто довольно много неприятных ощущений. Скажем, несешь на руках труп старухи, перекладываешь его. У нее желтая кожа, очень дряблая, она прорывается, палец уходит в слой жира. Не говоря уже о запахе. Потому что масса людей умирает перед тем, как покакают, и все это остается внутри. И поэтому присутствует не только запах разложения, но еще и вот этого добра. Так что просто в смысле обоняния, это было одно из самых крепких испытаний.

Волков: Мне такое даже слушать — испытание.

Бродский: Ушел я из морга главным образом потому, что приключилась одна неприятная сцена. Больница эта была областная. И летом очень много привозили детей. Дело в том, что летом (а это был июль) детская смертность подскакивает. По области гуляет бруцеллез, много случаев токсической диспепсии, маленькие дети особенно страдают; что-нибудь съедят или выпьют — молочко не такое, и все. Младенцы этому чрезвычайно подвержены. И пришел к нам в морг цыган. Я выдал ему двух его детей — двойняшек, если не ошибаюсь. Он когда увидел их разрезанными, то среагировал на это довольно буйно: решил меня тут же на месте и пришить. И вот этот цыган с ножом в руке стал носиться за мной по моргу. А я бегал от него между столами, на которых лежали покрытые простынями трупы. То есть это такой сюрреализм, по сравнению с которым Жан Кокто — просто сопля. Наконец, он поймал меня, схватил за грудки, и я понял, что сейчас произойдет что-нибудь непоправимое. Тогда я изловчился, взял хирургический молоток — такой, знаете, из нержавеющей стали — и ударил цыгана по запястью. Рука его разжалась, он сел и заплакал. А мне стало очень не по себе.

Волков: Ну и сцена...

Бродский: Да, сцена была совершенно замечательная. Самое смешное в том, что морг находился стенка в стенку с «Крестами». И заключенные оттуда перекидывали к нам записки на волю, посылали друг другу «коней»...

Волков: А что это такое — «конь»?

Бродский: «Конь» — это средство общения в тюрьме. Способ передачи разных сообщений, а также хлеба, вещей. Например, вы — фраер. Вы попадаете в тюрьму, а кто-то, наоборот, освобождается, и ему не в чем выйти. Тогда у вас берут пиджак, затем связывают тряпки, или носки, или простыни в длинную веревку. Пиджак свертывается в комок и привязывается к этой штуке. Затем рука высовывается за оконную решетку и размахивает этой веревкой с пиджаком, пока он не попадает в окно другой камеры. А в другой камере его ловят, высовывая руку или лапку. Это и называется послать вещь «конем». Из морга я за всем этим мог наблюдать. Когда позднее я сам попал в «Кресты», то видел все это с другой стороны.

Волков: После морга вы, кажется, работали истопником в котельной?

Бродский: Да. Но это продолжалось сравнительно недолго — может быть, несколько месяцев. А потом началась работа в геологических экспедициях.

Волков: Как вы туда попали?

Бродский: А очень просто. Я мечтал путешествовать по свету — ха-ха-ха, прошу прощенья, да? Но я совершенно не представлял, как эту мечту осуществить. И вот кто-то — не помню уж кто, может быть, даже знакомый родителей — сказал, что существуют такие геологические экспедиции. Я страшно завелся на это дело и узнал, что каждое лето в поле отправляются геологические партии. И что там просто нужны руки. Это у меня было. И ноги. И спина, как потом выяснилось. Это тоже у меня было. Я нашел Пятое геологическое управление и предложил свои незатейливые услуги. И они меня взяли.

Волков: А здесь пятый пункт не имел значения?

Бродский: О нет! Геология была как та курица — брала под свое крыло кого хочешь, кто туда заберется. Геология стала кормящей матерью для многих!

Волков: Куда же вы отправились?

Бродский: Тут вышла небольшая накладка. Я думал, мы поедем на Камчатку. И от этого, конечно, обалдел — как сейчас помню. Но вышло ровно наоборот: вместо Камчатки мы отправились на Белое море.

Волков: Вот, значит, когда вы в первый раз увидели Север! И какое он тогда произвел впечатление?

Бродский: Замечательное. Это замечательные были места. То есть ничего хорошего в них не было. Это к северу от Обозерска — полутайга, полутундра. Чудовищное количество комаров! То есть все, что со мной приключилось в дальнейших геологических экспедициях — по Сибири, Якутии, Дальнему Востоку — это детский сад по сравнению с теми комарами. Хуже никогда не было. Так что это была такая замечательная закалка, да?

Волков: А что там была за публика, в этих геологических экспедициях?

Бродский: Ну, публика — с бору по сосенке. Главным образом, бичи. Знаете, кто такие бичи?

Волков: Бродяги. Те, кто здесь, в Америке, называются «хобос».

Бродский: В общем, да. Но все-таки «хобос» — куда более смирное племя, нежели бичи. Бичи — это люди со сроками, с ножами.

Волков: А чем вы там занимались?

Бродский: В то время создавалась геологическая карта Советского Союза в миллионном масштабе. Вот и мы делали карту пород, залегающих в этой местности, на Севере. Это была карта четвертичного залегания, то есть слоев грунта, недалеко уходящих в глубину: глина и так далее. Шурфы бьются на метр-полтора. В день мы нахаживали пешком по тридцать километров, забивали по четыре шурфа. Или, поскольку это было в тундре, в болотах, делали прокол. Просто брали шест, забивали и что-то вытаскивали, чего там было. Там, как правило, ничего не было.

Волков: А что хотелось найти?

Бродский: Хотелось найти уран, естественно. Чтобы потом... Ну понятно, зачем нам уран был нужен. Никаких сомнений на этот счет быть не могло. И между прочим однажды, на Дальнем Востоке, я даже нашел месторождение урана — небольшое, но нашел.

Волков: Это была трудная работа?

Бродский: Вы таскаетесь по тайге, по этим совершенно плоским, бесконечным болотам. Согнуты в три погибели. Разогнуться потом совершенно невозможно.

Волков: А что тащите?

Бродский: Главным образом, всякие геологические приборы. Поскольку это была разведка на уран, то дозиметрические приборы. Сначала счетчик Гейгера, для измерения радиации, потом более усовершенствованные приборы, довольно толковые, с такой замечательной шкалой, которая давала приблизительные показания о степени радиоактивности той или иной породы. Вот вы спросили о впечатлениях от северного пейзажа. Я его видел, но совсем не в том ключе. Воспринимается этот пейзаж исключительно в функциональном плане, поскольку эстетически совершенно не до него.

Волков: А что вы там ели, пили?

Бродский: Ели мясные консервы отечественного производства, которые разогревали на костре, пили воду. И водку, естественно. Пили также чифирь, поскольку у основного контингента этих геологических партий большой опыт по этой части. Пили спирт, тормозную жидкость. Все что угодно. Точнее, все что под руку попадало.

Волков: А спали в палатках?

Бродский: В палатках, в спальных мешках. Все это тоже на себе, на своем горбу таскали.

Волков: А женщины были в экспедициях?

Бродский: Мало. Но были, были. Хотя в поле сексуальные проблемы несколько иначе решаются и смотрятся.

Волков: А именно?

Бродский: Ситуация в этом смысле одновременно простая и сложная. Работа, конечно, выматывает, но это обстоятельство не превращает тебя в нечто асексуальное — как раз наоборот. С другой стороны, бабы в геологических экспедициях рассматриваются в значительной степени в том же ключе, что и мужики, потому что выполняют ту же самую работу. И ты не очень понимаешь: может быть, им как-то не особенно до того? Или наоборот, до того всю дорогу?

Волков: И как же эти проблемы решались?

Бродский: Существовал определенный сексуальный кодекс — если не чести, то, по крайней мере, поведения. Потому что, если начинаешь крутить с кем-нибудь, то, значит, все остальные оказываются как бы в накладе, да? А поэтому возникали всякие психологические нюансы.

Волков: Даже у бичей?

Бродский: Ну, работяги — они всегда себе кого-нибудь находили. Мы часто останавливались на лесоповальных пунктах, а там постоянно бывали какие-нибудь расконвоированные бабы. И сразу же начиналось! Как правило, нигде не задерживаешься: остановка на одну ночь, потом снимаешься. Поэтому связи носили характер плутовского романа, применительно к тому ландшафту и к тому контингенту. Но в общем, за мои годы в экспедициях особенного эротического напряжения или буйства я не замечал.

Волков: А сколько лет вы ходили в экспедиции?

Бродский: Лет пять-шесть. Началось это году в 1956 или 1957, то есть когда мне было лет шестнадцать-семнадцать. А кончилось примерно в 1962 году. И в целом эротика в экспедициях была не очень сильна. Несколько раз попадались пары, которые работали вместе — муж с женой или любовники. Над ними как бы посмеивались, и они вели себя более или менее не показным, не вызывающим кривотолков — которые конечно же имели место — образом.

Волков: Должен вам сказать, Иосиф, что для начинающего поэта жизненный опыт у вас был даже для России весьма разнообразным.

Бродский: В плане использования его в художественной литературе? «Мои университеты» Алексея Максимовича Горького? Между прочим, недавно кто-то высказал довольно остроумную догадку, почему Горький так назвал свой знаменитый роман — «Мать»: сначала-то он хотел назвать его «Еб твою мать!», а уж потом сократил... Но если говорить серьезно, то это мои университеты. И во многих отношениях — довольно замечательное время. Конечно, его можно было использовать и каким-то иным образом, но...

Волков: Мне кажется, ничто другое не могло бы восполнить такой опыт.

Бродский: На самом деле это не так. Потому что это тот возраст, когда все вбирается и абсорбируется с большой жадностью и с большой интенсивностью. И абсолютно на все, что с тобой происходит, взираешь с невероятным интересом, как будто это происходит в первый раз.

Волков: В этом возрасте все и происходит в первый раз!

Бродский: И да, и нет. Об этом говорить довольно интересно. Потому что я и теперь считаю, что не всякий опыт полезен и занимателен. Например, проработаешь где-нибудь неделю — и все уже знаешь. Вообще-то в жизни нет ничего плохого, единственно что в ней плохо — это предсказуемость, по-моему.

Волков: Значит, для вас предсказуемость — это не добро, а, скорее, зло?

Бродский: Да. И когда я в какой-либо жизненной ситуации начинал чувствовать эту предсказуемость, то всегда от нее уходил. Так что пословица «повторенье — мать ученья» не для меня. Если только это не то повторенье, о котором говорил, по-моему, Лихтенберг. Его мысль звучала приблизительно так: «Одно дело, когда веришь в Бога, а другое дело — когда веришь в Него опять». То есть когда приходишь к Богу после опыта неверия, то это совсем другая история, другая вера. Об этом, кстати, говорил и Кьеркегор: простите меня, Соломон, за все эти иностранные имена. При всем при этом — повторение, конечно, может быть замечательной вещью. И ты в конце концов привыкаешь к какой-то предсказуемости.

Волков: Вы как-то раз говорили мне, что предсказуемость — это одно из главных условий поэтического творчества...

Бродский: Конечно. Все эти повторения, рефрены...

Волков: Нет, речь шла не о поэтике, но о психологическом ощущении. Вы тогда говорили, что поэт — для того, чтобы иметь возможность писать, — должен существовать в некоем инерционном поле.

Бродский: Ну конечно. Должно возникать экзистенциальное эхо. Тот самый принцип метафизической музыки, о котором мы уже говорили. Конечно, в предсказуемости есть определенный плюс. Но лично я всегда норовил смыться, чтобы не превратиться в жертву инерции.

Волков: Ну не так уж много в вашей жизни предсказуемых ситуаций, скорее наоборот. Да и время было такое, с постоянными политическими всплесками и зигзагами. Особенно при Сталине, когда над средним интеллигентом нависла то одна, то другая смертельная угроза. Вы помните, скажем, как в вашей семье обсуждали «ждановское» постановление ЦК о Зощенко и Ахматовой?

Бродский: Нет, это прошло мимо меня — ну, шесть лет мне тогда было! Из тех лет у меня сохранилось другое яркое воспоминание — мой первый белый хлеб, первая французская булочка, которую я укусил. Война недавно кончилась. Мы были у маминой сестры, у тетки моей — Раисы Моисеевны. И где-то они раздобыли эту самую булочку. И я стоял на стуле и ел ее, а они все смотрели на меня. Вот это я запомнил.

Волков: А более позднюю кампанию, в 1948 году, помните? Против Прокофьева, Шостаковича и других композиторов?

Бродский: Про это я читал в газетах. Помню, как осуждали Вано Мурадели и его оперу «Великая дружба». Но я не очень-то соображал, о чем все это. В семье у нас об этом не говорили. Но я помню разговоры о «ленинградском деле». Отец говорил, что Попков был хороший человек.

Волков: Про Попкова многие ленинградцы вспоминали, что он был толковым организатором. И в частности, неплохо проявил себя во время блокады. Кроме того, утверждали, что он не был антисемитом. Во время расследования «ленинградского дела» это, говорят, было поставлено ему Сталиным в вину. И в связи с этим я хочу спросить у вас вот о чем: как вы восприняли антисемитскую кампанию начала пятидесятых годов, то есть дело «врачей-убийц»?

Бродский: А вот эту историю я помню довольно отчетливо. Помню, как я пришел из школы домой. И мать с отцом, хотя должны были быть в это время на работе, уже сидели в комнате. И они на меня так странно посмотрели. И кто-то из них — то ли отец, то ли мать — сказал, что скоро им, вероятно, придется отправиться в далекое путешествие. И в связи с этим надо будет продать пианино и прочую мебель. Я спрашиваю — что за путешествие такое? И отец мне попытался как-то на пальцах все это объяснить.

Волков: Я моложе вас на четыре года, но тоже помню эти дни. Атмосфера была какой-то нереальной, как в дурном сне.

Бродский: Отец рассказал мне тогда об открытом письме в газету «Правда», которое подписали все выдающиеся евреи — они там каялись и выражали всяческие верноподданнические чувства.

Волков: С этим знаменитым письмом что-то неясно. Я тоже о нем много слышал. Но ведь оно так и не появилось тогда в «Правде». И пока точно неизвестно, кто же именно из еврейских знаменитостей его подписал, а кто — все-таки отказался. О письме я тогда, в 1953 году, не знал, но помню, что в обстановке общей антиеврейской истерии чувствовал себя крайне неуютно. Грубо говоря, я испугался. А что вы испытывали? Тоже страх?

Бродский: Вы знаете — страха не было, нет. Не было. Но и воодушевления, надо сказать, не было. Ясно, что родителям сложившаяся ситуация не очень нравилась. И я их жалел: придется выносить мебель, возиться. Я просто думал о мороке.

Волков: А как вы отреагировали на смерть Сталина в марте 1953 года?

Бродский: Я тогда учился в этой самой «Петершуле». И нас всех созвали в актовый зал. В «Петершуле» секретарем парторганизации была моя классная руководительница, Лидия Васильевна Лисицына. Ей орден Ленина сам Жданов прикалывал — это было большое дело, мы все об этом знали. Она вылезла на сцену, начала чего-то там такое говорить, но на каком-то этапе сбилась и истошным голосом завопила: «На колени! На колени!» И тут началось такое! Кругом все ревут, и я тоже как бы должен зареветь. Но — тогда к своему стыду, а сейчас, думаю, к чести — я не заревел. Мне все это было как бы диковато: вокруг все стоят и шмыгают носами. И даже всхлипывают; некоторые, действительно, всерьез плакали. Домой нас отпустили в тот день раньше обычного. И опять, как ни странно, родители меня уже поджидали дома. Мать была на кухне. Квартира — коммунальная. На кухне кастрюли, соседки — и все ревут. И мать ревет. Я вернулся в комнату в некотором удивлении. Как вдруг отец мне подмигнул, и я понял окончательно, что мне по поводу смерти Сталина особенно расстраиваться нечего.

Волков: А что вы слышали о докладе Хрущева на XX съезде партии?

Бродский: Вы знаете, я слышал об этом докладе, но ведь он же был «секретный», только для сведения членов партии. И этот секрет соблюдался довольно строго. К примеру, мой дядя, который был членом партии, так нам ничего и не рассказал. Так что текст доклада я впервые прочел только здесь, на Западе.

Волков: А какие у вас были ощущения в связи с таким — для многих неожиданным — посмертным низвержением Сталина?

Бродский: Меня это низвержение, в общем, устраивало. Мне тогда сколько было — шестнадцать лет, да? Никаких особенных чувств я к Сталину не испытывал, это точно. Скорее он мне порядком надоел. Честное слово! Ну везде его портреты! Причем в форме генералиссимуса — красные лампасы и прочее. И хотя я обожаю военную форму, но в случае со Сталиным мне все время казалось, что тут кроется какая-то лажа. Эта фуражка с кокардой и капустой, и прочие дела — все это со Сталиным как-то не вязалось, казалось не очень убедительным. И потом эти усы! И между прочим, в скобках, — знаете, на кого Сталин производил очень сильное впечатление? На гомосексуалистов! Это ужасно интересно. В этих усах было что-то такое южное, кавказско-средиземноморское. Такой папа с усами!

Волков: Я недавно тоже об этом думал, и вот в связи с чем. Из России в последнее время хлынул поток хроникальных киноматериалов о Сталине. Раньше их, видно, держали под спудом, а сейчас продают направо и налево. И я обратил внимание на то, какое впечатление производит Сталин в этой кинохронике. Он, в отличие от Гитлера или Муссолини, не пугает. Те кривляются, дергаются, буйно жестикулируют, пытаются «завести» толпу чисто внешними актерскими приемами. А Сталин ведет себя сдержанно, спокойно. И от этого его поведение гораздо более убедительно. Скажу больше: он проецирует какое-то тепло. Действительно возникает ощущение, что сейчас он тебя обнимет и пригреет. Как сказали бы американцы — surrogate father figure.

Бродский: То есть о нем совершенно спокойно можно думать как об отце, да? Скажем, если твой отец никуда не годится, то вот уж этот-то будет хорошим папой, да?

Волков: Именно так! Именно эти эмоции он вызывает! И я смотрю на него в этих фильмах и — при том, что уж все о нем знаю! — ничего с собой поделать не могу.

Бродский: Это очень важно, Соломон! Потому что здесь начинается чистый Фрейд. Я думаю, что значительный процент поддержки Сталина интеллигенцией на Западе был связан с ее латентным гомосексуализмом. Я полагаю, что многие на Западе обратились в коммунистическую веру именно по этой причине. То есть они Сталина просто обожали!

Волков: И мне кажется, одним из доказательств того эмоционального впечатления, которое Сталин производил на людей искусства, может служить знаменитый портрет, нарисованный сразу после его смерти Пабло Пикассо. Прекрасный рисунок! Зря на него французская компартия в свое время ополчилась. По-моему, это была со стороны Пикассо подлинно спонтанная творческая реакция. Он как художник откликнулся на событие, которое его потрясло. Так, скажем, в Америке поэты откликнулись на убийство Джона Кеннеди.

Бродский: Ну не знаю, не знаю. Про это я ничего не могу сказать. У меня никогда таких чувств не было. На мой вкус, самое лучшее, что про Сталина написано, это — мандельштамовская «Ода» 1937 года.

Волков: Она мне, кстати, напоминает портрет Сталина работы Пикассо, о котором я говорил.

Бродский: Нет, это нечто гораздо более грандиозное. На мой взгляд, это, может быть, самые грандиозные стихи, которые когда-либо написал Мандельштам. Более того. Это стихотворение, быть может, одно из самых значительных событий во всей русской литературе ХХ века. Так я считаю.

Волков: Это, конечно, примечательное стихотворение, но все же не настолько...

Бродский: Я даже не знаю, как это объяснить, но попробую. Это стихотворение Мандельштама — одновременно и ода, и сатира. И из комбинации этих двух противоположных жанров возникает совершенно новое качество. Это фантастическое художественное произведение, там так много всего намешано!

Волков: Там есть и отношение к Сталину как к отцу, о котором мы говорили.

Бродский: Там есть и совершенно другое. Знаете, как бывало в России на базаре, когда к тебе подходила цыганка, брала за пуговицу и, заглядывая в глаза, говорила: «Хошь, погадаю?» Что она делала, ныряя вам в морду? Она нарушала территориальный императив! Потому что иначе — кто ж согласится, кто ж подаст? Так вот, Мандельштам в своей «Оде» проделал примерно тот же трюк. То есть он нарушил дистанцию, нарушил именно этот самый территориальный императив. И результат — самый фантастический. Кроме того, феноменальна эстетика этого стихотворения: кубистическая, почти плакатная. Вспоминаешь фотомонтажи Джона Хартфильда или, скорее, Родченко.

Волков: У меня все-таки ассоциации больше с графикой. Может быть, с рисунками Юрия Анненкова? С его кубистическими портретами советских вождей?

Бродский: Знаете ведь, у Мандельштама есть стихотворение «Грифельная ода»? Так вот, это — «Угольная ода»: «Когда б я уголь взял для высшей похвалы — / Для радости рисунка непреложной...» Отсюда и постоянно изменяющиеся, фантастические ракурсы этого стихотворения.

Волков: Примечательно, что Мандельштам сначала написал сатирическое стихотворение о Сталине, за которое его, по-видимому, и арестовали в 1934 году. А «Оду» он написал позднее. Обыкновенно бывает наоборот: сначала сочиняют оды, а потом, разочаровавшись, памфлеты. И реакция Сталина была, на первый взгляд, нелогичная. За сатиру Мандельштама сослали в Воронеж, но выпустили. А после «Оды» — уничтожили.

Бродский: Вы знаете, будь я Иосифом Виссарионовичем, я бы на то, сатирическое стихотворение, никак не осерчал бы. Но после «Оды», будь я Сталин, я бы Мандельштама тотчас зарезал. Потому что я бы понял, что он в меня вошел, вселился. И это самое страшное, сногсшибательное.

Волков: А что-нибудь еще в русской литературе о Сталине кажется вам существенным?

Бродский: На уровне «Оды» Мандельштама ничего больше нет. Ведь он взял вечную для русской литературы замечательную тему — «поэт и царь». И, в конце концов, в этом стихотворении тема эта в известной степени решена. Поскольку там указывается на близость царя и поэта. Мандельштам использует тот факт, что они со Сталиным все-таки тезки. И его рифмы становятся экзистенциальными.

Волков: Мандельштам свою сатиру на Сталина декламировал направо и налево. А это были времена опасные, можно загреметь даже за невинный анекдот. Но поэту обязательно надо почитать свое новое стихотворение хоть кому-нибудь из знакомых, поделиться. Это для него очень важно. А вот вы помните, как в первый раз прочли другому человеку свое стихотворение?

Бродский: Вы знаете, не помню. Действительно не помню. Одним из первых был ленинградский литератор Яков Гордин, замечательный человек. Он был среди первых моих литературных знакомств. Помню, как я читал свои стихи в литобъединении при молодежной газете «Смена». Руководили этим объединением, помнится, два несчастных человека. Это я вместо того, чтобы сказать «два больших мерзавца».

Волков: А когда вы начали писать стихи?

Бродский: Лет в восемнадцать, более или менее, хотя стихи эти были еще те! Мне кажется, что и о литобъединении при «Смене» я услышал от людей в геологической экспедиции. Потому что в этих экспедициях всегда было много стихопишущих.

Волков: А каков был импульс, побудивший вас к стихописанию?

Бродский: Таких импульсов было, пожалуй, два. Первый, когда мне кто-то показал «Литературную газету» с напечатанными там стихами Слуцкого. Мне тогда было лет шестнадцать, вероятно. Я в те времена занимался самообразованием, ходил в библиотеки. Нашел там, к примеру, Роберта Бернса в переводах Маршака. Мне это все ужасно нравилось, но сам я ничего не писал и даже не думал об этом. А тут мне показали стихи Слуцкого, которые на меня произвели очень сильное впечатление. А второй импульс, который, собственно, и побудил меня взяться за сочинительство, имел место, я думаю, в 1958 году. В геологических экспедициях об ту пору подвизался такой поэт — Владимир Британишский, ученик Слуцкого, между прочим. И кто-то мне показал его книжку, которая называлась «Поиски». Я как сейчас помню обложку. Ну, я подумал, что на эту же самую тему можно и получше написать. Такая амбициозность-неамбициозность, что-то вроде этого. И я чего-то там начал сочинять сам. И так оно и пошло.

Волков: А каковы были ваши эмоции в момент выхода первой книжки стихов? Ведь она вышла по-русски в Америке. Тогда, в 1965 году, такого рода зарубежные публикации — явление экстраординарное. У всех в памяти был еще свеж невероятный международный скандал, разразившийся в связи с изданием «Доктора Живаго» Пастернака в 1957 году в Италии. А также процесс Синявского-Даниэля в 1965, их как раз и обвиняли в том, что они печатались на Западе.

Бродский: Да, этот сборник — он назывался «Стихотворения и поэмы» — вышел в Америке под эгидой Inter-Language Literary Associates.

Я тогда находился в ссылке. Помню, когда я освободился, мне ее показали: такая серая книжка, с массой стихотворений. Посмотрел я на нее — ну ощущение полной дичи. У меня, вы знаете, было чувство, что это стихи, взятые во время обыска и напечатанные.

Волков: То есть вы к ее составлению отношения не имели?

Бродский: Абсолютно никакого отношения.

Волков: А вторая ваша поэтическая книга, «Остановка в пустыне»? Она ведь тоже вышла в Америке в русскоязычном издательстве имени Чехова. Ее-то вы сами составляли?

Бродский: Вы знаете — не очень, не очень. Я помню, что мне эту книжку составили, и я оттуда чего-то выкинул.

Волков: «Остановка в пустыне» была поделена на разделы: «Холмы», «Anno domini», «Фонтан», «Поэмы», «Горбунов и Горчаков» и «Переводы». Это ваши названия?

Бродский: Наверное, мои.

Волков: Вы этим названиям придавали какое-то значение?

Бродский: Может быть, да. Но сейчас я этого уже не помню. Ну, может быть, »Anno domini» — это лирические стихи, посвященные исключительно любовной драме. С другой стороны, раздел «Поэмы» озаглавлен неправильно: это на самом деле не поэмы, а длинные стихи. И там есть вещи, которые принадлежат к «Anno domini» — и тематически и хронологически. «Холмы» — это просто более ранние стихи, я полагаю. Просто мне нравилось это стихотворение — «Холмы». Оно включено в эту книжку?

Волков: Да.

Бродский: Какой ужас!.

Волков: Как-то вы небрежно к своим книгам относитесь, не по-отечески.

Бродский: Вы знаете, в этом смысле мне очень приятна одна вещь, которую я когда-то прочитал про художника Утрилло. Он вообще-то был алкаш, и алкаш очень сильный. В чем мать его, Сюзанна Валадон, всячески Утрилло поощряла. Мадам вообще считала, что она самый главный художник в семье. Так вот, когда Утрилло приходил на выставку своих картин, и его просили указать — какая картина его, а какая — подделка, то он этого сделать не мог. И не потому, что не понимал, а просто ему было уже все равно. И потому он и не помнил, когда он написал — или не написал — ту или иную картину. И я тоже ничего не помню.

Волков: Да, подобные легенды ходят про многих художников. Я что-то похожее читал про Пикассо. А из отечественных мастеров такое, как утверждают, случалось с Ильей Ефимовичем Репиным: он тоже, якобы, не мог отличить своей собственной работы от подделки.

Бродский: Ну, Илья Ефимович! Тут и эксперт не отличит!

Волков: Позвольте с вами не согласиться. Репин — замечательный художник. И человек очень любопытный.

Бродский: Да, хороший художник, особенно в своих мелких работах и этюдах. Только не надо было ему большие сюжетные полотна сочинять.

Волков: Ну, этюды репинские просто блистательны! А какой он изумительный рисовальщик! А портреты его? И даже многофигурные композиции — такие, как «Торжественное заседание Государственного совета» или «Пушкин-лицеист, читающий свои стихи» — меня всегда впечатляли, когда я их видел в оригинале. Они просто светятся изнутри!

Бродский: «Заседание Государственного совета» — это действительно замечательная картина. Но есть несколько работ у Репина, которые находятся по ту сторону добра и зла. Скажем, «Бурлаки на Волге» или тот же «Пушкин-лицеист». Когда вы мне напомнили про эту картину, я сразу же вспомнил коридор Ленинградского университета. Там висела картина — правда, не Пушкин, а Ленин, тоже отвечающий на выпускном экзамене. И это все сидит на сетчатке, слившись в одно бесконечное серое целое.

Волков: Возвращаясь к вашей книге «Остановка в пустыне»; что вы ощутили, когда ее увидели? Это был, напомню, 1970 год.

Бродский: Да, но стихи там были, естественно, за более ранние годы. И я помню, что когда посмотрел на эту книжку, я понял, что второй такой у меня не будет. Потому что ваш покорный слуга был к этому моменту уже другим человеком.

Волков: В каком смысле?

Бродский: Автор «Остановки в пустыне» — это еще человек с какими-то нормальными сантиментами. Который расстраивается по поводу потери, радуется по поводу — ну не знаю уж по поводу чего... По поводу какого-то внутреннего открытия, да? А к моменту выхода книжки я уже точно знал, что никогда не напишу ничего подобного — не будет ни тех сантиментов, ни той открытости, ни тех локальных решений.

Волков: Иосиф, коли мы уж помянули художников, которые в Петербурге — как и во всем мире, впрочем — всегда тяготели к богемному образу жизни, то я хочу поинтересоваться: а вы в такой жизни участвовали? Ахматова в свое время весьма увлекалась походами в «Бродячую Собаку». Она, кстати, рассказывала вам о «Бродячей Собаке»?

Бродский: Довольно часто, довольно часто.

Волков: И какое впечатление с ее слов вы составили о «Бродячей Собаке»?

Бродский: Что это было такое смрадное место, где собиралась петербургская богема начала века. Тем не менее впечатление возникало все-таки немножечко романтичное: полуподвал, своды расписаны Судейкиным...

Волков: Вам нравятся стихи Ахматовой о «Бродячей Собаке»: «Все мы бражники здесь, блудницы...»?

Бродский: Стихотворение хорошее, но мне не нравится. Хотя дикция в этом стихотворении замечательная.

Волков: А у вас никогда не возникало тоски по той, дореволюционной богемной жизни? Или, может быть, у вас были другие, более современные представления о том, как должен жить поэт или писатель? Я помню, что в Ленинграде в шестидесятые годы многие мечтали о стиле жизни а ля Хемингуэй: подойти к стойке бара и мужественно заказать стопку кальвадо́са — или кальва́доса, уж не знаю, как правильно ударение поставить...

Бродский: Кальвадо́с, кальвадо́с. Вы, Соломон, задаете замечательные вопросы, но я на них просто затрудняюсь ответить...У меня лично подобной тоски не было. Потому что все это слишком пахло каким-нибудь Александром Грином, его версией, скажем так, «изящной жизни». Эта жизнь никаких особенных загадок или шарма для меня не составляла и не составляет. И, скажем, та же «Бродячая Собака» представлялась мне всегда куда менее интересным местом, чем трактир у Федора Михайловича Достоевского.

Волков: А что из себя представляла современная вам ленинградская «изящная жизнь»?

Бродский: Наверное, художники и их мастерские. «Поедем к художнику в мастерскую»! — так это мне вспоминается. Скажем, у меня были два знакомых художника, у которых была мастерская в совершенно замечательном месте, около Академии художеств. Художники были посредственные, хотя талантливые по-своему, прикладники. Довольно забавные собеседники, ужасно остроумные. И у них время от времени собиралась богема, или то, что полагало себя богемой. Лежали на коврах и шкурах. Выпивали. Появлялись какие-то девицы. Потому что художники — они чем привлекательны? У них же натурщицы есть, да? По стандартной табели о рангах — натурщица, она как бы лучше, чем простая смертная. Не говоря уже о чисто порнографическом аспекте всего этого дела.

Волков: А что, был и такой аспект?

Бродский: В основном шли разговоры, окрашенные эротикой. Такое легкое веселье или, скорее, комикование. И трагедии, конечно же: все эти мучительные эмоции по поводу того, кто с кем уходит. Поскольку раскладка была, как всегда, совершенно не та. В общем, такой нормальный спектакль. Были люди, которые приходили на это просто посмотреть, они были зрители. А были актеры. Я, например, был актером. Думаю, что и в «Бродячей Собаке» происходило, в известной степени, то же самое.

Волков: А пили крепко?

Бродский: Еще как!

Волков: А что именно пили?

Бродский: Ну, что ни попадя, потому что не всегда были деньги. Как правило, водочку. Хотя впоследствии, когда нам всем стало становиться под тридцать, водочку заменяли сухим, что меня сильно бесило, потому что я сухое вино всегда терпеть не мог.

Волков: Почему же?

Бродский: Потому что от сухого меня, как правило, брала изжога. В общем, это не было «изящной жизнью». Поскольку «изящная жизнь» — особенно в ее инженерном варианте — это шампанское, шоколад...

Волков: А коньяк вы пили? Спрашиваю, потому что питаю к коньяку особенно теплые чувства.

Бродский: Пили — армянский, «Курвуазье», когда он появлялся. Меня как раз коньяк никогда особенно не занимал. В коньяке меня больше интересовали заграничные бутылки, нежели их содержимое. Потому что я довольно долго придерживался той русской идеи, что «коньяк клопами пахнет». И к бренди у меня до сих пор прохладное отношение. Водочка — другое дело. И виски, когда оно появлялось.

Волков: Откуда же в Ленинграде шестидесятых годов виски? Я о нем только в переводной художественной литературе читал. Как, впрочем, и о «Курвуазье».

Бродский: Виски было будапештского разлива. Что меня совсем не смущало, поскольку этикетка была по-английски. Но самые замечательные бутылки были из-под джина. Помню, к Володе Уфлянду пришел некий американ и принес бутылку «Beefeater». Это было довольно давно, году в 1959-ом. И вот сидим мы, смотрим на картинку: гвардеец в Тауэре во всех этих красных причиндалах. И тут Уфлянд сделал одно из самых проникновенных замечаний, которые я помню. Он сказал: «Знаешь, Иосиф, вот мы сейчас затарчиваем от этой картинки. А они там, на Западе, затарчивают, наверное, от отсутствия какой бы то ни было картинки на нашей водяре».

Волков: Так вроде бы на русской водке есть картинка — небоскреб какой-то сталинский!

Бродский: Это вы говорите о гостинице «Москва» на этикетке «Столичной». А вот на водке просто, «Московская» она называлась, была такая бело-зеленая наклейка: ничего абстрактней представить себе, на мой взгляд, невозможно. И когда смотришь на это зеленое с белым, на эти черные буквы — особенно в состоянии подпития — то очень сильно балдеешь, половинка зеленого, а дальше белое, да? Такой горизонт, иероглиф бесконечности.

Гринвич-Вилледж, Нью-Йорк. 1978.

В Колумбийском универстете. Нью-Йорк. 1972.

Глава 2

Марина Цветаева:
весна 1980—осень 1990

Волков: Традиционно о вас говорят как о поэте, принадлежавшем к
кругу Ахматовой. Она вас любила, поддерживала в трудные моменты, вы
ей многим обязаны. Но из бесед с вами я знаю, что творчество Марины
Цветаевой оказало на ваше становление как поэта гораздо большее влияние, чем ахматовское. Вы и познакомились с ее стихами раньше, чем с
произведениями Ахматовой. То есть именно Цветаева является, что называется, поэтом вашей юности. Именно она была вашей «путеводной
звездой» в тот период. И высказываетесь вы о творчестве Цветаевой до
сих пор с невероятным восторгом и энтузиазмом, что для типичного
поклонника Ахматовой — такого, как я, например, — крайне нехарак-
терно. Многие ваши замечания о Цветаевой звучат — для моего уха, по
крайней мере, — парадоксально. К примеру, когда вы говорите о поэзии Цветаевой, то часто называете ее кальвинистской. Почему?

Бродский: Прежде всего имея в виду ее синтаксическую беспреце-
дентность, позволяющую — скорей, заставляющую — ее в стихе догово-
варивать все до самого конца. Кальвинизм в принципе чрезвычайно
простая вещь: это весьма жесткие счеты человека с самим собой, со
своей совестью, сознанием. В этом смысле, между прочим, и Достоевский кальвинист. Кальвинист — это, коротко говоря, человек, постоянно творящий над собой некий вариант Страшного суда — как бы в
отсутствие (или же не дожидаясь) Всемогущего. В этом смысле второго такого поэта в России нет.

Волков: А пушкинское «Воспоминание»? «И, с отвращением читая
жизнь мою, / Я трепещу и проклинаю...»? Толстой всегда выделял эти
стихи Пушкина как пример жестокого самоосуждения.

Бродский: Принято думать, что в Пушкине есть все. И на протяжении семидесяти лет, последовавших за дуэлью, так оно почти и было. После чего наступил XX век... Но в Пушкине многого нет не только из-за смены эпох, истории. В Пушкине многого нет по причине темперамента и пола: женщины всегда значительно беспощадней в своих нравственных требованиях. С их точки зрения — с цветаевской, в частности, — Толстого просто нет. Как источника суждений о Пушкине — во всяком случае. В этом смысле я — даже больше женщина, чем Цветаева. Что он знал, многотомный наш граф, о самоосуждении?

Волков: А если вспомнить «Есть упоение в бою,/И бездны мрачной на краю...»? Разве нет в этих стихах Пушкина ощущения стихии и бунта, близкого Цветаевой?

Бродский: Цветаева — вовсе не бунт. Цветаева — это кардинальная постановка вопроса: «голос правды небесной / против правды земной». В обоих случаях, заметьте себе, — правды. У Пушкина этого нет; второй правды в особенности. Первая — самоочевидна и православием начисто узурпирована. Вторая — в лучшем случае — реальность, но никак не правда.

Волков: Мне такое слышать непривычно. Мне всегда казалось, что Пушкин говорит и об этом.

Бродский: Нет; это — огромная тема, и ее, может, лучше и не касаться. Речь идет действительно о суде, который страшен уже хотя бы потому, что *все* доводы в пользу земной правды перечислены. И в перечислении этом Цветаева до самого последнего предела доходит; даже, кажется, увлекается. Точь-в-точь герои Федора Михайловича Достоевского. Пушкин все-таки, не забывайте этого, — дворянин. И, если угодно, англичанин — член Английского клуба — в своем отношении к действительности: он сдержан. Того, что надрывом называется, у него нет. У Цветаевой его тоже нет, но сама ее постановка вопроса а ля Иов: или — или, порождает интенсивность, Пушкину несвойственную. Ее точки над «ё» — вне нотной грамоты, вне эпохи, вне исторического контекста, вне даже личного опыта и темперамента. Они там потому, что над «е» пространство существует их поставить.

Волков: Если говорить о надрыве, то он действительно отсутствует у художников, которых принято считать всеобъемлющими — у Пушкина или у Моцарта, например. Моцарт обладал ранней умудренностью, вроде лилипута: еще не вырос, а уже старый.

Бродский: У Моцарта надрыва нет, потому что он выше надрыва. В то время как у Бетховена или Шопена все на нем держится.

Волков: Конечно, в Моцарте мы можем найти отблески надиндивидуального, которых у Бетховена, а тем более у Шопена, нет. Но и Бетховен и Шопен — такие грандиозные фигуры...

Бродский: Может быть. Но, скорее, — в сторону, по плоскости, а не вверх.

Волков: Я понимаю, что вы имеете в виду. Но с этой точки зрения повышенный эмоциональный тонус Цветаевой вас должен скорее отпугивать.

Бродский: Ровно наоборот. Никто этого не понимает.

Волков: Когда мы с вами говорили в связи с Оденом о нейтральности поэтического голоса, то вы тогда эту нейтральность защищали...

Бродский: Это ни в коем случае не противоречие. Время — источник ритма. Помните, я говорил, что всякое стихотворение — это реорганизованное время? И чем более поэт технически разнообразен, тем интимнее его контакт со временем, с источником ритма. Так вот, Цветаева — один из самых ритмически разнообразных поэтов. Ритмически богатых, щедрых. Впрочем, «щедрый» — это категория качественная; давайте будем оперировать только количественными категориями, да? Время говорит с индивидуумом разными голосами. У времени есть свой бас, свой тенор. И у него есть свой фальцет. Если угодно, Цветаева — это фальцет времени. Голос, выходящий за пределы нотной грамоты.

Волков: Значит, вы считаете, что эмоциональная взвинченность Цветаевой служит той же цели, что и оденовская нейтральность? Что она достигает того же эффекта?

Бродский: Того же, и даже большего. На мой взгляд, Цветаева как поэт во многих отношениях крупнее Одена. Этот трагический звук... В конце концов время само понимает, *что* оно такое. Должно понимать. И давать о себе знать. Отсюда — из этой функции времени — и явилась Цветаева.

Волков: Вчера, между прочим, был день ее рождения. И я подумал: как мало лет, в сущности, прошло; если бы Цветаева выжила, то теоретически вполне могла быть с нами, ее можно было бы увидеть, с ней поговорить. Вы беседовали и с Ахматовой, и с Оденом. Фрост умер сравнительно недавно. То есть поэты, которых мы с вами обсуждаем, суть наши современники. И одновременно они — уже исторические фигуры, почти окаменелости.

Бродский: И да, и нет. Это очень интересно, Соломон. Вся история заключается в том, что взгляд на мир, который вы обнаруживаете в творчестве этих поэтов, стал частью нашего восприятия. Если угодно, наше восприятие — это логическое (или, может быть, алогическое) завершение того, что изложено в их стихах; это развитие принципов, соображений, идей, выразителем которых являлось творчество упомянутых вами авторов. После того, как мы их узнали, ничего столь же существенного в нашей жизни не произошло, да? То есть я, например, ни с чем более значительным не сталкивался. Свое собственное мышление включая... Эти люди нас просто создали. И все. Вот что делает их нашими современниками. Ничто так нас не сформировало — меня, по крайней мере, — как Фрост, Цветаева, Кавафис, Рильке, Ахматова, Пастернак. Поэтому они наши современники, пока мы дуба не врежем. Пока мы живы. Я думаю, что влияние поэта — эта эманация или радиация — растягивается на поколение или на два.

Волков: Когда же вы познакомились со стихами Цветаевой?

Бродский: Лет в девятнадцать-двадцать. Потому что раньше меня все это особенно и не интересовало. Цветаеву я по тем временам читал, разумеется, не в книгах, а исключительно в самиздатской машинописи. Не помню, кто мне ее дал, но когда я прочел «Поэму Горы», то все стало на свои места. И с тех пор ничего из того, что я читал по-русски, на меня не производило того впечатления, какое произвела Марина.

Волков: В поэзии Цветаевой меня всегда отпугивала одна вещь, а именно: ее дидактичность. Мне не нравился ее указательный палец, стремление разжевать все до конца и закончить рифмованной прописной истиной, ради которой не стоило, быть может, и поэтического го огорода городить.

Бродский: Вздор! Ничего подобного у Цветаевой нет! Есть мысль, — как правило, чрезвычайно неуютная — доведенная до конца. Отсюда, быть может, и возникает впечатление, что эта мысль, что называется, тычет в вас пальцем. О некоторой дидактичности можно говорить применительно к Пастернаку: «Жизнь прожить — не поле перейти» и тому подобное, но ни в коем случае не в связи с Цветаевой. Если содержание цветаевской поэзии и можно было бы свести к какой-то формуле, то это: «На твой безумный мир / Ответ один — отказ». И в этом отказе Цветаева черпает даже какое-то удовлетворение; это «нет» она произносит с чувственным удовольствием: «Не-е-е-е-т!»

Волков: У Цветаевой есть качество, которое можно счесть достоинством — ее афористичность. Всю Цветаеву можно растаскать на цитаты, почти как грибоедовское «Горе от ума».

Бродский: О, безусловно!

Волков: Но меня эта афористичность Цветаевой почему-то всегда отпугивала.

Бродский: У меня подобного ощущения нет. Потому что в Цветаевой главное — звук. Помните знаменитый альманах хрущевских времен «Тарусские страницы»? Он вышел, кажется, в 1961 году. Там была подборка стихов Цветаевой (за что, между прочим, всем составителям сборника — низкий поклон). И когда я прочел одно из стихотворений — из цикла «Деревья» — я был совершенно потрясен. Цветаева там говорит: «Други! Братственный сонм! Вы, чьим взмахом сметен / След обиды земной. / Лес! — Элизиум мой!» Что это такое? Разве она про деревья говорит?

Волков: «Душа моя, Элизиум теней...»

Бродский: Конечно, назвать лес Элизиумом — это замечательная формула. Но это не только формула.

Волков: В Соединенных Штатах, а вслед за ними и во всем мире сейчас много внимания уделяют роли женщин в культуре; исследуют особенности вклада женщин в живопись, театр, литературу. Считаете ли вы, что женская поэзия есть нечто специфическое?

Бродский: К поэзии неприменимы прилагательные. Так же, как и к реализму, между прочим. Много лет назад (по-моему, в 1956 году) я где-то прочел, как на собрании польских писателей, где обсуждался вопрос о соцреализме, некто встал и заявил: «Я за реализм без прилагательного». Польские дела...

Волков: И все-таки — разве женский голос в поэзии ничем не отличается от мужского?

Бродский: Только глагольными окончаниями. Когда я слышу: «Есть три эпохи у воспоминаний. / И первая — как бы вчерашний день... » — я не знаю, кто это говорит — мужчина или женщина.

Волков: Я уже никогда не смогу отделить этих строчек от голоса Ахматовой. Эти строчки произносит именно женщина с царственной осанкой...

Бродский: Царственная интонация этих стихов — вовсе не осанка самой Ахматовой, а того, что она говорит. То же самое с Цветаевой. «Други! Братственный сонм! » — это кто говорит? Мужчина или женщина?

Волков: Ну а это: «О вопль женщин всех времен: «Мой милый, что тебе я сделала?!» Это уж такой женский выкрик...

Бродский: Вы знаете — и да, и нет. Конечно, по содержанию — это женщина. Но по сути... По сути — это просто голос трагедии. (Кстати, муза трагедии — женского пола, как и все прочие музы.) Голос колоссального неблагополучия. Иов — мужчина или женщина? Цветаева — Иов в юбке.

Волков: Почему поэзия Цветаевой, такая страстная и бурная, столь мало эротична?

Бродский: Голубчик мой, перечитайте стихи Цветаевой к Софии Парнок! Она там по части эротики всех за пояс затыкает — и Кузмина, и остальных. «И не сквозь, и не сквозь, и не сквозь...» Или еще: «Я любовь узнаю по боли всего тела вдоль». Дальше чего еще надо! Другое дело, что здесь опять-таки не эротика главное, а звук. У Цветаевой звук — всегда самое главное, независимо от того, о чем идет речь. И она права: собственно говоря, все есть звук, который, в конце концов, сводится к одному: «тик-так, тик-так». Шутка...

Волков: Странная вещь приключилась с русской поэзией. Сто лет или около того — от Каролины Павловой до Мирры Лохвицкой — женщины составляли в ней маргинальную часть. И вдруг сразу два таких дарования, как Цветаева и Ахматова, стоящие в ряду с гигантами мировой поэзии!

Бродский: Может быть, тут нет никакой связи со временем. А может быть, и есть. Дело в том, что женщины более чутки к этическим нарушениям, к психической и интеллектуальной безнравственности. А эта поголовная аморалка есть именно то, что XX век нам предложил в избытке. И я вот что еще скажу. Мужчина по своей биологической роли — приспособленец, да? Простой житейский пример. Муж приходит с работы домой, приводит с собой начальника. Они обедают, потом начальник уходит. Жена мужу говорит: «Как ты мог этого мерзавца привести ко мне в дом?» А дом, между прочим, содержится на деньги, которые этот самый мерзавец мужу и выдает. «Ко мне в дом!» Женщина стоит на этической позиции, потому что может себе это позволить. У мужчин другая цель, поэтому они на многое закрывают глаза. Когда на самом-то деле итогом существования должна быть этическая позиция, этическая оценка. И у женщин дело с этим обстоит гораздо лучше.

Волков: Как же вы тогда объясните поведение Цветаевой в связи с довольно-таки скользкой аферой советской разведки, в которой принял участие ее муж Сергей Эфрон: убийство перебежчика Игнатия Рейсса, затем побег Эфрона в Москву. Эфрон был советским шпионом в самую мрачную сталинскую эпоху. С этической точки зрения куда уж как легко осудить подобную фигуру! Но Цветаева, очевидно, полностью и до конца приняла и поддерживала Эфрона.

Бродский: Это пословица, прежде всего: «любовь зла, полюбишь и козла». Цветаева полюбила Эфрона в юности — и навсегда. Она была человек большой внутренней честности. Она пошла за Эфроном «как собака», по собственным ее словам. Вот вам этика ее поступка: быть верной самой себе. Быть верной тому обещанию, которое Цветаева дала, будучи девочкой. Все.

Волков: С таким объяснением я могу согласиться. Иногда Цветаеву стараются оправдать тем, что она якобы ничего не знала о шпионской деятельности Эфрона. Конечно, знала! Если бы драматические события, связанные с убийством Рейсса, были для нее сюрпризом, Цветаева никогда не последовала бы за Эфроном в Москву. Вполне вероятно, что Эфрон не посвящал ее в детали своей шпионской работы. Но о главном Цветаева знала или в крайнем случае догадывалась. Это видно из ее писем.

Бродский: Помимо всех прочих несчастий, ей выпала еще и эта катастрофа. Собственно, не знаю даже — катастрофа ли. Роль поэта в человеческом общежитии — одушевлять оное: человеков не менее, чем мебель. Цветаева же обладала этой способностью — склонностью! — в чрезвычайно высокой степени: я имею в виду склонность к мифологизации индивидуума. Чем человек мельче, жальче, тем более благодарный материал он собой для мифологизации этой представляет. Не знаю, что было ей известно о сотрудничестве Эфрона с ГПУ, но думаю, будь ей известно даже все, она бы от него не отшатнулась. Способность видеть смысл там, где его, по всей видимости, нет — профессиональная черта поэта. И Эфрона Цветаева могла уже хотя бы потому одушевлять, что налицо была полная катастрофа личности. Помимо всего прочего, для Цветаевой это был колоссальный предметный урок зла, а поэт такими уроками не бросается. Марина повела себя в этой ситуации куда более достойным образом — и куда более естественным! — нежели мы вести себя приучены. Мы же — что? Какая первая и главная реакция, если что-то против шерсти? Если стул не нравится — вынести его вон из комнаты! Человек не нравится — выгнать его к чертовой матери! Выйти замуж, развестись, выйти замуж опять — во второй, третий, пятый раз! Голливуд, в общем. Марина же поняла, что катастрофа есть катастрофа и что у катастрофы можно многому научиться. Помимо всего прочего — и что для нее куда важней было в ту пору — все-таки трое детей от него; и дети получались другими, не особенно в папу. Так ей, во всяком случае, казалось. Кроме того, дочка, которую она не уберегла, за что, видимо, сильно казнилась — настолько, во всяком случае, что в судьи себя Эфрону не очень-то назначать стремилась... Сюзан Зонтаг как-то, помню, в разговоре сказала, что первая реакция человека перед лицом катастрофы примерно следующая: где произошла ошибка? Что следует предпринять, чтоб ситуацию эту под контроль взять? Чтоб она не повторилась? Но есть, говорит она, и другой вариант поведения: дать трагедии полный ход на себя, дать ей себя раздавить. Как говорят поляки, «подложиться». И ежели ты сможешь после этого встать на ноги — то встанешь уже другим человеком. То есть принцип Феникса, если угодно. Я часто эти слова Зонтаг вспоминаю.

Волков: Мне кажется, Цветаева после катастрофы, связанной с Эфроном, уже не оправилась.

Бродский: Я в этом не уверен. Не уверен.

Волков: Ее самоубийство было ответом на несчастья, накапливавшиеся в течение многих лет. Разве не так?

Бродский: Безусловно. Но, знаете, анализировать самоубийство, говорить авторитетно о событиях, к нему приведших, может только сам самоубийца.

Волков: Меня вопрос о политических убийствах в Европе тридцатых годов заинтересовал когда-то и потому, что в них оказалась замешана великая русская певица Надежда Плевицкая. Я довольно много читал об этих людях. Сейчас их пытаются представить идеалистами, пошедшими на «мокрые» дела из-за идейных убеждений. На самом деле там было полно грязных личностей, работавших и на сталинский Советский Союз, и на гитлеровскую Германию. С их помощью устранялись независимые фигуры, которые мешали одинаково и Сталину, и Гитлеру. Они шли в шпионаж из-за денег, из-за привилегий, некоторые — в погоне за властью. Какой уж там идеализм.

Бродский: Я думаю, что случай с Эфроном — классическая катастрофа личности. В молодости — амбиции, надежды, пятое-десятое. А потом все кончается тем, что играешь в Праге в каком-то любительском театре. Дальше что делать? Либо руки на себя накладывать, либо на службу куда-нибудь идти. Почему именно в ГПУ? Потому что традиция семейная — антимонархическая. Потому что с Белой армией ушел из России почти пацаном*. А как подрос да насмотрелся на всех этих защитников отечества в эмиграции, то только в противоположную сторону и можно было податься. Плюс еще все это сменовеховство, евразийство, Бердяев, Устрялов. Лучшие же умы все-таки, идея огосударствливания коммунизма. «Державность»! Не говоря уже о том, что в шпионах-то легче, чем у конвейера на каком-нибудь «Рено» уродоваться. Да и вообще, быть мужем великой поэтессы не слишком сладко. Не-

---

* На самом деле С. Эфрону в 1920 году было 27 лет.

годяй Эфрон или ничтожество — не знаю. Скорее последнее, хотя в прикладном отношении, — конечно, негодяй. Но коли Марина его любила, то не мне его судить. Ежели он дал ей кое-что, то не больше ведь, чем взял. И за одно только то, что *дал*, он и будет спасен. Это — как та луковка, что на том свете врата открывает. Да и где вы видели в этой профессии счастливые браки? Чтобы поэт был в браке счастлив? Нет уж, беда, когда приходит, то всем кодлом, и во главе муж или жена шествует.

Волков: Чем вы объясните неизменно восторженное отношение Цветаевой к Владимиру Маяковскому? Она посвятила ему стихотворение при жизни, откликнулась особым циклом на самоубийство. В то время как у Ахматовой отношение к Маяковскому менялось. Она, например, оскорбилась, когда узнала, что Маяковский ее «Сероглазого короля» пел на мотив «Ехал на ярмарку ухарь-купец».

Бродский: Обижаться на это не следовало бы, я думаю. Потому что Маяка самого можно переложить на все что угодно. Все его стихи можно напечатать не лесенкой, а в столбик, просто катренами, — и все будет на своих местах. И это опыт гораздо более рискованный для Маяковского. Такое, кстати, вообще часто случается — поэту нравится как раз то, чего он сам в жизни никогда делать не станет. Взять хоть отношение Мандельштама к Хлебникову. Не говоря уже о том, что Маяковский вел себя чрезвычайно архетипически. Весь набор: от авангардиста до придворного и жертвы. И всегда гложет вас подозрение: а может, так и надо? Может, ты слишком в себе замкнут, а он вот натура подлинная, экстраверт, все делает по-большому? А если стихи плохие, то и тут оправдание: плохие стихи — это плохие дни поэта. Ужо поправится, ужо опомнится. А плохих дней в жизни Маяка было действительно много. Но когда хуже-то всего и стало, стихи пошли замечательные. Конечно же он зарапортовался окончательно. Он-то первой крупной жертвой и был: ибо дар у него был крупный. Что он с ним сделал — другое дело. Марине конечно же могла нравиться — в ней в самой сидел этот зверь — роль поэта-трибуна. Отсюда — стихи с этим замечательным пастишем а ля Маяк, но лучше даже самого оригинала: «Архангел-тяжелоступ — / Здорово в веках, Владимир!» Вся его песенка в две строчки и уложена...

Волков: Кстати, один из экспериментов Маяковского над чужой поэзией кажется мне остроумным. В «Незнакомке» Блока строчку «всегда без спутников, одна» Маяковский менял на «среди беспутников одна». Маяковский говорил, что это тавтология: «без спутников, одна».

Бродский: Ну это хохма так себе. Что же касается Маяковского и Цветаевой, то вот еще одно, дополнительное соображение. Думаю, он привлекал ее из соображений полемических и поэтических. Москва, московский дух. Пафос прикладной поэзии. Уверяю вас, что в плане чисто техническом Маяковский — чрезвычайно привлекательная фигура. Эти рифмы, эти паузы. И более всего, полагаю, громоздкость и раскрепощенность стиха Маяковского. У Цветаевой есть та же тенденция, но Марина никогда не отпускает так повода, как это делает Маяковский. Для Маяковского это была его единственная идиома, в то время как Цветаева могла работать по-разному. Да и вообще, как бы ни был раскрепощен интонационный стих Цветаевой, он всегда тяготеет к гармонии. Ее рифмы точнее, чем у Маяковского. Даже в тех случаях, когда их поэтики сближаются.

Волков: Кстати, в одном случае ваши с Маяковским вкусы неожиданно сходятся: вы оба не любите Тютчева. Маяковский у Тютчева находил только два-три приличных стихотворения.

Бродский: Не то чтоб я Тютчева так уж не любил. Но, конечно, Батюшков мне куда приятнее. Тютчев, бесспорно, фигура чрезвычайно значительная. Но при всех этих разговорах о его метафизичности и т.п. как-то упускается, что большего верноподданного отечественная словесность не рождала. Холуи наши, времен Иосифа Виссарионовича Сталина, по сравнению с Тютчевым — сопляки: не только талантом, но прежде всего подлинностью чувств. Тютчев имперские сапоги не просто целовал — он их лобзал. Не знаю, за что Маяковский на него серчал — по сходству ситуации , возможно. Что до меня, я без — не скажу, отвращения — изумления второй том сочинений Тютчева читать не могу. С одной стороны, казалось бы, колесница мирозданья в святилище небес катится, а с другой — эти его, пользуясь выражением Вяземского, «шинельные оды». Скоро его, помяните мои слова, эта «державная сволочь» в России на щит подымет. Вообще с крупными лириками, противозаконный союз поющими, надо ухо востро держать. Нет-нет да и захочется им компенсации. То есть нелады с полицией нравов — осанной на Высочайшее имя как бы уравновешиваются. Неприятно все это. При всей мерзопакостности нашего столетия мы от этой бухгалтерии все-таки избавлены — самою эпохой. Батюшков был патриотом ничуть не меньшим, чем Тютчев, к примеру. И вообще — воевал. Однако безобразия такого не допускал ни разу. Батюшков колоссально недооценен: ни в свое время, ни нынче.

Волков: Батюшкова я очень люблю, и между прочим, интерес к нему возник у меня после чтения Цветаевой: она свое стихотворение «Памяти Байрона« начинает дивной , завораживающей строчкой Батюшкова: «Я берег покидал туманный Альбиона...» Тома Цветаевой и Батюшкова в «Библиотеке поэта» вышли, если вы помните, почти одновременно. Но все-таки Батюшкова с Тютчевым не сравнить.

Бродский: Вы знаете, Соломон, у меня есть, вероятно, свои предубеждения и, если угодно, профессиональные закидоны. И, конечно, на это можно все списать. Но советую вам перечитать Батюшкова. Впрочем, перечитывать Батюшкова в Нью-Йорке...

Волков: По-моему, нет ничего лучше, чем перечитывать Батюшкова, глядя на Гудзон. Гудзонские закаты очень «ложатся» под Батюшкова. И даже под менее крупных поэтов. Я вон здесь, в Нью-Йорке, Голенищева-Кутузова два-три раза в год перечитывал.

Бродский: Это неплохо. Вообще-то говоря, среди русских поэтов — не хочется говорить второразрядных, но фигур второго ряда — были совершенно замечательные личности. Например, Дмитриев с его баснями. Какие стихи! Русская басня — совершенно потрясающая вещь. Крылов — гениальный поэт, обладавший звуком, который можно сравнить с державинским. А Катенин! Ничего более пронзительного про треугольник любовный ни у кого нет. Посмотрите ужо, как гудзонские закаты под Катенина ложатся. Или — Вяземский: на мой взгляд, крупнейшее явление в пушкинской «Плеяде». Так уж всегда получается, что общество назначает одного поэта в главные, в начальники. Происходит это — особенно в обществе авторитарном — в силу идиотского этого параллелизма: поэт—царь. А поэзия куда больше чем одного властителя дум предлагает. Выбирая же одного, общество обрекает себя на тот или иной вариант самодержавия. То есть отказывается от демократического в своем роде принципа. И поэтому нет у него никакого права опосля на государя или первого секретаря все сваливать. Само оно и виновато, что читает выборочно. Знали б Вяземского с Баратынским получше, может, глядишь, и на Николаше так бы не зациклились. За равнодушие к культуре общество прежде всего гражданскими свободами расплачивается. Сужение культурного кругозора — мать сужения кругозора политического. Ничто так не мостит дорогу тирании, как культурная самокастрация. Когда начинают потом рубить головы — это даже логично.

Волков: Вот вы перечислили русских поэтов так называемого «второго ряда»: Дмитриева, Катенина, Вяземского. Мне что в них особенно приятно? Что это все крупные, привлекательные личности, а не просто замечательные авторы. Жизнь каждого из них — увлекательный роман. Я уж не говорю о Крылове или Баратынском...

Бродский: Меня, собственно, больше всего в таких случаях именно человеческая сторона интересует. Вот человек пишет, у него там успех или неуспех. Но он думает в основном не об этом, а как бы загадывает на будущее. Не то чтобы он рассчитывал на потомство, но язык, которым он пользуется, на это потомство рассчитывает. Что-то такое есть в поэте, в его слухе, что обеспечивает его трудам если не бессмертие, то существование куда более длительное, чем все, что поэт может себе представить.

Волков: В случае с Иваном Андреевичем Крыловым можно с точностью сказать, что покуда будет существовать русский язык, его басни будут читаемы. Хотя школа в России и делает все, чтобы отравить удовольствие от Крылова.

Бродский: Нет, вот чего мне школа не отравила, так это Ивана Андреевича. Вот что хотели, то делали...

Волков: Мы говорили о том, что заявление Цветаевой «На твой безумный мир / Ответ один — отказ», есть, в сущности, программа ее творчества. А между тем эти строки появились в стихотворении, написанном, что называется, на «случай»: в связи с вторжением армии Гитлера в Чехословакию в марте 1939 года. Этому событию посвящено одиннадцать стихотворений Цветаевой, одно другого лучше. Еще четыре стихотворения были ею написаны в сентябре 1938 года, когда Гитлер у Чехословакии отобрал Судеты. Причем этим вовсе не исчерпываются поэтические отклики Цветаевой на злободневные темы. Она всю жизнь писала политические стихи; вспомним хотя бы об ее цикле «Лебединый стан», воспевающем Белое движение. Но согласитесь, что в этом отношении Цветаева для русской поэзии нового времени фигура вовсе не типическая. Существует расхожее мнение, что новая русская поэзия очень политизирована. Но это заблуждение. На самом деле очень немногие крупные русские поэты писали в ХХ веке стихи на политические сюжеты; я не имею в виду, конечно, «заказную» продукцию, ее-то было навалом. Это странно. Посмотрите на XIX век: «Клеветникам России» Пушкина, стихи Вяземского, «России» Хомякова, стихи нелюбимого вами Тютчева — это все первоклассные опусы, хрестоматийные образцы. А где же стихи такого же калибра, посвященные злободневным событиям второй половины ХХ века? Державин проводил Павла I стихами «Умолк рев Норда сиповатый...» А где стихи на падение Хрущева? Почему русские поэты не откликнулись на вторжение в Чехословакию 1968 года с такой же силой, как Цветаева откликнулась на оккупацию 1939? Ведь она тоже фактически писала «в стол», вовсе не рассчитывая на немедленную публикацию.

Бродский: Это не совсем справедливо. Я думаю, мы многого еще не знаем. Но действительно, ничего впрямую описывающего захват советской армией Будапешта или Праги я до сих пор не читал. Хотя и знаю группу русских поэтов, у которых референции, скажем, к венгерскому восстанию 1956 года, к польским волнениям пятидесятых годов были чрезвычайно сильны.

Волков: Истории нового времени по этим стихам не восстановить.

Бродский: Да, конечно, ни нравственной истории, ни политической. И вот что интересно: в русской поэзии почти не отражен опыт Второй мировой войны. Существует, конечно, поколение так называемых «военных» поэтов, начиная с полного ничтожества — Сергея Орлова, царство ему небесное. Или какого-нибудь там Межирова — сопли, не лезущие ни в какие ворота. Ну Гудзенко, Самойлов. Хорошие — очень! — стихи о войне есть у Бориса Слуцкого, пять-шесть у Тарковского Арсения Александровича. Все же эти константины симоновы и сурковы (царствие обоим небесное — которого они, боюсь, не увидят) — это не о национальной трагедии, не о крушении мира: это все больше о жалости к самому себе. Просьба, чтоб пожалели. Я не говорю уж обо всем послевоенном грязевом потоке, о махании кулаками после драки: в лучшем случае это драма, взятая взаймы за неимением собственной; в худшем — эксплуатация покойников и вода на мельницу министерства обороны. Попросту, охмурение призывников. Понимания случившегося с нацией — ни на грош. И это даже как-то дико: все-таки двадцать миллионов в землю легли... Но вот давеча я составлял — в некотором роде повезло мне — избранное Семена Липкина. И там — огромное количество стихотворений на эту самую тему: о войне или так или иначе с войной связанных. Такое впечатление, что он один за всех — за всю нашу изящную словесность — высказался. Спас, так сказать, национальную репутацию. Между прочим, он один из немногих, кто Цветаеву опекал по ее возвращении из эмиграции в Россию. Вообще — замечательный, по-моему, поэт: никакой вторичности. И не на злобу дня, но — про ужас дня. В этом смысле Липкин как раз цветаевский ученик. И если уж говорить о стихах Цветаевой к Чехии или про ее «Лебединый стан», то первые — суть вариация на темы ее же «Крысолова», а во вторых главное — их вокальный элемент. Я даже думаю, что «Белое движение» привлекало Цветаеву более как формула, нежели как политическая реальность. Самое лучшее из всех ее «белогвардейских» стихов — эти восемь строчек, кончающиеся: «За словом: долг напишут слово: Дон».

Волков: И все-таки мне удивительно, что в сфере злободневных стихов, поэзии «на случай» у русских авторов XX века, столь богатого подходящими «случаями», не хватило темперамента и размаха. В этом смысле ваше стихотворение «На смерть Жукова» стоит, на мой взгляд, особняком. Оно восстанавливает давнюю русскую традицию, восходящую еще к стихотворению Державина «Снигирь», которое является эпитафией другому великому русскому полководцу — Суворову. Это, что называется, «государственное» стихотворение. Или, если угодно, «имперское».

Бродский: Между прочим, в данном случае определение «государственное» мне даже нравится. Вообще-то я считаю, что это стихотворение в свое время должны были напечатать в газете «Правда». Я в связи с ним, кстати, много дерьма съел.

Волков: Почему это?

Бродский: Ну, для давешних эмигрантов, для Ди-Пи Жуков ассоциируется с самыми неприятными вещами. Они от него убежали. Поэтому к Жукову у них симпатий нет. Потом прибалты, которые от Жукова натерпелись.

Волков: Но ведь стихотворение ваше никаких особых симпатий к маршалу Жукову не выражает. В эмоциональном плане оно чрезвычайно сдержанное.

Бродский: Это совершенно верно. Но ведь человек недостаточно интеллигентный или совсем уж неинтеллигентный — он такими вещами особенно не интересуется. Он реагирует на красную тряпку. Жуков — вот и все. Из России я тоже слышал всякое-разное. Вплоть до совершенно комичного: дескать, я этим стихотворением бухаюсь в ножки начальству. А ведь многие из нас обязаны Жукову жизнью. Не мешало бы вспомнить и о том, что это Жуков, и никто другой, спас

Хрущева от Берии. Это его Кантемировская танковая дивизия въехала в июле 1953 года в Москву и окружила Большой театр.

Волков: Танки Жукова остановились тогда у Большого или же у здания МВД?

Бродский: Да это, по-моему, одно и то же... Жуков был последним из русских могикан. Последний «вождь краснокожих», как говорится.

Волков: Я понимаю, что вы имеете в виду, когда говорите о жизнях, спасенных Жуковым. Почти все мои родственники погибли в Катастрофе, в Рижском еврейском гетто. И, кстати, однажды — это было, вероятно, в конце шестидесятых годов — на симфоническом концерте под Ригой, в Дзинтари, я заметил садящегося передо мной мужчину; на пиджаке у него были четыре золотые звезды, то есть он был четырежды Героем Советского Союза! Свет быстро потушили, лица я разглядеть не успел. И, глядя на седой ежик и плотный красный затылок незнакомца, гадал вплоть до антракта: кто бы это мог быть, с подобным неслыханным количеством «Героев» на груди. Когда в антракте маршал Жуков — а это был, разумеется, он — встал, его уже жадно разглядывал весь зал. И я помню, меня удивило: зачем Жукову, завоевавшему при жизни всю славу и уважение, какие только можно было иметь, нужно идти на концерт, нацепив на штатский пиджак свои регалии?

Бродский: Я считаю, это совершенно естественно. Это же другой менталитет, военный. Тут дело не в жажде славы. Ведь к этому времени его уже отовсюду погнали?

Волков: Да, он лет десять уже был в окончательной отставке.

Бродский: Тем более. И вообще, как мы знаем, Героям Советского Союза — пиво вне очереди.

Волков: А каков был импульс к сочинению вами «Стихов о зимней кампании 1980 года»? Это стихотворение о вторжении советских войск в Афганистан было для читателей ваших, я полагаю, такой же неожиданностью, как и «На смерть Жукова»...

Бродский: Это была реакция на то, что я увидел по телевизору. Будапешт, Прага — мы слушали Би-Би-Си, читали газеты, но не видели этого. А вторжение в Афганистан... Не знаю, какое еще из мировых событий произвело на меня такое впечатление. И ведь никаких ужасов по телевизору не показывали. Просто я увидел танки, которые ехали по какому-то каменному плато. И меня поразила мысль о том, что это плато никаких танков, тракторов, вообще никаких железных колес прежде не знало. Это было столкновение на уровне элементов, когда железо идет против камня. Если бы показывали убитых или раненых афганцев, так к этому — здесь особенно — глаз человеческий уже привык; без трупов и последних известий нет. В Афганистане же произошло, помимо всего прочего, нарушение естественного порядка; вот что сводит с ума, помимо крови. Я тогда, помню, три дня не слезал со стенки. А потом, посреди разговоров о вторжении, вдруг подумал: ведь русским солдатам, которые сейчас в Афганистане, лет девятнадцать-двадцать.

То есть если бы я и друзья мои, вкупе с нашими дамами, не вели бы себя более или менее сдержанным образом в шестидесятые годы, то вполне возможно, что и наши дети находились бы там, среди оккупантов. От мысли этой мне стало тошно до крайности. И тогда я начал сочинять эти стихи. Когда подобное учиняли в Европе, когда лезли в Венгрию, в Чехословакию, в Польшу, то это уже почти само собою разумелось; это было, в конце концов, всего лишь еще одним повторением, на новом витке, европейской истории. Но по отношению к афганским племенам — это не просто политическое, но антропологическое преступление. Это какая-то колоссальная эволюционная погрешность. Это как вторжение железного века в каменный. Или как внезапное оледенение. Что же касается вашего замечания о неожиданности «Стихов о зимней кампании»... Стилистически я не вижу никакой разницы между ними и моими же стихами про природу и погоду. И конечно когда я стал работать над «Стихами о зимней кампании», то пытался разрешить и другие задачи — не то чтобы чисто формальные, но интонационные. Но это уже было потом...

Волков: Цветаева, Мандельштам, Пастернак, Ахматова читающей публике на Западе известны, особенно последние двое. Пушкина знают в основном по операм Чайковского. Баратынский или Тютчев даже для образованного западного читателя звук пустой. То есть русская поэзия на Западе — это в первую очередь поэзия XX века, в то время как русскую прозу знают преимущественно по авторам XIX века. Почему так случилось?

Бродский: У меня на это есть чрезвычайно простой ответ. Возьмите, к примеру, Достоевского. Проблематика Достоевского — это проблематика, говоря социологически, общества, которое в России после революции 1917 года существовать перестало. В то время как здесь, на Западе, общество то же самое, то есть капиталистическое. Поэтому Достоевский здесь так существенен. С другой стороны, возьмите современного русского человека: конечно, Достоевский для него может быть интересен; в развитии индивидуума, в пробуждении его самосознания этот писатель может сыграть колоссальную роль. Но когда русский читатель выходит на улицу, то сталкивается с реальностью, которая Достоевским не описана.

Волков: Ахматова тоже об этом, помнится, говорила.

Бродский: Совершенно верно. Помните? Как человек, расстреляв очередную партию приговоренных, вернется с этой «работы» домой и будет с женой собираться в театр. Он еще с ней насчет завивки поскандалит! И никаких угрызений совести, никакой достоевщины! В то время как для западного человека ситуации и дилеммы Достоевского — это его собственные ситуации и дилеммы. Для него они узнаваемы. Отсюда и популярность Достоевского на Западе. И отсюда же непереводимость многого из русской прозы XX века.

Волков: Недоступность...

Бродский: Да, известная несовместимость. Чтобы читать прозу, надо более или менее представлять себе реальность за ней. А советская реальность, описанная в лучших русских прозаических произведениях этого периода, настолько уж смещена и реорганизована, да? Для восприятия отображающей ее прозы непременно требуется определенное знание истории Советского Союза. Либо — то напряжение воображения, к которому не всякий читатель готов, западный — в том числе. В то время как при чтении Достоевского или Льва Толстого никакого особенного напряжения воображения западному читателю не требуется; единственное усилие — продраться сквозь эти русские имена и отчества. Вот и все.

Волков: Почему же такой непреодолимой оказывается русская поэзия XIX века?

Бродский: Что касается реакции англоязычной публики, у меня есть теория. Дело в том, что русская поэзия XIX века метрична естественным образом. И при переводе на английский требует сохранения метра. Но как только современный англоязычной читатель сталкивается с регулярными размерами, он тотчас же вспоминает о своей, отечественной поэтике, которая ему давно уже набила оскомину. Или, хуже того, не очень-то знакома. И, кстати, многозначительные разговоры местных снобов о русской поэзии XX века для меня тоже не очень убедительны. Поскольку их знание Пастернака или Ахматовой зиждется на переводах, допускающих колоссальные отклонения от оригинала. В этих переводах упор часто делается на передачу «содержания» за счет отказа от структурных особенностей. И оправдывается это тем, что в английской поэзии XX века главная идиома — свободный стих. Я вот что скажу по этому поводу. Использование свободного стиха при переводах, конечно, позволяет получить более или менее полную информацию об оригинале — но только на уровне «содержания», не выше. Поэтому когда здесь, на Западе, обсуждают Мандельштама, то думают, что он находится где-то между Йейтсом и Элиотом. Потому что музыка оригинала улетучивается. Но, с точки зрения местных знатоков, в XX веке это позволительно и оправдано. Против чего я лично встаю на задние лапы...

Волков: Если бы вы хотели пояснить суть Цветаевой американским студентам, не знающим русского, с кем из англоязычных поэтов вы бы ее сравнили?

Бродский: Когда я говорю с ними о Цветаевой, то упоминаю англичанина Джерарда Мэнли Хопкинса и американца Харта Крейна. Хотя, как правило, упоминания эти впустую, потому что молодые люди не знают ни одного, ни другого. Ни, тем более, третью. Но ежели они дадут себе труд заглянуть в Хопкинса и Крейна, то, по крайней мере, увидят эту усложненную — «цветаевскую» — дикцию, то есть то, что в английском языке не так уж часто и встречается: непростой синтаксис, анжамбманы, прыжки через само собою разумеющееся. То есть то, чем Цветаева и знаменита, — по крайней мере, технически. И, ежели продолжить параллель с Крейном (хотя, в общем, подлинного сходства тут нет), — конец их был один и тот же: самоубийство. Хотя у Крейна, я думаю, для самоубийства было меньше оснований. Но не нам, опять же, об этом судить.

Волков: Кстати, о параллелях. Мы выбрали для наших бесед — случайно или неслучайно — четырех поэтов: Одена, Фроста, Цветаеву и Ахматову, то есть двух русских женщин и двух мужчин-англосаксов. Фрост и Ахматова, вероятно, помышляли об эмиграции, но все же остались жить в отечестве. В то время как Цветаева и Оден оба эмигрировали — с тем, чтобы перед смертью «вернуться». Конечно, это все чисто внешние совпадения. Но они все же наводят на мысль о том, что, в конце концов, поэту дано на выбор ограниченное число жизненных «ролей». В связи с этим я хотел спросить: ближе ли вам стала Цветаева сейчас, когда и вы очутились в эмиграции? Понимаете ли вы ее теперь «изнутри»?

Бродский: Понимание не связано с территориальными перемещениями. Оно связано с возрастом. И я думаю, что если я сейчас понимаю что-то в стихах Цветаевой по-другому, то это есть в первую очередь узнавание сантиментов. На самом-то деле Цветаева была чрезвычайно сдержанна по поводу того, что с ней происходило. Свою биографию она не очень-то и эксплуатировала в стихе. Возьмите «Поэму Горы» или «Поэму Конца» — речь идет о разрыве вообще, а не о разрыве с реальным человеком.

Волков: Мне кажется, у Цветаевой этот эффект отстранения возникает от несопоставимости лавины стихов с подлинным персонажем, вызвавшим их к жизни. Самой Цветаевой, вполне вероятно, казалось, что она описывает подлинную ситуацию. Вы сами сказали, что она самый искренний из русских поэтов.

Бродский: Совершенно верно.

Волков: Разве вы при этом не имели в виду и ее «биографической» открытости в стихах? А цветаевская проза? Ведь она вся насквозь автобиографична!

Бродский: Цветаева действительно самый искренний русский поэт, но искренность эта, прежде всего, есть искренность звука — как когда кричат от боли. Боль — биографична, крик — внеличен. Тот ее «отказ», о котором мы давеча говорили, перекрывает, включая в себя, вообще что бы то ни было. В том числе личное горе, отечество, чужбину, сволочь тут и там. Самое же существенное, что интонация эта — интонация отказа — у Цветаевой предшествовала опыту. «На твой безумный мир / Ответ один — отказ». Здесь дело не столько даже в «безумном мире» (для такого ощущения вполне достаточно встречи с одним несчастьем), дело в букве — звуке — «о», сыгравшем в этой строчке роль общего знаменателя. Можно, конечно, сказать, что жизненные события только подтвердили первоначальную правоту Цветаевой. Но жизненный опыт ничего не подтверждает. В изящной словесности, как и в музыке, опыт есть нечто вторичное. У материала, которым располагает та или иная отрасль искусства — своя собственная линейная, безоткатная динамика. Потому-то снаряд и летит, выражаясь фигурально, так далеко, что материал диктует. А не опыт. Опыт у всех более или менее один и тот же. Можно даже предположить, что были люди с опытом более тяжким, нежели цветаевский. Но не было людей с таким владением — с такой подчиненностью материалу. Опыт, жизнь, тело, биография — они в лучшем случае абсорбируют отдачу. Снаряд посылается вдаль динамикой материала. Во всяком случае, параллелей своему житейскому опыту я в стихах Цветаевой не ищу. И не испытываю ничего сверх абсолютного остолбенения перед ее поэтической силой.

Волков: А что вы скажете об отношениях Цветаевой с эмигрантской прессой?

Бродский: Шушера. Мелкий народ. Вообще же следует помнить политизированность этой публики, особенно в эмиграции. Плюс — вернее, минус — скудность средств.

Волков: В течение одиннадцати лет Цветаева не могла издать в эмиграции ни одной книги. Издательства не хотели идти на риск ее напечатать. А ей очень хотелось издаться. И я поражаясь, на какие унижения она была готова идти для этого, на какие цензурные изменения.

Бродский: Это действительно поразительно. Но, с другой стороны, когда ты уже сказал главное, можно вынимать куски-некуски. Это опять-таки становится вторичным.

Волков: Была ли в вашей жизни ситуация, когда вы были вынуждены внести под нажимом извне какие-нибудь изменения в ваши стихи или прозу?

Бродский: Никогда.

Волков: Никогда?

Бродский: Никогда.

Волков: Цветаеву легко невзлюбить — именно из-за ее «кальвинизма». Я слушал ваши лекции о Цветаевой, читал ваши статьи о ней. Все это, плюс разговоры с вами о Цветаевой, научило меня вчитываться в ее стихи и прозу гораздо внимательнее, чем я это делал прежде. Раньше я, признаться, безоговорочно предпочитал Цветаевой Ахматову. Отношения между Цветаевой и Ахматовой были, замечу, довольно сложными. И сама Ахматова всегда говорила, что первый поэт XX века — это Мандельштам. Вы с этим согласны?

Бродский: Ну если уж вообще пускаться в такие разговоры, то нет, не согласен. Я считаю, что Цветаева — первый поэт XX века. Конечно, Цветаева.

В своей комнате. Ленинград. 1965.

Глава 3

Аресты, психушки, суд:
зима 1982–весна 1989

Волков: Иосиф, я хотел расспросить вас о судебном процессе в 1964 году, о ваших арестах и пребывании в советских психушках. Я знаю, что вы об этом говорить не любите и чаще всего отказываетесь отвечать на связанные с этим вопросы. Но ведь мы сейчас вспоминаем о Ленинграде, и для меня «дело Бродского» и процесс — это часть ленинградского пейзажа тех лет. Так что если вы не против...

Бродский: Вы знаете, Соломон, я ни за и ни против. Но я никогда к этому процессу всерьез не относился — ни во время его протекания, ни впоследствии.

Волков: Почему вдруг вся эта машина раскрутилась? Почему именно Ленинград, почему вы? Ведь после кампании против Пастернака в 1958 году советские власти некоторое время громких литературных дел не затевали. Что, по-вашему, за всем этим стояло?

Бродский: Сказать по правде, я до сих пор в это не вдавался, не задумывался над этим. Но уж если об этом говорить, то за любым делом стоит какое-то конкретное лицо, конкретный человек. Ведь любую машину запускает в ход именно человек — чем он, собственно, и отличается от машины. Так было и с моим делом. Оно было запущено Лернером, царство ему небесное, поскольку он, по-моему, уже умер.

Волков: Это тот Лернер, который в ноябре 1963 года напечатал в ленинградской газете направленный против вас фельетон «Окололитературный трутень»?

Бродский: Да, у него были давние «литературные» интересы. Но в тот момент его деятельность заключалась в том, что он руководил «народной дружиной». Вы знаете, что такое «народная дружина»? Это приду-

мали такую мелкую форму фашизации населения, молодых людей особенно.

Волков: Я знаю. У меня даже был один знакомый дружинник, редко-
стный идиот.

Бродский: Главным объектом внимания этой дружины была гости-
ница «Европейская», где останавливалось много иностранцев. Как вы
знаете, она расположена на улице Исаака Бродского, так что, может
быть, этот господин стал проявлять ко мне интерес именно из этих
соображений? Охотились они главным образом за фарцами. И между
прочим, когда эти дружинники фарцовщиков шмонали, многое у них
прилипало к рукам — и деньги, и иконы. Но это неважно...

Волков: Ваш арест в 1964 году ведь был не первым?

Бродский: Нет, первый раз меня взяли, когда вышел «Синтаксис» —
знаете, Алика Гинзбурга мероприятие?

Волков: Это рукописный поэтический журнал, который выпускал-
ся в Москве? Кажется, в конце пятидесятых годов? И кто вас тогда
брал — милиция или КГБ?

Бродский: КГБ. Это было вообще в незапамятные времена.

Волков: Чего же они тогда от вас хотели?

Бродский: А это совершенно непонятно, чего эти люди хотят. Я считал, что эта контора — КГБ — как и все на свете, является жертвой ста-
тистики. То есть крестьянин приходит в поле — у него не сжата полоска
одна. Работяга приходит в цех — его там ждет наряд. А гэбэшники приходят в свой офис — у них там ничего, кроме портрета основополож-
ника или «железного Феликса», нет. Но им чего-то надо ведь делать для
того, чтобы как-то свое существование оправдать, да? Отсюда зачастую все эти фабрикации. Все происходило во многом не потому, что
советская власть такая нехорошая или, я не знаю, Ленин или Сталин
были такие злые, или еще какой-нибудь дьявол где-то там крутится, да?
Нет, это просто бюрократия, чисто бюрократический феномен, который — при полном отсутствии проверяющих инстанций — расцветает самым махровым цветом и начинает черт знает чем заниматься.

Волков: У меня тоже всегда было ощущение, что КГБ работает на
чисто бюрократической основе.

Бродский: Я думаю, что в принципе идея ВЧК, то есть идея защиты
революции от ее внешних и внутренних врагов, — подобная идея более или менее естественна. Если, конечно, принять естественность революции — что, в общем, уже вполне неестественно. Но со временем
это неестественное порождение обретает какой-то натуральный, естественный вид, то есть завоевывает определенное пространство. Когда вы спите, то на ночь должны запирать дверь на замок, да? Это вполне
естественно. ЧК — это такой замок, как и полагается. Вы ставите человека на часах, и он стоит. Но у этого человека должен быть какой-то
командир, а у этого командира — еще кто-то, за ним надзирающий, и
так далее. А в случае с КГБ все произошло совершенно наоборот. То

есть за этим часовым догляду никакого не было. Он и заснуть мог, и тебя же штыком заколоть мог. И начиналась кутерьма. Я думаю, девяносто процентов деятельности госбезопасности — это просто фабрикация дел. Вы ведь встречали, наверное, людей, которые сами себе придумывают занятие, лишь бы чем-нибудь заняться?

Волков: Сколько угодно.

Бродский: Так вот, гэбэшники — это именно те люди, которые придумывают себе занятие, потому что прямых дел у них, в общем, нет. Ну кто в России занимается свержением государственного строя? Да никто!

Волков: Во всяком случае, на нашей памяти...

Бродский: Да, на нашей памяти. Может быть, если до тридцать седьмого года кому-то и приходило в голову поставить наверху кого-нибудь другого, то после тридцать седьмого подобные идеи вряд ли уж возникали. И ни о каком оружии на руках у населения речи уже идти не могло. Может быть, в порядке исключения. И с подобными делами вполне могла бы справиться милиция. Но не тут-то было! И, поскольку эти чуваки из госбезопасности существуют, то они организуют систему доносов. На основании доносов у них собирается какая-то информация. А на основании этой информации уже что-то можно предпринять. Особенно это удобно, если вы имеете дело с литератором, да? Потому что на каждого месье существует свое досье, и это досье растет. Если же вы литератор, то это досье растет гораздо быстрее — потому что туда вкладываются ваши манускрипты: стишки или романы, да?

Волков: То есть вы сами производите материал для досье госбезопасности!

Бродский: И в конце концов ваше дело начинает занимать на гэбэшной полке неподобающее ему место. И тогда человека надо хватать и что-то с ним делать. Так это и происходит; некая, как бы это сказать, неандертальская версия компьютера. То есть когда поступает избыток информации, человека берут и начинают его раскручивать согласно ихнему прейскуранту. Все очень просто.

Волков: Значит, ваши неприятности с КГБ начались с момента появления ваших стихов в «Синтаксисе»?

Бродский: Да, а потом было так называемое «дело» Уманского.

Волков: Насколько я помню, дело Уманского упорно муссировалось властями на вашем процессе. А в чем именно оно заключалось?

Бродский: А оно, между прочим, тоже ни в чем не заключалось. Все началось, когда мне было лет восемнадцать, а Шурке Уманскому, наверное, лет двадцать. Мы познакомились с человеком по имени Олег Шахматов. Он был старше нас, уже отслужил в армии, был там летчиком. Из армии его выгнали — то ли по пьянке, то ли потому, что он за командирскими женами бегал. Может быть, и то, и другое. Он мотался по стране, не находил себе места, потом каким-то образом сошелся с Уманским и устроился на работу в Ленинграде — кажется, в геофизическую обсерваторию имени Воейкова. А Уманский больше всего на свете интересовался философией, йогой и прочими подобными делами. Дома у него была соответствующая библиотека. Шахматов начал читать все эти книжки. Представляете себе, что происходит в голове офицера советской армии, военного летчика к тому же, когда он впервые в жизни берет в руки Гегеля, Рамакришну, Вивекананду, Бертрана Рассела и Карла Маркса?

Волков: Нет, не могу.

Бродский: У него в голове происходит полный бенц! Между тем Шахматов был человеком весьма незаурядным: колоссальная к музыке способность, играл на гитаре, вообще талантливая фигура. Общаться с ним было интересно. Потом произошло вот что: он отлил в галоши и бросил их в суп на коммунальной кухне в общежитии, где жила его подруга, — в знак протеста против того, что подруга не пускала его в свою комнату после двенадцати часов ночи. На этом Шахматова попутали, дали ему год за хулиганство. Он загремел, потом освободился, опять приехал в Ленинград. Я к нему хорошо относился, потому что мне с ним было очень интересно. Когда вам двадцать лет, вам все интересно. А тут — пестрая биография, летчик. Все как полагается.

Волков: Действительно пестрая биография, ничего не скажешь!

Бродский: Потом Шахматов снова уехал и объявился в Самарканде, где, сбежав с собственной свадьбы, стал учиться игре на гитаре в местной консерватории и жить со своей преподавательницей, которая была довольно замечательная дама, армянка. Одновременно он преподавал музыку в местном Доме офицеров. И вот он стал призывать меня в гости — знаете, эти цветастые письма из Средней Азии?

Волков: Догадываюсь. Я ведь в Средней Азии родился, в Ходженте.

Бродский: А мне в Среднюю Азию всю дорогу хотелось! Тут я заработал какие-то деньги на телевидении, фотографиями, и смог отправиться в Самарканд. Мы с Шахматовым были там крайне неблагополучны: ни крыши над головой не было, ни черта. Ночевали где придется. Вся эта история была, между прочим, чистый роман-эпопея. Короче, в один прекрасный день, когда Шахматов в очередной раз жаловался мне на полное свое неблагополучие (а он считал, что очень натерпелся от советской власти), нам пришла в голову идея — не помню, кому именно... скорее всего мне. Короче, я говорю Шахматову: «Олег, будь я на твоем месте, я бы просто сел в один из этих маленьких самолетов, вроде ЯК-12, и отвалил бы в Афганистан. Ведь ты же летчик! А в Афганистане дотянул куда бензину бы хватило, а потом пешком просто дошел бы до ближайшего города — до Кабула, я не знаю».

Волков: И как Шахматов на эту идею отреагировал?

Бродский: Он предложил бежать в Афганистан вдвоем. План был таков. Мы покупаем билеты на один из этих маленьких самолетиков. Шахматов садится рядом с летчиком, я сажусь сзади, с камнем. Трах этого летчика по башке. Я его связываю, а Шахматов берет штурвал. Мы поднимаемся на большую высоту, потом планируем и идем над границей, так что никакие радары нас бы не засекли.

Волков: Это же киплинговская эскапада!

Бродский: Не знаю, насколько этот план был реален, но мы его обсуждали всерьез. Шахматов все-таки был старше меня лет на десять, да вдобавок был летчиком. Так что он должен был знать, о чем идет речь.

Волков: Насколько я знаю, в вашем деле побег как таковой не фигурировал, а только подготовка к нему. Что же вас остановило?

Бродский: Дело в том, что изначально это была все-таки моя идея. И я, конечно, подонок и негодяй. Потому что, когда мы уже купили билеты на этот самолет — все четыре билета, все три сиденья, как полагается, — я вдруг передумал.

Волков: Испугались?

Бродский: Нет, все было по-другому. За час до отлета я на сдачу — у меня рубль остался — купил грецких орехов. И вот сижу я и колю их тем самым камнем, которым намечал этого летчика по башке трахать. А по тем временам, начитавшись Сент-Экзюпери, я летчиков всех обожал. И до сих пор обожаю. Вообще, летать — это такая моя сверхидея. Когда я приехал в Штаты, я в первые три или четыре месяца даже брал уроки пилотирования. И даже летал — садился и взлетал! Ну это неважно... Колю я, значит, эти орехи и вдруг понимаю, что орех-то внутри выглядит как...

Волков: Человеческий мозг!

Бродский: Именно так. И я думаю — ну с какой стати я его буду бить по голове? Что он мне плохого сделал, в конце концов? И, главное, я этого летчика еще увидел... И вообще, кому все это надо — этот Афганистан? Родина — не родина — этих категорий, конечно, не было. Но я вдруг вспомнил девушку, которая у меня об ту пору была в Ленинграде. Хотя она уже была замужем... Я понял, что никогда ее не увижу. Подумал, что еще кого-то не увижу — друзей, знакомых. И это меня задело, взяло за живое. В общем, домой захотелось. В конце концов — вокруг Средняя Азия, а я все-таки белый человек, да? Словом, я сказал Олегу, что никак не могу пойти на этот номер. И мы разными путями вернулись в Европейскую часть СССР. Потом я видел Шахматова в Москве, где он более или менее бедствовал. А через год его взяли с револьвером в Красноярске.

Волков: Это и было началом дела Уманского?

Бродский: Да, потому что Шахматов — видимо, испугавшись, что ему дадут еще один срок — заявил, что объяснит факт хранения револьвера только представителю госбезопасности, каковой представитель был ему немедленно предоставлен, потому что в России ничего проще нет. Там это — как здесь quick coin Laundry.

Волков: В следственных материалах ваша идея побега квалифицировалась как «план измены Родине», или что-то в этом роде. То есть властям об этом было все известно, так?

Бродский: Да, потому что Шахматов этому представителю госбезопасности все рассказал. Винить его за это не приходится, поскольку он как бы шкуру свою спасал, но некоторым из нас досталось довольно солоно, особенно Уманскому. Поскольку Шахматов назвал всех, кого он знал, объяснив, что они большие враги советской власти. И нас всех стали брать. Человек двадцать вызвали в качестве свидетелей. Меня тоже вызвали в качестве свидетеля, а оставили уже в качестве подозреваемого. Ну, нормально.

Волков: Как же вам удалось тогда выкрутиться?

Бродский: Меня, подержав, выпустили, поскольку оказалось, после допроса двадцати человек, что единственное показание против меня — самого же Шахматова. А это даже по советской юридической системе было не совсем комильфо. С Уманским же произошла история похуже, потому что против него показал, во-первых, сам Шахматов, а, во-вторых, жена Уманского и ее любовник.

Волков: Значит, цепочка к процессу Бродского протянулась непосредственно от дела Уманского?

Бродский: Я думаю, что все было гораздо интереснее и сложнее. Но ни вдумываться в это, ни разбираться в этом не хочу. Не желаю. Поскольку меня совершенно не интересуют причины. Меня интересуют следствия. Потому что следствия всегда наиболее безобразны. То есть — по крайней мере, зрительно — они куда занятней.

Волков: Возвращаясь к этому чертику из табакерки, Лернеру — почему ему пришла в голову мысль писать фельетон? Ведь он вовсе не был журналистом по профессии.

Бродский: Видимо, это была не собственная идея Лернера. Его, видимо, науськала госбезопасность. Поскольку мое досье все росло и росло. И, полагаю, пришла пора принимать меры. Что касается Лернера, то он вообще был никто. Насколько я помню, он имел боевое прошлое в госбезопасности. Ну, может быть, не такое уж и боевое, не знаю. Вообще, такой отставной энтузиаст со слезящимся глазом. Один глаз у него, по-моему, даже был искусственный. Все как полагается! Полная катастрофа! И ему, естественно, хотелось самоутвердиться. Это совпало с интересами госбезопасности. И понеслось! А уж когда меня попутали в третий раз, тогда они припомнили мне все — и «Синтаксис», и Уманского, и Шахматова, и Самарканд, и всех, с кем мы там встречались.

Волков: А когда на вас все это свалилось — третий арест, процесс — как вы все это восприняли: как бедствие? Как поединок? Как возможность конфронтации с властью?

Бродский: На этот вопрос сложно ответить, потому что трудно не поддаться искушению интерпретировать прошлое с сегодняшних позиций. С другой стороны, у меня есть основания думать, что именно в этом аспекте особенной разницы между моими ощущениями тогда и сейчас нет. То есть я лично этой разницы не замечаю. И могу сказать, что не ощущал все эти события ни как трагедию, ни как мою конфронтацию с властью.

Волков: Неужели вы не боялись?

Бродский: Вы знаете, когда меня арестовали в первый раз, я был сильно напуган. Ведь берут обыкновенно довольно рано, часов в шесть утра, когда вы только из кроватки, тепленький, и у вас слабый защитный рефлекс. И, конечно, я сильно испугался. Ну представьте себе: вас привозят в Большой дом, допрашивают, после допроса ведут в камеру. (Подождите, Соломон, я сейчас возьму сигарету.)

Волков: А что — камеры находятся прямо там, в Большом доме?

Бродский: Вы что, не знаете? Ну я могу вам рассказать. Большой дом это довольно интересное предприятие. В том смысле, что он физически воплощает идею «вещи в себе». То есть Большой дом имеет — как бы это сказать? — свой периметр, да? Большой дом построен в форме квадрата, внутри которого существует еще один квадрат. И внутренний квадрат сообщается с внешним посредством Моста Вздохов.

Волков: Как в Венеции?

Бродский: Именно! В Большом доме этот мост построен, если не ошибаюсь, на уровне второго этажа — такой коридор между вторым и третьим этажом. И по нему вас переводят из внешнего здания во внутреннее, которое и есть собственно тюрьма. И самый страшный момент наступает, собственно говоря, после допроса, когда вы надеетесь, что вас сейчас отпустят домой. И вы думаете: вот сейчас выйду на улицу! Поскорей бы! И вдруг понимаете, что вас ведут совершенно в другую сторону.

Волков: А каков дальнейший тюремный ритуал?

Бродский: Дальше вам говорят: «Руки за спину!» И ведут. И перед вами вдруг начинают отворяться двери. Вам ничего не говорят, вы сами все понимаете. Чего уж тут говорить! Никакие интерпретации здесь невозможны.

Волков: Почти по Сюзан Зонтаг — «Against interpretation»!

Бродский: Наконец тот, кто вас довел до конца коридора по этому Мосту Вздохов, сдает вас местному дежурному у двери внутренней тюрьмы. Этот дежурный, вкупе с помощником, вас обыскивает. После чего у вас вынимают шнурки из ботинок. И ведут далее. Меня, например, привели на третий этаж. Между прочим, моя камера располагалась над ленинской камерой, если я не ошибаюсь. Когда меня вели, то сказали, чтобы я в ту сторону не смотрел. Я пытался выяснить, почему. И мне разъяснили, что вот в той камере сидел сам Ленин, и мне, в качестве врага, смотреть на это совершенно не полагается.

Волков: А разве Большой дом такое старое здание, что в нем еще Ленин сидел?

Бродский: Внутреннее здание существовало еще до революции. А внешнее построено уже при большевиках. По-моему, в двадцатые годы. Когда ни о каком сталинском терроре еще, казалось бы, не было и речи. То есть чуваки уже тогда знали, к чему они стремились. И над созданием этого внешнего здания трудилось много замечательных людей. По-моему, даже Александр Бенуа принимал участие в постройке. Но, может быть, я зря клепаю на Бенуа*.

Волков: Бенуа уехал в Париж, если не ошибаюсь, в 1926 году. Но это можно проверить...

Бродский: Если в этом есть необходимость... Короче, вас приводят в камеру. И когда меня в первый раз в жизни привели в камеру, то мне, между прочим, очень там понравилось. Действительно, понравилось! Потому что это была одиночка.

Волков: А что, дверь в камеру действительно захлопывается с таким зверским лязгом, как в кинофильмах из тюремной жизни?

Бродский: Да, именно с таким лязгом.

Волков: Ну вот вы в одиночной камере Большого дома. Опишите ее для меня.

Бродский: Ну, кирпичные стены, но они замазаны масляной краской — если не ошибаюсь, такого зелено-стального цвета. Потолочек белый, а, может быть, даже серый, я не помню. Вас запирают. И вы оказываетесь тет-а-тет со своей лежанкой, умывальничком и сортиром.

Волков: А какого размера камера?

Бродский: Если не ошибаюсь, восемь или десять шагов в длину. Примерно как эта моя комната здесь, в Нью-Йорке, но уже в два раза. Что же в ней было? Тумбочка, умывальник, очко. Что еще?

Волков: Что такое — «очко»?

Бродский: Очко? Это такая дыра в полу, это уборная. Я не понимаю, где вы жили, Соломон?!

Волков: В это время уже жил в Ленинграде, в том же самом городе, где и вы, в интернате музыкальной школы при консерватории. И такого слова — «очко» — никогда не слышал.

Бродский: Что еще? Окно, сквозь которое вы ничего не можете увидеть. Потому что там, кроме, как полагается, решетки, еще снаружи намордник. Сразу объясняю: это такой деревянный футляр, чтобы вы не могли высунуться, скорчить кому-нибудь рожу или помахать ручкой. И вообще чтобы вам было максимально неприятно.

Волков: Лампа стоит на тумбочке?

Бродский: Нет, лампочка висит, вделанная в потолок. И она тоже забрана решеткой, чтобы вы не вздумали ее разбить. В двери, естественно, глазок и кормушка.

Волков: Кормушка открывается вовнутрь, как в фильмах?

Бродский: Да, вовнутрь. Но дело в том, что, пока я там сидел, я не видел, как она открывается. Поскольку это была следственная тюрьма. И меня по двенадцать часов держали на допросах. Так что еду, когда я возвращался в камеру, я находил уже на тумбочке. Что было с их стороны довольно интеллигентно.

---

* Бродский ошибается. Архитекторы «Большого дома» — Н.А. Троцкий и Е.Н. Лансере (прим. редактора).

Волков: А что за еда была?

Бродский: Еда банальная, то есть незатейливая. Помню, один раз я получил котлетку, что меня очень сильно обрадовало. Ну про тюремную еду говорить — это смех и грех, да? Да и вообще, во время следствия кормят более или менее прилично — если сравнить с тем, как кормят в настоящей тюрьме.

Волков: А когда вас арестовали по делу Уманского, то опять повезли в Большой дом?

Бродский: Да. Но в третий раз я миновал Большой дом. Меня попутали на улице и отвезли в отделение милиции. Там держали, кажется, около недели. После чего меня отправили в сумасшедший дом на Пряжке, на так называемую судебно-психиатрическую экспертизу. Там меня держали несколько недель. И это было самое худшее время в моей жизни.

Волков: Я понимаю, что об этом вспоминать нелегко. И на вашем месте я, вполне вероятно, тоже отказывался бы отвечать на вопросы об этом периоде. Но в данном случае я выступаю как историк культуры, если угодно. Как хроникер культуры. И я бы хотел узнать о вашем пребывании в психушках несколько подробнее. Сколько раз вы там оказывались?

Бродский: Ну... два раза...

Волков: Когда именно?

Бродский: Первый раз — в декабре 1963 года. Второй раз... В каком же месяце это было? В феврале-марте 1964-го. И я даже все это стихами описал, что называется. Знаете — «Горбунов и Горчаков»?

Волков: Как в стихах — знаю. Расскажите, как это было на самом деле. Меня особенно интересует второй раз, когда власти отправили вас на принудительную судебно-психиатрическую экспертизу.

Бродский: Ну, это был нормальный сумасшедший дом. Смешанные палаты, в которых держали и буйных, и не буйных. Поскольку и тех, и других подозревали...

Волков: В симуляции?

Бродский: Да, в симуляции. И в первую же мою ночь там человек в койке, стоявшей рядом с моей, покончил жизнь самоубийством. Вскрыл себе вены. Помню, как я проснулся в три часа ночи: кругом суматоха, беготня. И человек лежит в луже крови. Каким образом он достал бритву? Совершенно непонятно...

Волков: Ничего себе первое впечатление.

Бродский: Нет, первое впечатление было другое. И оно почти свело меня с ума, как только я туда вошел, в эту палату. Меня поразила организация пространства там. Я до сих пор не знаю, в чем было дело: то ли окна немножко меньше обычных, то ли потолки слишком низкие. То ли кровати слишком большие. А кровати там были такие железные, солдатские, очень старые, чуть ли не николаевского еще времени. В общем, налицо было колоссальное нарушение пропорций. Как будто вы попадаете в какую-то горницу XVI века, в какие-нибудь Поганкины палаты, а там стоит современная мебель.

Волков: Утки?

Бродский: Ну уток там как раз и не было. Но это нарушение пропорций совершенно сводило меня с ума. К тому же окна не открываются, на прогулку не водят, на улицу выйти нельзя. Там всем давали свидания с родными, кроме меня.

Волков: Почему?

Бродский: Не знаю. Вероятно, считали меня самым злостным.

Волков: Я хорошо понимаю это ощущение полной изоляции. Но ведь и в тюрьме в одиночке было не слаще?

Бродский: В тюремной камере можно было вызвать надзирателя, если с вами приключался сердечный припадок или что-то в этом роде. Можно было позвонить — для этого существовала такая ручка, которую вы дергали. Беда заключалась в том, что если вы дергали эту ручку второй раз, то звонок уже не звонил. Но в психушке гораздо хуже, потому что вас там колют всяческой дурью и заталкивают в вас какие-то таблетки.

Волков: А уколы — это больно?

Бродский: Как правило, нет. За исключением тех случаев, когда вам вкалывают серу. Тогда даже движение мизинца причиняет невероятную физическую боль. Это делается для того, чтобы вас затормозить, остановить, чтобы вы абсолютно ничего не могли делать, не могли пошевелиться. Обычно серу колют буйным, когда они начинают метаться и скандалить. Но кроме того санитарки и медбратья таким образом просто развлекаются. Я помню, в этой психушке были молодые ребята с заскоками, попросту — дебилы. И санитарки начинали их дразнить. То есть заводили их, что называется, эротическим образом. И как только у этих ребят начинало вставать, сразу же появлялись медбратья и начинали их скручивать и колоть серой. Ну каждый развлекается как может. А там, в психушке, служить скучно, в конце концов.

Волков: Санитары сильно вас допекали?

Бродский: Ну представьте себе: вы лежите, читаете — ну там, я не знаю, Луи Буссенара — вдруг входят два медбрата, вынимают вас из станка, заворачивают в простынь и начинают топить в ванной. Потом они из ванной вас вынимают, но простыни не разворачивают. И эти простыни начинают ссыхаться на вас. Это называется «укрутка». Вообще было довольно противно. Довольно противно... Русский человек совершает жуткую ошибку, когда считает, что дурдом лучше, чем тюрьма. Между прочим, «от сумы да от тюрьмы не зарекайся», да? Ну это было в другое время...

Волков: А почему, по-вашему, русский человек полагает, что дурдом все-таки лучше тюрьмы?

Бродский: Он из чего исходит? Он исходит из того, — и это нормально, — что кормежка лучше. Действительно, кормежка в дурдоме лучше: иногда белый хлеб дают, масло, даже мясо.

Волков: И тем не менее, вы настаиваете, что в тюрьме все-таки лучше?

Бродский: Да, потому что в тюрьме, по крайней мере, вы знаете, что вас ожидает. У вас срок — от звонка до звонка. Конечно, могут навесить еще один срок. Но могут и не навесить. И в принципе ты знаешь, что рано или поздно тебя все-таки выпустят, да? В то время как в сумасшедшем доме ты полностью зависишь от произвола врачей.

Волков: Я понимаю, что этим врачам вы доверять не могли...

Бродский: Я считаю, что уровень психиатрии в России — как и во всем мире — чрезвычайно низкий. Средства, которыми она пользуется, — весьма приблизительные. На самом деле у этих людей нет никакого представления о подлинных процессах, происходящих в мозгу и в нервной системе. Я, к примеру, знаю, что самолет летает, но каким именно образом это происходит, представляю себе довольно слабо. В психиатрии схожая ситуация. И поэтому они подвергают вас совершенно чудовищным экспериментам. Это все равно, что вскрывать часовой механизм колуном, да? То есть вас действительно могут бесповоротно изуродовать. В то время как тюрьма — ну что это такое, в конце концов? Недостаток пространства, возмещенный избытком времени. Всего лишь.

Волков: Я вижу, что к тюрьме вы как-то приноровились, чего нельзя сказать о психушке.

Бродский: Потому что тюрьму можно более или менее перетерпеть. Ничего особенно с вами там не происходит: вас не учат никого ненавидеть, не делают вам уколов. Конечно, в тюрьме вам могут дать по морде или посадить в шизо...

Волков: Что такое шизо?

Бродский: Штрафной изолятор! В общем, тюрьма — это нормально, да? В то время как сумдом... Помню, когда я переступил порог этого заведения, первое, что мне сказали: «главный признак здоровья — это нормальный крепкий сон». Я себя считал абсолютно нормальным. Но я не мог уснуть! Просто не мог уснуть! Начинаешь следить за собою, думать о себе. И в итоге появляются комплексы, которые совершенно не должны иметь места. Ну это неважно...

Волков: Расскажите о «Крестах». Ведь само это название — часть петербургско-ленинградского фольклора, как и Большой дом.

Бродский: Чисто визуально «Кресты» — это колоссальное зрелище. Я имею в виду не внутренний двор, потому что он довольно банальный. Да я его и видел, работая в морге. А вот вид изнутри! Потому что эту тюрьму построили в конце XIX века. И это не то чтобы арт нуво, но все-таки: все эти галереи, пружины, проволока...

Волков: Похоже на Пиранези?

Бродский: Чистый Пиранези! Абсолютно! Такой — а ля рюсс. Даже не а ля рюсс, а с немецким уклоном. Похоже на Путиловский завод. Красный кирпич везде. В общем, довольно приятно. Но потом было уже менее интересно, потому что меня поместили в общую камеру, где нас было четыре человека. Это уже сложнее, ибо начинается общение. А в одиночке всегда гораздо лучше.

Волков: А как менялись ваши эмоции от первой к третьей посадке?

Бродский: Ну когда меня вели в «Кресты» в первый раз, то я был в панике. В состоянии, близком к истерике. Но я как бы ничем этой паники не продемонстрировал, не выдал себя. Во второй раз уже никаких особых эмоций не было, просто я узнавал знакомые места. Ну а в третий раз это уж была абсолютная инерция. Все-таки самое неприятное — это арест. Точнее, сам процесс ареста, когда вас берут. То время, пока вас обыскивают. Потому что вы еще ни там, ни сям. Вам кажется, что вы еще можете вырваться. А когда вы уже оказываетесь внутри тюрьмы, тогда уж все неважно. В конце концов, это та же система, что и на воле.

Волков: Что вы имеете в виду?

Бродский: Видите ли, я в свое время пытался объяснить своим корешам, что тюрьма — это не столь уж альтернативная реальность, чтобы так ее опасаться. Жить тихо, держать язык за зубами — и все это из-за боязни тюрьмы? Бояться-то особенно нечего. Может быть, мы этого ничего уже не видели потому, что были другим поколением? Может быть, у нас порог страха был немножечко ниже, да?

Волков: Вы хотите сказать — выше?

Бродский: В общем, когда моложе — боишься меньше. Думаешь, что перетерпеть можешь больше. И потому перспектива потери свободы не так уж сводит тебя с ума.

Волков: А как у вас сложились отношения со следователями?

Бродский: Ну, я просто ни на какое общение не шел, ни на какие разговоры. Просто держал язык за зубами. Это их выводило из себя. Тут они на тебя и кулаками стучать, и по морде бить...

Волков: Что, действительно били?

Бродский: Били. Довольно сильно, между прочим. Несколько раз.

Волков: Но ведь это было время, как тогда любили говорить, сравнительно вегетарианское. И вроде бы бить не полагалось?

Бродский: Мало ли что не полагалось.

Волков: А разве нельзя было эти побои каким-то законным образом обжаловать?

Бродский: Каким? Это, знаете ли, было еще до расцвета правозащитного движения.

Волков: Многие из нас, кто на самом процессе Бродского не был, знакомы, тем не менее, с его ходом по стенографическим записям, сделанным в зале суда журналисткой Фридой Вигдоровой. Эти записи широко ходили в российском самиздате. Они аккуратно отражают ход судебного разбирательства?

Бродский: Аккуратно, но там ведь не все. Там, может быть, одна шестая процесса. Потому что ведь ее выставили из зала довольно быстро. А уж потом начались наиболее драматические, наиболее замечательные эпизоды.

Волков: Я считал эти записи выдающимся документом.

Бродский: Вы, может быть, считаете, а я — нет. Не говоря уж о том, что этот документ был с тех пор напечатан тысячу раз. Не так уж это все и интересно, Соломон. Поверьте мне.

Волков: Ну об уникальности этого документа как раз и свидетельствует тот факт, что он был опубликован по всему миру. И с тех пор цитировался бесчисленное количество раз.

Бродский: Мне повезло во всех отношениях. Другим людям доставалось гораздо больше, приходилось гораздо тяжелее, чем мне.

Волков: Особенность этого процесса была в том, что судили поэта. В России поэт — фигура символическая, особенно талантливый. И никакому другому русскому поэту вашего ранга в тот период так же сильно от властей не досталось.

Бродский: Ну я тогда не был поэтом никакого ранга. Во всяком случае, с моей собственной точки зрения. Может быть, с точки зрения — не знаю уж там, Господа Бога...

Волков: Вас в России тогда не печатали, но читали и почитали, потому что стихи ваши достаточно широко расходились в самиздате. О большем признании в тот момент и мечтать, наверное, нельзя было. Власти более или менее представляли себе, кого они судят. Вы что, хотели бы, чтобы они устроили процесс в тот момент, когда вы получите Нобелевскую премию?

Бродский: Можно было бы!

Волков: Процесс над вами пришелся на исторически очень важный для России момент. В тот период у многих были упования, что дело идет к большей свободе. Хрущев разрешил напечатать «Один день Ивана Денисовича» Солженицына. Начали устраивать какие-то выставки, играть современную музыку. Я хорошо помню это ощущение каких-то ожиданий.

Бродский: Ну это был уже конец хрущевского периода. Его же как раз в октябре 1964 года и скинули.

Волков: А когда перечитываешь стенограмму Вигдоровой, понимаешь, что все эти надежды были наивными. У меня лично при чтении записей Вигдоровой волосы встают дыбом.

Бродский: Ну это напрасно.

Волков: Потому что воочию видишь, как эта государственная машина движется, подминая под себя все независимое, творческое, свободолюбивое. Она идет как бульдозер.

Бродский: Видите ли, мне с самого начала процесса было ясно, что они хозяева. И поэтому они вправе на вас давить. Вы становитесь инородным телом, и в этот момент на вас автоматически начинают действовать все соответствующие физические законы — изоляции, сжатия, вытеснения. И ничего в этом экстраординарного нет.

Волков: Вы оцениваете это так спокойно сейчас, задним числом! И, простите меня, этим тривиализируете значительное и драматичное событие. Зачем?

Бродский: Нет, я не придумываю! Я говорю об этом так, как на самом деле думаю! И тогда я думал так же. Я отказываюсь все это драматизировать!

Волков: Я понимаю, это часть вашей эстетики. Но стенограмма Вигдоровой тоже, в общем, не драматизирует происходящего. Она не нагнетает эффектов. И все-таки она производит потрясающее впечатление. При том что — как вы утверждаете — в записи Вигдоровой самая драматическая часть процесса не попала.

Бродский: На мой взгляд — да.

Волков: И самое для меня в этих записях страшное — это реакция зала, так называемых «простых людей».

Бродский: Ну зал-то наполовину состоял из сотрудников госбезопасности и милиции. Такого количества мундиров я не видел даже в кинохронике о Нюрнбергском процессе. Только что касок на них не было! Мой процесс — это тоже, кстати, то еще кино было! Кинокомедия! И эта комедия была куда занятней, чем то, что описала Вигдорова. Самое смешное, что у меня за спиной сидели два лейтенанта, которые с интервалом в минуту, если не чаще, говорили мне — то один, то другой: «Бродский, сидите прилично!», «Бродский, сидите нормально!», «Бродский, сидите как следует!», «Бродский, сидите прилично!». Я очень хорошо помню: эта фамилия — «Бродский», после того, как я услышал ее бесчисленное количество раз — и от охраны, и от судьи, и от заседателя, и от адвоката, и от свидетелей — потеряла для меня всякое содержание. Это как в дзен-буддизме, знаете? Если ты повторяешь имя, оно исчезает. Эта идея даже имеет прикладное применение. Если ты, скажем, хочешь отделаться от мысли о Джордже Вашингтоне, повторяй: «Джордж Вашингтон, Джордж Вашингтон, Джордж Вашингтон...» На семнадцатый раз — может, и раньше, потому что для меня, скажем, это имя иностранное, — мысль о Джордже Вашингтоне становится полным абсурдом. Таким же абсурдом быстро стал для меня и процесс. Единственное, что на меня тогда, помню, произвело впечатление, это выступления свидетелей защиты — Адмони, Эткинда. Потому что они говорили какие-то позитивные вещи в мой адрес. А я, признаться, хороших вещей о себе в жизни своей не слышал. И поэтому был даже немножко всем этим тронут. А во всем остальном это был полный зоопарк. И, поверьте, никакого впечатления все это на меня не произвело. Действительно никакого!

Волков: В связи с процессом я хочу вас спросить еще об одной вещи. На суде поминался ваш юношеский дневник, в котором вы якобы «поносили Маркса и Ленина». Вы в России вели дневник?

Бродский: Да нет, с какой стати? Какой вообще русский человек может позволить себе вести дневник? Мальчишкой, когда мне было лет четырнадцать-пятнадцать, я попытался вести нечто вроде дневника, в который я записывал мои собственные замечания по поводу советской власти, представлявшиеся мне остроумными. И не более того. Теперь все это находится в архивах КГБ. А никакого другого дневника не было.

Волков: А здесь, на Западе, вы никогда не пробовали вести дневник?

Бродский: Вы знаете, пробовал. И даже совсем недавно. Но я решил, что уж если я его буду вести, то а ля государь император — по-английски. То есть как Николаша вел. И что-то я там даже начал записывать. Но, в общем, нет, дневника я в итоге ни в коем случае не веду. Ну как-то не до этого. Нет нужного покоя. Для ведения дневника нужна жизнь а ля Лев Николаевич Толстой, да?

Волков: В Ясной Поляне?

Бродский: Да, в собственной усадьбе. Где жизнь идет размеренно. Чтобы вести дневник, нужен какой-то установившийся быт. А этого у меня нет.

В ссылке. Село Норенское Архангельской области. 1986.

Глава 4

Ссылка на север: весна 1986

Волков: Давайте поговорим о вашей ссылке. Мне об этом интересно узнать по многим причинам. В частности и потому, что меня всегда очень привлекал русский Север.

Бродский: Ну это был не совсем тот русский Север, о котором обычно идет речь в художественной литературе или искусстве. И который так любят интеллигентные люди в России. Но зато он был настоящий.

Волков: Вот и расскажите мне о настоящем Севере. Как вы туда попали? Как развивались события после процесса?

Бродский: После суда меня отправили назад в участок, а из участка в «Кресты». Из «Крестов» этапом через Вологду в Архангельск. Там меня посадили на поезд и повезли. Куда везут, я не знал. И никто в поезде не знал.

Волков: Была целая партия?

Бродский: Да, причем там были кто угодно. В большинстве своем, уголовники. Никаких так называемых интеллигентных людей мне там не попадалось. Хотя был один человек, который, надо сказать, раз и навсегда снял для меня всю эту проблему правозащитного движения с повестки дня. Он был со мной в одном купе.

Волков: А что, ехали в нормальных поездах, с купе?

Бродский: Нет, ну какие там нормальные поезда? Ехали в «Столыпине».

Волков: А что это такое — «Столыпин»?

Бродский: «Столыпин» — это тюремный вагон. Так называемый вагонзак. Существовал он в двух образцах: до модернизации и после. У нас был старенький «Столыпин». Окна в купе забраны решетками и заколочены, забиты ставнями. Купе по размеру рассчитано на четырех человек, как обычно. Но в этом купе на четырех везут шестнадцать, да? То есть верхняя полка перекидывается и ее используют как сплошной лежак. И вас туда набивают как, действительно, сельдей в бочку. Или, лучше сказать, как сардинки в банку. И таким образом вас везут.

Волков: Как же вы там выживали?

Бродский: Это был, если хотите, некоторый ад на колесах: Федор Михайлович Достоевский или Данте. На оправку вас не выпускают, люди наверху мочатся, все это течет вниз. Дышать нечем. А публика — главным образом блатари. Люди уже не с первым сроком, не со вторым, не с третьим — а там с шестнадцатым. И вот в таком вагоне сидит напротив меня русский старик — ну как их какой-нибудь Крамской рисовал, да? Точно такой·же — эти мозолистые руки, борода. Все как полагается. Он в колхозе со скотного двора какой-то несчастный мешок зерна увел, ему дали шесть лет. А он уже пожилой человек. И совершенно понятно, что он на пересылке или в тюрьме умрет. И никогда до освобождения не дотянет. И ни один интеллигентный человек — ни в России, ни на Западе — на его защиту не подымется. Никогда! Просто потому, что никто и никогда о нем и не узнает! Это было еще до процесса Синявского и Даниэля. Но все-таки уже какое-то шевеление правозащитное начиналось, Но за этого несчастного старика никто бы слова не замолвил — ни Би-Би-Си, ни «Голос Америки». Никто! И когда видишь это — ну больше уже ничего не надо... Потому что все эти молодые люди — я их называл «борцовщиками» — они знали, что делают, на что идут, чего ради. Может быть, действительно ради каких-то перемен. А может быть, ради того, чтобы думать про себя хорошо. Потому что у них всегда была какая-то аудитория, какие-то друзья, кореша в Москве. А у этого старика никакой аудитории нет. Может быть, у него есть его бабка, сыновья там. Но бабка и сыновья никогда ему не скажут: «Ты благородно поступил, украв мешок зерна с колхозного двора, потому что нам жрать нечего было». И когда ты такое видишь, то вся эта правозащитная лирика принимает несколько иной характер.

Волков: И куда же вас привезли?

Бродский: В Каношу. Это такая станция между Вологдой и Няндомой, в южной части Архангельской области. В Коноше меня расконвоировали. Начальником отделения милиции там был майор Одинцов, как сейчас помню. Единственный, по-моему, приличный человек, которого я встретил в этой системе. Сейчас-то он, наверное, в отставке или мертв. Потому что при той жизни, я думаю, долго протянуть нельзя. Совершенно замечательный человек был. Ну вот. И он послал меня, как и всех других высланных, искать работу в окрестных деревнях.

Волков: Как это — искать работу? Разве вас не посылали в определенное место?

Бродский: Нет, нам говорили: вот поезжайте туда-то и поговорите — если вас возьмут на работу, мы вас, что называется, поддержим. И так я нашел себе это самое село Норенское Коношского района.

Очень хорошее было село. Оно мне еще и потому понравилась, что название было похоже чрезвычайно на фамилию тогдашней жены Евгения Рейна.

Волков: Это был колхоз?

Бродский: Нет, совхоз.

Волков: И что была за работа?

Бродский: Ну работа там какая — батраком! Но меня это нисколько не пугало. Наоборот, ужасно нравилось. Потому что это был чистый Роберт Фрост или наш Клюев: Север, холод, деревня, земля. Такой абстрактный сельский пейзаж. Самое абстрактное из всего, что я видел в своей жизни.

Волков: Что вы имеете в виду?

Бродский: Я уж не знаю, как это объяснить. Никаких особенных теорий у меня на этот счет нет, могу говорить исключительно про ощущения. Прежде всего, специфическая растительность. Она, в принципе, непривлекательна — все эти елочки, болотца. Человеку там делать нечего ни в качестве движущегося тела в пейзаже, ни в качестве зрителя. Потому что чего же он там увидит? И это колоссальное однообразие в итоге сообщает вам нечто о мире и о жизни.

Волков: А белые ночи?

Бродский: Совершенно замечательные! Они вносили элемент полного абсурда, поскольку проливали слишком много света на то, что этого освещения совершенно не заслуживало. И тогда вы видели то, чего можно в принципе и вообще не видеть дольше чем нужно.

Волков: Мне тоже знакомо это ощущение, когда белый ровный свет освещает серую ровную поверхность.

Бродский: И постройки там соответствующие. Я говорю не о планировке домов, а исключительно об их цвете. Дома деревянные, а дерево это — словно выцветшее.

Волков: А люди там какого цвета?

Бродский: Как правило, русоволосые. То есть того же самого цвета. И одеваются они так же. В итоге цветовая гамма там абсолютно единая. Я всегда говорю, что если представить себе цвет времени, то он скорее всего будет серым. Это и есть главное зрительное впечатление и ощущение от Севера.

Волков: А как вы переносили холода?

Бродский: Когда зимой температура начинает падать — сначала до пятнадцати градусов по Цельсию, потом до двадцати, потом до двадцати пяти — ты еще замечаешь, что мороз крепчает, что становится все холоднее и холоднее. Но температура продолжает падать и дальше, когда ты уже перестаешь замечать ее изменения как качественные, перестаешь на них реагировать. То есть температуре как бы уже и незачем падать. Тем не менее она продолжает падать. Нечто схожее, но с обратным знаком, происходит на экваторе. Там — чудовищная жара, которая все увеличивается, хотя ты это уже больше не воспринимаешь. Но в этой эскалации жары есть хоть какой-то смысл. Поскольку благодаря жаре какие-то дополнительные формы жизни прорезаются на свет. В то время как при холоде этого как раз не происходит.

Волков: Скорее наоборот!

Бродский: И у тебя словно появляется предысторическая память — об обледенении, прочих подобных вещах. Но мне это как раз чрезвычайно нравилось, такой вот неприкладной характер природы.

Волков: Расскажите подробнее, что это за земли.

Бродский: Довольно специфические. Это были так называемые суворовские дачи: земля, которую Екатерина Великая подарила Суворову после каких-то его очередных побед. Но он там никогда не бывал. И так получилось, что на землях этих никогда не было помещиков. И единственный оброк, который крестьяне платили, была десятина монастырям.

Волков: То есть это были крепкие хозяйства?

Бродский: Да, довольно зажиточные — постольку, поскольку позволял климат. И что самое удивительное — климат действительно позволял. Потому что в Архангельске до семнадцатого года, как это явствует из многих свидетельств, вода буквально кипела от пароходов, вывозивших производившееся в этих краях зерно. В то время как сейчас она кипит потому, что зерно туда привозят из-за границы. Я не хочу сказать, что у меня тоска по дореволюционным временам, потому что я и не жил тогда, и вообще мне все равно. Но факт, что до революции крестьяне там, на Севере, горя особенного не хватили, да?

Волков: А после революции?

Бродский: Я об одной вещи могу сказать. С возникновением совхозов, с внедрением механизации, культурный слой почвы (а там он очень незначительный, поскольку все это сидит на камнях, на граните) был снят тракторами. Ведь в чем, собственно, прелесть патриархального способа обработки почвы? Не в том, что лошадка — это живое существо, с которым можно поговорить и за гриву подержаться. А в том, что плуг глубоко не берет, то есть не разрушает культурный слой почвы.

Волков: Как же крестьяне там управлялись?

Бродский: Я туда приехал как раз весной, это был март-апрель, и у них начиналась посевная. Снег сошел, но этого мало, потому что с этих полей надо еще выворотить огромнейшие валуны. То есть половина времени этой посевной у населения уходила на выворачивание валунов и камней с полей. Чтоб там хоть что-то росло. Про это говорить — смех и слезы. Потому что если меня на свете что-нибудь действительно выводит из себя или возмущает, так это то, что в России творится именно с землей, с крестьянами. Меня это буквально сводило с ума! Потому что нам, интеллигентам, что — нам книжку почитать, и обо всем забыл, да? А эти люди ведь на земле живут. У них ничего другого нет. И для них это — настоящее горе. Не только горе — у них и выхода никакого нет. В город их не пустят, да если и пустят, то что они там делать станут? И что же им остается? Вот они и пьют, спиваются, дерутся, режутся. То есть просто происходит разрушение личности. Потому что и земля разрушена. Просто отнята.

Волков: А эти люди верующие?

Бродский: Нет, на самом-то деле народ там совершенно не церковный. Церковь в этой деревне была разрушена еще в восемнадцатом году. Крестьяне мне рассказывали, *что* советская власть учинила у них с церковью. В мое время кое у кого по углам еще висели иконы, но это скорее было соблюдение старины и попытка сохранить какую-то культуру, нежели действительно вера в Бога. То есть по одному тому, как они себя вели и как грешили — ни о какой вере и речи быть не могло. Иногда чувствовался такой как бы вздох, что вот — жить тяжело и, в общем, хорошо бы помолиться. Но до ближайшей церкви им там канать было очень далеко. И потому речь об этом почти и не заходила. Иногда они собирались, чтобы потрепаться, но как правило все это в итоге выливалось в пьянство и драки. Несколько раз хватались за ножи. Но в основном это были драки — с крупным мордобитием, кровью. В общем, хрестоматийная сельская жизнь.

Волков: И как же вы там обжились?

Бродский: А замечательно! Это, конечно, грех говорить так, и, может быть, это даже и неверно, но мне гораздо легче было общаться с населением этой деревни, нежели с большинством своих друзей и знакомых в родном городе. Не говоря уж об общении с начальством. Во всяком случае, так мне это тогда представлялось.

Волков: У кого же вы там, в деревне поселились?

Бродский: Сначала — у Анисьи Пестеревой. Как же ее по отчеству? Боже правый, совершенно забываю. А потом — у Константина Борисовича Пестерева и его жены Афанасьи Михайловны. Они жили в двух избах: летом в летней, а когда зима наступала, они переселялись в зимнюю избу. И, поскольку мне не так уж много пространства и надо было, я снимал у них зимой летнюю избу, а летом — зимнюю.

Волков: И сколько вы им платили за это?

Бродский: Ну, гроши: рублей сто, то есть десятку новыми. Константин Борисович у меня все равно забирал эти деньги вперед — на бутылку, да? Замечательный человек был. Вообще вся эта деревенская публика — за исключением одного дегенерата-бригадира — была совершенно замечательная. А бригадир этот, кстати, не в этой деревне и жил.

Волков: А деревня была большая?

Бродский: Нет, там четырнадцать дворов всего и было. Но я вот что скажу. Когда я там вставал с рассветом и рано утром, часов в шесть, шел за нарядом в правление, то понимал, что в этот же самый час по всей, что называется, великой земле русской происходит то же самое: народ идет на работу. И я по праву ощущал свою принадлежность к этому народу. И это было колоссальное ощущение! Если с птичьего полета на эту картину взглянуть, то дух захватывает. Хрестоматийная Россия!

Ну разумеется, работа эта тяжелая, никто работать не любит, но люди там, в деревне, колоссально добрые и умные. То есть не то чтобы умные, но такие хитрые. Вот что замечательно.

Волков: И как они к вам относились?

Бродский: Совершенно замечательно! Видите ли, у них там ни фельдшера не было, ничего. А у меня лекарства с собой кое-какие были. И я как мог их подлечивал — знаете, из старых своих медицинских амбиций. Давал им болеутоляющее, аспирин. Ничего этого у них там не было. Или за этим добром надо было ехать километров тридцать. Не всякий день поедешь. Потому что дороги, как полагается, чудовищные. У них ведь там и электричества не было, никаких там «лампочек Ильича».

Волков: При керосиновых лампах сидели?

Бродский: Керосин, свечи... Красиво очень... Особенно зимой, по ночам.

Волков: А крестьяне знали, за что вас сослали? Они знали, что вы пишете стихи?

Бродский: Знали. Сначала они думали, что я шпион. Потому что кто-то услышал по Би-Би-Си передачу — их можно было поймать на приемнике «Родина», который работал на батареях, знаете? И, значит, пустили слух, что я шпион. Но потом они поняли, что нет, совсем не шпион. Тогда они решили, что я за веру пострадал. Ну это была с их стороны ошибка, и я объяснил им, что это не совсем так. А потом они просто привыкли ко мне, довольно быстро привыкли. В гости приглашали. И когда я оттуда по освобождении уезжал, то прощались со мной, я должен сказать, довольно трогательно.

Волков: А чем вы питались?

Бродский: Ну там существовал магазин, сельпо, где продавались хлеб, водка и мыло, когда его привозили. Иногда появлялась мука, иногда — какие-то чудовищные рыбные консервы. Которые я один раз попробовал и — какой я ни был голодный — доесть никак не смог. Магазин этот, пока я там был, обновили. И вот я помню — абсолютно пустые прилавки и полки, новенькие такие. И только в одном углу — знаете, как в красном углу иконы? — сбились буханки хлеба и бутылки водки. И больше ничего нет!

Волков: А что еще ели? Мясо бывало?

Бродский: Знаете, это ведь был животноводческий совхоз, они там выкармливали телят. Но мяса этого они никогда не видели. Только если теленок сломает себе ногу, то его, чем с ним возиться, прибивают. Тогда составляется официальный акт, шкуру с теленка снимают, а мясо раздают населению. И еще, если кто кабана держит, то кабана можно заколоть. Так и живут.

Волков: А письма вам в ссылку приходили?

Бродский: Да, и даже довольно много. И сам я писем писал довольно много.

Волков: И они доходили по назначению?

Бродский: Более или менее. Они, конечно, перлюстрировались, но мне это было как-то все равно. Ну в ряде случаев я выражался обиняками, но это было даже приятно, поскольку ускоряет развитие метафорических систем. Такие вещи всегда полезны для языка, тем более для литератора.

Волков: Письма вам приносил почтальон или вы должны были за ними ездить?

Бродский: Нет, письма мне приходили на деревню, как и всем остальным.

Волков: А свои письма вы откуда отправляли?

Бродский: Обыкновенно с почты, но иногда, если возникала оказия, передавал шоферу. Тогда он бросал на железнодорожной станции. Это вроде бы увеличивало шансы, что письмо дойдет по назначению. Но районы-то эти — Каноша, Няндома, Ерцево — традиционно лагерные. Так что там вся корреспонденция в той или иной степени находилась под наблюдением.

Волков: А вы сами находились под наблюдением?

Бродский: Как же! Раз или два в месяц приезжали ко мне устраивать обыск из местного отделения...

Волков: Из местного отделения КГБ или милиции?

Бродский: А там это совершенно одно и то же, никакой разницы нет. Два человека приезжали на мотоцикле, входили ко мне в избу. Замечательная у меня изба была, между прочим. Отношения — самые патриархальные. Я понимал, зачем они приехали. Они: «Вот, Иосиф Александрович, в гости приехали». Я: «Да, очень рад вас видеть». Они: «Ну, как гостей надо приветствовать?» Ну я понимаю, что надо идти за бутылкой. Возвращался я с бутылкой минут через сорок-пятьдесят, когда дело было уже сделано. Они уже сидели всем довольные, поджидали меня. Да и что они могли понять во всех этих книжках, которые там валялись? Тут мы садились и распивали эту бутылку, после чего они уезжали. Он весьма примечателен, этот повальный алкоголизм, в который все государственные программы и начинания в России в итоге и упираются. Это, конечно, и грустно, и чудовищно. Но, с другой стороны, что ж с этим поделаешь? И по крайней мере что-то человеческое все-таки в людях оставалось благодаря этому.

Волков: Благодаря этой пьяни?

Бродский: Да, именно благодаря этой пьяни. И потому я в принципе предпочел бы, чтобы начальники — там, наверху — были алкашами, а не трезвенниками.

Волков: А вы думаете, они не алкаши?

Бродский: Думаю, что все-таки не алкаши, нет. Думаю, что они дело свое как-то смекают. Если бы они были алкаши, их бы там не было. Но о них мне неохота думать. Не такой уж это замечательный предмет для размышлений. Да и здоровье не позволяет уже...

Волков: А вы-то сами там пили?

Бродский: Вы знаете, не очень. Не очень. Потому что водка там была чудовищная, няндомской выделки. То есть чистая табуретовка, поскольку делали ее из древесного спирта. Ее если взболтнешь, она становилась белой как молоко. И вот такую страшную водку народ там пил.

Волков: А сексуальная жизнь?

Бродский: Никакой.

Волков: Так все полтора года и просидели на воздержании?

Бродский: Более или менее да. Ну руки, конечно, шли в ход. Но в общем — главным образом воздержание. Иногда хозяин мой мне говорил: «Иосиф Александрович, поезжай в Каношу!» А я туда выезжать имел право только получив специальное разрешение от милиции. Вот я ему и отвечаю: «Ну чего я туда поеду, Константин Борисович?» — «Там клуб, девки... Поезжай, поезжай! Лучше будет!» А там в клубе у местных, действительно происходило некоторое сексуальное движение: приезжали шофера и все эти брошенные бабы находили себе применение. А вообще-то там шел такой колоссальный инцест, inbreeding. Потому что там всего-то две или три фамилии, все друг с другом находятся в какой-то родственной связи. Ну, у бабы мужик в поле, а в это время к ней председатель сельсовета бежит. Все про это знают, но приличия тем не менее соблюдаются. Мужик, например, идет в поле не просто, а телефонограмму передать. Хотя в деревне телефона никакого нету, а есть только вертушка такая.

Волков: А как вы там жили без воды?

Бродский: Почему ж без воды? Там были колодцы.

Волков: Нет, я другое имею в виду. Помните, вы говорили мне о своей зачарованности петербургскими перспективами? А они ведь в Петербурге связаны с водой, с горизонтом. Разве в ссылке где-нибудь рядом с вами была большая река?

Бродский: Нет, только маленькая речка — Норежка. Дом, в котором я жил большей частью, стоял на самом краю деревни, на отшибе. И от меня до этой речки было ближе всего. Речка-то эта была шириной с эту комнату, и даже поуже. Только и дела, что мостик. И вы правы, конечно, — отсутствие горизонта сводило меня с ума. Потому что там были только холмы, холмы бесконечные. Даже не холмы, а такие бугры, знаете? И ты посреди этих бугров. Есть отчего сойти с ума. И если вернуться к нашему давешнему разговору, то родной город чем особо приятен — тем, что там огромные просторы, да? Стоишь на Литейном мосту — и все, что творится за Троицким мостом, это уже конец мира. Или наоборот — выход в новый мир. И, конечно, солнце заходит за горизонт, а ты балдеешь от этого. Но в этом кроется опасность банальной интерпретации. Ты смотришь на закат и видишь в нем знамение. И тебе невдомек, что все эти невероятные краски связаны с пространством, с преломлением света. Это, знаете ли, колоссально интересное явление.

Волков: А книги к вам в ссылку доходили?

Бродский: Мне присылали книги, и довольно много. С книгами было все в порядке. Когда я освободился, то увез с собой в Ленинград сто с лишним килограмм книг.

Волков: А стихи вы там писали?

Бродский: Довольно много. Но ведь там и делать было больше нечего. И вообще, это был, как я сейчас вспоминаю, один из лучших периодов в моей жизни. Бывали и не хуже, но лучше — пожалуй, не было.

У себя дома на Мортон-стрит. Гринвич-Вилледж, Нью-Йорк. 1986.

У себя дома на Мортон-стрит. Гринвич-Вилледж, Нью-Йорк. 1978.

Глава 5

Роберт Фрост: осень 1979–зима 1982

Волков: Я знаю, вы считаете Фроста одним из самых крупных поэтов XX века. Но для русского — и шире, для европейского — читателя, как правило, Фрост не такая уж грандиозная фигура. Вы меня своим отношением к Фросту заставили взглянуть на этого поэта по-новому. Давайте поговорим о Фросте, об англоязычной поэзии. Я хотел бы, чтобы вы объяснили русскому читателю, в чем величие Фроста.

Бродский: Русскому человеку Фроста объяснить невозможно, совершенно невозможно.

Волков: Давайте попытаемся. Может быть, возможно найти какие-нибудь параллели с русской поэзией?

Бродский: Единственная русская параллель Фросту, которая мне сейчас приходит в голову, это белые стихи Ахматовой, ее «Северные элегии». И Ахматовой, и Фросту до известной степени присуща общая черта — монотонность размера, монотонность звучания.

Волков: Псевдонейтральность отношения...

Бродский: Да, псевдонейтральность, вот эта глухая нота. В «Северных элегиях» уже никто не кричит, не задыхается. Мы слышим звук самого времени. Вот за что мы все так любим пятистопный ямб. Вот за что любил пятистопный ямб Фрост. Фрост — это колоссальная сдержанность: никаких восклицательных знаков, никакого подъема голоса. Но «Северные элегии» все-таки написаны урбанисткой. В то время как Фрост — поэт, теоретически, пасторальный. Конечно, это черные пасторали, но по жанру все же пасторальная поэзия. То есть когда кошмарная ситуация (между людьми, например) возникает на лоне природы. И тогда в голову жертвам (или участникам) закрадывается подозрение, что природа — на стороне их оппонентов. Что ты споришь не с «ним» или с «ней», но с естественным порядком вещей, и от этого тебе гораздо хуже, чем если бы все это происходило в интерьере или в перспективе улицы.

Волков: А русские крестьянские поэты XX века: Клюев, Клычков, Орешин?

Бродский: Нет, эта параллель не годится. Иной пафос, совершенно другая направленность воображения, сознания, мышления.

Волков: Как вы впервые столкнулись с поэзией Фроста?

Бродский: Это смешная история. Давным-давно, когда я еще жил в родном городе, кто-то дал мне машинопись: переводы Андрея Сергеева из англоязычной поэзии. Помню, там был перевод из Джойса, баллады из «Поминок по Финнегану» и еще другие разнообразные вещи, которые меня невероятно завели. Тогда я пустился на розыски остального, буде таковое существовало, и таким образом раздобыл стихи Фроста в переводе Сергеева. Тогда они были еще на машинке, книжка вышла потом. Я прочел стихотворение, которое по-русски называется «Сто воротничков», ужасно интересное. И знаете, я просто не поверил, что есть такой американский поэт Фрост. Я решил, что какой-то гениальный человек в Москве занимается этими делами, создает нечто вроде апокрифа. Но я все понял, когда нашел эти «Сто воротничков» по-английски. То был, я думаю, 1962 год.

Волков: Вам не кажется, что сергеевские переводы Фроста несколько суховаты?

Бродский: Все его переводы несколько суховаты. Дело в том, что Сергеев относится к переводам чрезвычайно серьезно. Он работает сдержанно не потому, что израсходовал внутренние средства, а из нежелания быть сочным. (К его работе над Фростом это, впрочем, не относится. Фрост в принципе не сочен. Это Дилан Томас сочен, а его Сергеев не так уж много и переводил.) С сочностью приходят красоты, затемняющие суть оригинала. Сочность и красота суть комплимент русскому языку. И они как бы вынуждают читателя ориентироваться на собственный язык, в данном случае — русский. А это крадет читателя у оригинала. Или наоборот. Поэтому Сергеев свои переводы засушивает — думаю, сознательно.

Волков: Мне кажется, в данном случае Сергеев прогадывает. Во взаимоотношении русского и английского языков существует, как мне представляется, следующая закономерность: при переводе с русского на английский отжимаешь, потому что русский более патетичен. В английском восклицательный знак — событие. А при переводе с английского на русский требуется какая-то дополнительная инъекция. Очень уж английский язык сдержанный.

Бродский: На русский с английского переводить легче; просто легче. Хотя бы потому, что грамматически русский язык гораздо более подвижен. По-русски всегда можно наверстать упущенное, накрутить чего угодно, его сила в придаточных предложениях, во всех этих деепричастных оборотах и прочих грамматических обиняках, в которых сам черт ногу сломит. Всего этого по-английски просто не существует. И при английском переводе прелесть этого сохранить — ну если не невозможно, то, по крайней мере, невероятно трудно. Масса чего теряется. Перевод с русского на английский — одна из самых чудовищных головоломок. Ты буквально ломаешь голову, ломаешь мозги. И голов, готовых на это, не так уж много. А тем более голов, в которых было бы достаточно чего ломать. Потому что даже хороший, талантливый, гениальный поэт, интуитивно понимающий задачу, неспособен восстановить русское стихотворение по-английски. Просто в английском языке нету этих ходов. Переводчик связан чисто грамматически, структурно. Вот почему перевод с русского на английский — всегда некое выпрямление текста.

Волков: А с английского на русский?

Бродский: Тут можно делать все, что угодно. Даже эту английскую прямолинейность можно засунуть в какой-нибудь более или менее съедобный оборот, так что ничего не потеряешь. Главная трудность перевода с английского на русский другая: отсутствие культурной подготовки читателя. Например, то, что в английском языке называется «недоговоренностью», можно восстановить и по-русски. Но русский читатель не в состоянии оценить эту недоговоренность по достоинству. По одной простой причине — он не воспитан в культуре недоговоренности. Он не воспитан в культуре сдержанности, глуховатой иронии.

Волков: Насколько я понимаю, вы не считаете, что англоязычная поэтическая традиция была когда-либо по-настоящему освоена русской культурой?

Бродский: Я думаю, в русском переводе повезло только одному человеку — Фросту. Всем остальным — не очень-то, даже тем, кого тот же Сергеев перевел.

Волков: Я помню антологию новой американской поэзии XX века, выпущенную в 1939 году; ее составили Кашкин и Зенкевич. Книгу мне выдала, в качестве особой милости, школьная библиотекарша. Извлекла откуда-то, из пыльных книжных завалов. По этой антологии я познакомился с Вейчелем Линдзи, Эдгаром Ли Мастерсом.

Бродский: Они замечательные поэты. Но у Мастерса его «Антология реки Спун» — это скорее интересный ход, прием. Это вторичное, вслед за Эдвином Арлингтоном Робинсоном.

Волков: Робинсон тоже в этой антологии был, и я тогда впервые с ним столкнулся.

Бродский: Переводы в этой антологии опять-таки не очень-то хороши. Тот же Михаил Зенкевич, царство ему небесное: в его стихах присутствует такой «мужественный» элемент — скорее тихоновский, нежели киплинговский. Если вообще говорить об этом, то в сознании русского читателя такого явления, как англоязычная поэзия, не существует. Ему гораздо более близки литературы немецкая и французская. Скажем, французская поэзия, с ее традицией накрута, навала, традицией пафоса, экстренных заявлений. Гюго, Бодлер (для меня это один поэт с разными именами): их цветастость — красноречивость — русскому человеку понятна. В то время как англоязычная поэтическая традиция, если попытаться определить ее в немногих словах (что является занятием абсолютно бездарным и обреченным на провал) — это отстраненный поэтический тон. Помню, еще в России меня поразила строчка из стихотворения довольно посредственной американской поэтессы Энн Секстон. Она стоит на мостике над ручьем и видит, что там плавают мелкие рыбки — «как серебряные ложки», добавляет она. Это образ, который русскому поэту никогда бы не пришел в голову. Потому что рыбки и ложки в русском сознании сильно разнесены. И если русский поэт и стал бы совмещать одно с другим, то он сильно бы это подчеркнул.

Волков: Эпатажный образ в манере раннего Маяковского...

Бродский: Если и не эпатажный, то, во всяком случае, образ, требующий подчеркивания. Поэт посчитал бы его находкой и не замедлил бы употребить педаль. В то время как у Секстон все это проскальзывает обиняком. Это естественно для английского глаза, он так натренирован. По наблюдению, это слегка поднятые брови, да?

Волков: А байроновская традиция в русской литературе?

Бродский: Мое ощущение от русского Байрона — это какое-то невероятное многословие.

Волков: Разве оно не соответствует первоисточнику?

Бродский: Нет. Байрон — чрезвычайно остроумный господин, а в русских переводах преобладает совершенно иной тон. Да и вообще мы Байрона воспринимаем через призму Пушкина, поэтому Байрон для русского читателя гораздо более континентален, чем любой другой английский стихотворец. Когда я читал Байрона по-русски, эхо Пушкина было постоянно со мной. В лучшем смысле — это был Пушкин, в худшем — Лермонтов. «Чайльд Гарольда» по-русски я вообще читать был не в состоянии из-за тяжеловесности перевода. По-английски же я Байрона читаю с удовольствием. И никаких аллюзий ни к Пушкину, ни к другим русским поэтам у меня нет. Вообще англоязычную поэзию по-русски я мог читать только тогда, когда не знал английского. Теперь же мне все труднее взглянуть на проблему взаимовлияний с русской перспективы. Когда я читаю англоязычный текст, то могу вспомнить, как он выглядит по-русски. Но в целом мой взгляд — уже *изнутри* англоязычной поэзии.

Волков: Это обстоятельство и придает ему особый интерес.

Бродский: Поэтому мне трудно разобраться, в чем дело... Вот еще одно существенное отличие англоязычной поэзии: стихотворение по-английски — это стихотворение преимущественно с мужскими окончаниями. Поэтому Данте, представляющийся возможным в русском переводе, по-английски невозможен. В английском этих звуков нету. Самый сопливый англоязычный поэт благодаря своим мужским окончаниям воспринимается русским слухом как голос сдержанности, как голос если и не суровый, то полный достоинства.

Волков: Но если сосредоточиться на американской литературе: разве ее наиболее крупные фигуры не представлены адекватно в русских переводах?

Бродский: Если говорить о прозаиках, это, в общем, так. Но ведь поэты, как правило, важнее прозаиков. И как индивидуумы, и как литература. Если говорить серьезно, разница между прозой и изящной словесностью — это разница между пехотой и ВВС. По существу их операций. Да?

Волков: А Уолт Уитмен? Ведь он даже умудрился оказать некоторое влияние на русскую поэзию...

Бродский: Все знают, что такое Уитмен, но в переводах Бальмонта или хуже того — Корнея Чуковского (царство им обоим, между прочим, небесное). Притом с поэзией Уитмена в России происходит нынче странная штука. Что сделало возможным уитменовский стих? На чем он зиждится? На библейском стихе, на пуританской Библии. То есть сегодня русский читатель мог бы Уитмена оценить в гораздо большей степени, если бы...

Волков: Он лучше знал Библию...

Бродский: Да, если Библия была бы в России более обиходной. Потому что длина уитменовского стиха, его каденция держится на библейской интонации. Точно так же, как другой полюс американской поэзии — Эмили Дикинсон — держится на Псалтири. И вот парадокс: Уитмен в России известен, Дикинсон — неизвестна. Хотя ее-то было бы гораздо более естественным перевести.

Волков: После того, как в 1964 году вас арестовали и судили, вы были сосланы работать батраком в северную деревню. Этот опыт облегчил вам понимание реалий «фермерской» поэзии Фроста?

Бродский: Вообще-то жизнь на Севере мне ничего не дала. В том смысле, в каком природа дала нечто Фросту. Тот символический ряд, который природа предложила Фросту, был им целиком употреблен. Глубже взглянуть на эти вещи, чем он, почти и невозможно. Но на Севере мне было легче самому себя отождествлять с Фростом. Вообще, в Союзе я три года прожил в сильной степени под знаком Фроста. Сначала переводы Сергеева, потом с ним знакомство, потом книжка Фроста по-русски. Потом меня посадили. В ту пору я был, видимо, более восприимчив, чем сегодня. Фрост на меня произвел впечатление невероятное. Сколько я себя помню, только несколько поэтов показались мне столь кардинально отличными от всех прочих, показались столь уникальными душами. Это — Фрост, Цветаева, Кавафис и Оден. Конечно, есть и другие замечательные поэты, но по уникальности душ — вот эти четверо. Это и есть то, что ты ищешь в поэзии.

Волков: Фрост, Цветаева, Кавафис и Оден составляют довольно странную компанию.

Бродский: Безусловно, они чрезвычайно разнообразны. Если смотреть на них с русской колокольни, то Фрост ближе к Кавафису.

Волков: А если сопоставить Цветаеву с Кавафисом?

Бродский: Это невозможно, конечно. А вот Цветаеву с Фростом — можно, их сближает общая концепция ужаса. Дело в том, что Фрост — поэт пугающий, поэт экзистенциального ужаса. Причем ужаса чрезвычайно сдержанного, о чем мы уже говорили. Ужас у Фроста — заявленный, а не размазанный. Это не романтизм и не его современное дите, экспрессионизм. Фрост — поэт ужаса или страха. Это не трагедийный и не драматический поэт. Потому что трагедия — это то, что называется fait accompli. Это конченое дело. Да? В то время как ужас или страх всегда имеют дело с предположением, с воображением, если угодно. С тем, что еще только может произойти.

Волков: А некоторые стихи Мандельштама тридцатых годов? «Мы с тобой на кухне посидим. / Сладко пахнет белый керосин»...

Бродский: Относительно ужаса — это совершенно верно. Но вообще-то Фроста и Мандельштама сравнивать ни в коем случае нельзя. Опять же, стихи Мандельштама куда более урбанистичны. Затем — это все-таки песнь. И, наконец, у Мандельштама это открытый текст, крик: «Петербург! Я еще не хочу умирать ...» Или это: «Еще не умер ты, еще ты не один, / Покуда с нищенкой-подругой / Ты наслаждаешься величием равнин / И мглой, и холодом, и вьюгой».

Волков: Увы, по-английски это звучит безвкусно.

Бродский: Вы знаете, дело даже не в безвкусице. У Фроста это выглядит так: «Забор хороший у соседей добрых». То есть это заявление, начиненное неразрешившимся ужасом. Мы вновь имеем дело с недоговоренностью английского языка, но эта недоговоренность как бы напрямик служит своей собственной цели. Дистанция между тем, что должно было бы сказать, и тем, что в действительности сказано, сведена до минимума. Но этот минимум выражен в чрезвычайно сдержанной форме. Кстати, если отвлечься от приемов и цели, то можно обнаружить сходство Фроста с «Маленькими трагедиями» Пушкина.

Волков: Неожиданное сопоставление...

Бродский: На мой взгляд, у Фроста наиболее интересны его повествовательные стихотворения, написанные между 1911 и 1926 годами. И главная сила повествования Фроста — не столько описание, сколько диалог. Как правило, действие у Фроста происходит в четырех стенах. Два человека говорят между собой (и весь ужас в том, чего они друг другу не говорят!). Диалог Фроста включает все необходимые авторские ремарки, все сценические указания. Описаны декорация, движения. Это трагедия в греческом смысле, почти балет. Фрост был человеком чрезвычайно образованным.

Волков: Но разве таких повествовательных поместных мотивов нет в поэзии Афанасия Фета?

Бродский: Я понимаю, о чем вы говорите. Нет, это не так. Новая Англия Фроста — это фермерский мир, которого не существует. Он выдуман Фростом. Это просто его кивок в сторону пасторальной поэзии. Фроста часто называли «последним из лейкистов», то есть связывали его с Колриджем и Вордсвортом. Сопоставление это выросло главным образом из злоупотребления Фростом техникой белого стиха, да еще из того, что его поэзия — повествовательная. Да неправда это! Неправда, что это ферма. Неправда, что эти разговоры ведут фермеры. Это маски, диалоги масок. В то время как Фет — действительно землевладелец. Тут очень тонкая разница.

Волков: «Землевладелец» Фет писал изумительные антологические стихи. Вы говорили, что Фрост — высокообразованный поэт...

Бродский: Да, настоенный на классической культуре, его стихи чрезвычайно сокращенный, отжатый вариант Эсхила (это мои еретические соображения). Конечно, Фрост многое взял у «лейкистов». Фростовская идиома — белые стихи, пятистопный ямб. А надо помнить, что английский пятистопный ямб — это хлеб и вода английской поэзии. Как в русской поэзии ямб четырехстопный. За спиной Фроста они все — от Шекспира, чьи драмы этим же самым стихом написаны, до Китса. Но меня-то в гораздо большей степени интересует то, чему Фрост научился у греков. Это у них он научился пользоваться диалогом. Хотя искусство Фроста, безусловно, XX века. Этот лес, эта колоннада, эта перспектива, ее нарушение. Лес как источник смерти или синоним жизни. Все это не просто прочувствовано. Это взгляд на природу культурного человека. Только высококультурный человек может придать такую смысловую нагрузку этой декорации: лес, изгородь, дрова... В европейских литературах подобный экзистенциальный ужас в описании природы отсутствует начисто. Надо признать, что в известном смысле Фрост был конечно же ограниченным человеком, его интересовали определенные вещи, скажем, лес. И тот ужас, который источает лес, он ощущал как никто. Более глубокую интерпретацию этого лесного абсурда дать нельзя. Но, например, про траву ему уже в голову ничего подобного не приходило. Вообще это очень интересная тема — *что* Фрост для своей метафорики отбирал в природе, а от чего отказывался.

Волков: Вы решительно отвергли параллель между Фростом и Клюевым, вкупе с другими русскими крестьянскими поэтами. Почему?

Бродский: В Клюеве очень силен гражданский элемент: «Есть в Ленине керженский дух...» У него, как и у всякого русского человека, постоянно ощущаешь стремление произнести приговор миру. Да и лиризм, музыкальность стиха у Клюева совершенно иные. Это лиризм секты. По-моему, почти все русские поэты (вне зависимости от того, верующие они или нет) злоупотребляют церковной терминологией. В стихах постоянно возникает ситуация: я и Бог. Что, на мой взгляд, прежде всего нескромно. Потому что подобный расклад как бы предполагает, что Бог обо мне тоже должен знать, читать мои стихи и прочее. Состоять в переписке. Между прочим, сказанное в большой степени относится к молодым русским поэтам. Нет стихотворения, где автор не бил бы поклонов. Ну совершенно расшибают лоб. Само по себе возрождение религиозного сознания можно только приветствовать. Но у литературы есть свои законы. И с литературной точки зрения подобные короткие отношения с Господом выглядят моветоном. Возникает религиозно-литературная инфляция.

Волков: Игорь Стравинский настаивал: писать музыку в религиозных формах — мессы, всенощные и прочее — может только верующий. Причем верующий не просто в «символические образы», но и, как Стравинский выразился, «в личность Господа, личность Дьявола и чудеса Церкви».

Бродский: Вы знаете, Соломон, — и да, и нет. Я могу напомнить о словах Одена, который говорил, что Иоганн Себастьян Бах находился в чрезвычайно выигрышном положении. Когда Баху хотелось прославить Господа, он просто писал кантату или «страсти». В то время как сегодня, если вы хотите сделать то же самое, вам приходится прибегать к косвенной речи. По-моему, замечательно сказано.

Волков: Кстати, Стравинский, несмотря на высказанное им мнение, был в этом вопросе не вполне последователен. Он отвергал спонтанные обращения к Господу, твердо веруя, что эффективна только, что называется, «формализованная» молитва. Но при этом в церковь ходил, по сведениям его биографа Роберта Крафта, чрезвычайно редко; с 1952 года и до смерти в 1971 году — вообще ни разу. А как проявлялась в повседневной жизни религиозность Ахматовой?

Бродский: Ахматова никогда не выставляла своей религиозности на публику.

Волков: Ходила ли Ахматова по воскресеньям в церковь? Я помню, поэтесса Надежда Павлович, летом жившая в Юрмале, каждое воскресенье отправлялась в близлежащую церковь.

Бродский: Нет, это было бы для нее физически невозможно. В те времена, когда я был с Ахматовой знаком, она была чрезвычайно тяжела на подъем. Кстати, в квартире Ахматовой образов не было.

Волков: Стравинский был недоволен «литературным» подходом Одена к религии. Он говорил, что интеллекту и дарованию Одена от христианства нужна только его форма, или даже униформа.

Бродский: Оден очень хорошо знал обрядовую сторону религии. Он принадлежал к англиканской церкви, и его самая большая амбиция была отслужить службу в качестве священника. Что ему дважды организовали в Англии. Оден рассказывал мне, что когда он жил здесь, в Нью-Йорке, то довольно часто захаживал в армянскую и русскую церкви. Оден говорил: ужасно приятно быть в церкви и слушать службу, не понимая языка. Потому что тогда не отвлекаешься от главного. Что, в общем, является чрезвычайно толковым оправданием богослужения на латыни.

Волков: Ахматова в своих стихах, особенно ранних, довольно часто обращалась к Богу.

Бродский: Ну у Ахматовой есть стихотворения, которые просто молитвы. Но ведь всякое творчество есть по сути своей молитва. Всякое творчество направлено в ухо Всемогущего. В· этом, собственно, сущность искусства. Это безусловно. Стихотворение если и не молитва, то приводимо в движение тем же механизмом — молитвы. У Ахматовой в чисто терминологическом плане это выражено с наибольшей откровенностью. Но, как правило, приличный человек, занимающийся изящной словесностью, помнит одну заповедь: не употребляй Имени всуе. Возьмем того же Фроста. У него совершенно не было к этому склонности. Как, впрочем, и у Шекспира: ни разу. Помню, мы с Ахматовой обсуждали возможность переложения Библии стихами. Здесь, в Америке, никто из поэтов этим заниматься не стал бы. Эдвин Арлингтон Робинсон был последним, кто мог бы за такое взяться. В протестантском искусстве нет склонности к оцерковливанию образности, нет склонности к ритуалу. В то время как в России традиция иная. Вот почему так трудно каким бы то ни было образом поместить Фроста в контекст русской литературы. Вот почему мироощущение Фроста (а вслед за мироощущением и его стих) настолько альтернативно русскому. Он абсолютно другой.

Волков: Но ведь Фрост с формальной точки зрения очень традиционен. Разве он не должен быть близок русской стиховой культуре, которая тоже традиционна?

Бродский: Совершенно верно. Метрически Фрост близок русской поэзии. (Между прочим, формально Фрост не так уж разнообразен и интересен.) Но по духу — трудно отыскать нечто более противоположное. Фрост — представитель того искусства, которое по-русски просто не существует. Русский поэт стихами пользуется, чтобы высказаться, чтобы душу излить. Даже самый отстраненный, самый холодный, самый формальный из русских поэтов.

Волков: Брюсов...

Бродский: Не стоит Брюсова сбрасывать с корабля современности... Фрост, в отличие от русских поэтов, никогда не выплескивает себя на рояль. Вы знаете, в поэзии мы ищем мироощущения нам незнакомого. И если взглянуть на тех, кого мы более или менее знаем, то сюрпризов особых не обнаружится. Про соотечественников чего говорить, их мы знаем как облупленных. «Великий Бог любви, великий Бог детали» — ну что ж, ничего особенного. Рильке? Все нормально, эстет. Поль Валери? То же самое, до известной степени. А где же качественно новые мироощущения в литературе XX века? В России наиболее интересное явление — это, конечно, Цветаева. А вне русской культуры — Фрост. Почти вся современная поэзия своим существованием обязана в той или иной степени романтической линии. Фрост совершенно не связан с романтизмом. Он находится настолько же вне европейской традиции, насколько национальный американский опыт отличен от европейского. Вот почему Фроста нельзя назвать трагическим поэтом. Когда Фрост видит дом, стоящий на холме, то для него это не просто дом, но узурпация пространства. Когда он смотрит на доски, из которых дом сколочен, то понимает, что дерево первоначально вовсе не на это рассчитывало. У Фроста есть стихотворение «Поленница», замечательно переведенное Сергеевым: «В глазах / рябило от деревьев тонких, стройных / И столь похожих, что по ним никак / Не назовешь и не приметишь место, / Чтобы сказать — ну я наверняка / Стою вот здесь, но уж никак не там...» Подобное видение мира в русской культуре никогда не находило адекватного выражения.

Волков: В чем еще вы видите своеобразие Фроста как выразителя американского национального сознания?

Бродский: Фрост ощущает изолированность своего существования. Абсолютную изолированность. Никто и ничто не помощник. Невероятный индивидуализм, да? Но индивидуализм не в его романтическом европейском варианте, не как отказ от общества...

Волков: Индивидуализм Цветаевой...

Бродский: Если угодно, да. Индивидуализм Фроста иной: это осознание, что надеяться не на кого, кроме как на самого себя. У Фроста есть замечательная фраза, которую я часто вспоминаю. Она из стихотворения «A Servant to Servants», монолога безумной женщины, которую несколько раз запирали в сумасшедший дом. И она объясняет, что ее муж, Лен, всегда говорит: «...the best way out is always through». То есть единственный выход — это сквозь. Или через. Что означает: единственный выход из ситуации — это продраться сквозь ситуацию, да? Или та же «Поленница», которая начинается : «В неясный день, бродя по мерзлой топи...» Кончается это стихотворение Фроста так: человек набредает на штабель дров и понимает, что только тот, у кого на свете есть какие-то другие дела, мог оставить свой труд, «труд свой и топора». И дрова лежат, «и согревают топь / Бездымным догоранием распада». Перед нами формула творчества, если угодно. Или завещание поэта. Оставленный штабель дров, да? Тут можно усмотреть параллель с катреном, с оставленным стихотворением.

Волков: И что вы видите в этом специфически американского?

Бродский: Колоссальная сдержанность и никакой лирики. Никакого пафоса. Все названо своими именами. По-английски это, конечно, несравненно лучше.

Волков: А что специфического в использовании Фростом сюжета, повествования?

Бродский: Это у Фроста восходит к лейкистской поэзии, но имеет, на самом деле, куда более глубокие корни. Фрост — замечательный рассказчик. Это у него — от внимательного чтения античных авторов. Я уже говорил о возможной параллели с «Маленькими трагедиями» Пушкина. Но фростовские пьесы куда более ужасны и просты. Ведь наше ощущение трагедии связано с мыслью: что-то произошло не так, неправильно. Результатом чего является трагическая ситуация. По Фросту — все так, все на своих местах. Как и должно быть. Фрост показывает ужас обыденных ситуаций, простых слов, непритязательных ландшафтов. И в этом его уникальность.

Волков: Оден как-то говорил, что любимый образ Фроста — это картина покинутого дома. И Оден подчеркивает своеобразие этого образа у Фроста. В европейском поэтическом мышлении руина ассоциируется с войной. Или же руина используется как образ ограбленной природы — скажем, в описании старой, заброшенной шахты. У Фроста (по мнению Одена) руина становится метафорой мужества, образом безнадежной борьбы человека за выживание.

Бродский: Оден — единственный человек, который понял, что такое Фрост. Я думаю, что Оден как поэт испытал на себе большее влияние Фроста, нежели, скажем, Элиота. Хотя считается наоборот.

Волков: Почему люди, хорошо знавшие Фроста, высказываются о нем столь недоброжелательно? Возьмите известную трехтомную биографию Томпсона: на ее страницах Фрост предстает человеком двуличным, мелочным, часто злобным. Схожие характеристики можно найти и в других воспоминаниях о Фросте. Даже такая малосимпатичная личность, как Эзра Паунд, не вызывает столь пристрастных оценок.

Бродский: Я думаю, этому можно найти простое объяснение. Фрост завоевал в Америке огромную популярность. Все возможные почести, которые литератору здесь доступны, были на Фроста вывалены. Если взять почетные степени, пулитцеровские и прочие премии, которые Фрост собрал, да превратить их в медали, то у Фроста наград было бы не меньше, чем у маршала Жукова. Все это было увенчано приглашением прочесть стихи на инаугурации Джона Кеннеди. И многие поэты чувствовали себя чрезвычайно обойденными. Они воспринимали Фроста как некоего узурпатора. Тем более что Фрост к старости стихи писал довольно примечательные, но все же менее интересные, чем то было в первой половине его творчества. Хотя и у позднего Фроста много есть с ума сводящих вещей.

Волков: Неужели мы имеем здесь дело с простой завистью?

Бродский: Нет, проблема сложнее. Фрост — фигура невероятно трагическая. Вспомните биографию Фроста: его первый сын умер от холеры в младенчестве, другой сын покончил самоубийством; одна из дочерей умерла, другая — в сумасшедшем доме. Внезапно умерла жена. Страшно, правда? Фрост был очень привязан к жене, они прожили вместе больше сорока лет. И все же мы можем сказать, что большой любви там не было. Это тоже трагично. Я думаю, за душой Фроста — не на совести, а именно за душой, в сознании — был огромный комплекс вины. В подобной ситуации люди ведут себя по-разному. Можно на каждом углу распускать сопли, а можно свои неурядицы глубоко запрятать. То есть поступить подобно Фросту. Люди, нападавшие на Фроста за его лицемерие, просто ниже его как индивидуумы. Их души менее сложны, если угодно. Когда говорят о «двуличности» Фроста, часто приводят следующий пример. Где-то в Новой Англии Фрост должен был выступать перед группой пожилых дам, «дочерей американской революции». Знаете, старухи с голубыми волосами. За кулисами, незадолго до выхода на сцену, Фрост поносил все на свете, в том числе и старух этих, последними словами. Но когда вышел к публике, то был спокоен, улыбался — этакий добрый дед Мороз...

Волков: Дедушка Фрост...

Бродский: Дедушка Фрост, который дед Мороз, да? И спокойно читал свои стихи. На мой взгляд, это абсолютно естественное поведение. Можно все что угодно думать о людях, как угодно к ним относиться. Но когда ты вылезаешь на сцену, ты не должен их мучить. Вылезая на сцену, Фрост понимал, что люди, сидящие в зале, открыты тем же опасностям, что и он. Что они столь же уязвимы. И раз уж он стоит перед ними, то не будет сыпать соль на их душевные раны. А постарается создать ощущение, что мир все же находится под контролем человека. Многие коллеги Фроста с такой точкой зрения не согласны. И в этом — еще одна из причин скрытого к нему недоброжелательства.

Волков: Фрост настаивал, что он не «читает» свои стихи перед публикой, а «говорит» их. В графе «профессия» он писал «учитель». Или «фермер».

Бродский: Самого Фроста более всего сводило с ума, что люди его не понимают. Что его как поэта принимают не за того, кто он есть. Потому что, если внимательно читать стихи Фроста, то, конечно, за них можно дать Пулитцеровскую премию, но смотреть на него надо с ужасом, а не аплодировать ему. То есть когда Фрост читал, надо было не собираться, а разбегаться. Но такова уж роль поэта в обществе. Он делает свой шаг по отношению к обществу; общество же по отношению к поэту шага не делает, да? Поэт рассказывает аудитории, *что* такое человек. Но никто этого не слышит, никто...

Волков: Фрост любил повторять: «Мне не нравится невразумительная поэзия. Поэт не должен говорить очевидные вещи, но сказанное должно быть ясным. Я читаю Элиота с удовольствием, потому что это может быть забавным. Но я рад, что наши с ним пути не совпадают».

Бродский: Фрост более глубокий поэт, чем Элиот. От Элиота можно, в конце концов, отмахнуться. Когда Элиот говорит, что «ты увидишь ужас в пригоршне праха», это звучит в достаточной степени комфортабельно. В то время как Фрост бередит читателя. Внешне Фрост прост, он обходится без ухищрений. Он не впихивает в свои стихи обязательный набор второкурсника: не ссылается на йогу, не дает отсылок к античной мифологии. У него нет всех этих цитат и перецитат из Данте. Элиот внешне затемнен, поэтому он избавляет читателя от необходимости думать. Фрост выглядит более доступным . Это заставляет читателя напрягаться. И в конце концов вызывает читательское неудовольствие. Потому что главное стремление человека — отвернуться, спрятаться от истины мира, в котором он живет. Всякий раз, когда истина вам преподносится, вы либо от нее отмахиваетесь, либо начинаете поэта, преподносящего вам эту истину, ненавидеть. Либо, что еще хуже, вы обрушиваете на него золотой дождь наград и стараетесь его забыть. Поэт в современном обществе должен быть либо гонимым, либо признанным. Гонимым быть легче, то есть гораздо легче создать ситуацию, в которой ты будешь гоним. Потому что подлинное признание требует понимания. Общество же предлагает поэту — как, например, Фросту — одно лишь признание, без понимания.

Волков: Оден, восхищавшийся Фростом, все же говорил о его скверном характере. Он утверждал, что Фрост завидовал другим поэтам, особенно молодым.

Бродский: Я не знаю, о каких молодых поэтах вы говорите. Но, скажем, молодым Лоуэллу и Уилберу Фрост помогал. Лоуэлл в разговорах неизменно отзывался о Фросте с колоссальным расположением. С куда большим расположением, чём, например, к Одену.

Волков: Почему в современном литературном мире Соединенных Штатов сложилась такая ситуация: если человек хвалит Одена, то Фроста он оценивает по меньшей мере сдержанно. И наоборот — для поклонников Фроста Оден словно и не существует.

Бродский: Ну это полный бред. Все эти лагеря возникают в результате соображений, к литературе имеющих отношение чрезвычайно отдаленное. Другое дело, что сам Оден относился к Фросту как к человеку с некоторым предубеждением. Но Оден относился с предубеждением и к Йейтсу, и к Бертольду Брехту. Поэтически Оден и Фрост не составляют двух полюсов. Если уж говорить о поэтах полярных — это, скорее, Оден и Йейтс. Вообще же люди, делающие так называемую литературную погоду, с самой изящной словесностью, как правило, мало связаны. Это просто политика. Какие-то связи, какие-то знакомства. Прошлые дела, литературные платформы. Все эти «измы»... По-английски я в таких случаях употребляю выражение: «isms are isn'ts».

Волков: Я хотел поговорить с вами об одном эпизоде в жизни Фроста, которому здесь, в Америке, придавали в свое время большое значение. Я имею в виду поездку почти девяностолетнего Фроста в Советский Союз. Путешествие Фроста оказалось во многих отношениях символическим. Это был 1962 год; мир находился на грани многих драматических событий. Фрост поехал в Россию по просьбе президента Кеннеди. В те дни Фрост повторял историю о том, что в начале XIX века некий американский моряк отправился в Санкт-Петербург. Этот моряк привез в подарок царю желудь с дуба, который рос рядом с домом Джорджа Вашингтона. И вроде бы даже он преуспел в том, чтобы этот американский желудь посадить в русскую землю. Фрост лелеял идею о том, что и он везет подобный символический желудь в Россию, Хрущеву. И что, быть может, в исторической перспективе его визит принесет существенную пользу. Сейчас фантазии Фроста кажутся наивными. Но это мудрость задним числом. Я всегда верил, что ход исторического процесса во многом зависит от личности; романы Дюма-отца для меня достовернее многих исторических трактатов. И в этом плане можно было надеяться на успех миссии Фроста. Помните,

Солженицын называет Хрущева «крестьянским царем» и говорит, что в Хрущеве — единственном из всех советских правителей —проскальзывало нечто близкое к неосознанному христианству? «Крестьянский» поэт Фрост ехал разговаривать с «крестьянским царем» Хрущевым. Вряд ли Фрост все это понимал, но он чувствовал интуитивно, что Хрущев его выслушает. Идея Фроста была в том, что поэт может разговаривать с тираном, но не с демократией. Потому что тирана можно в чем-то убедить. В то время как перед лицом демократической системы поэт бессилен.

Бродский: В этих соображениях есть большая доля здравого смысла. Действительно, у поэта с тираном много общего. Начнем с того, что оба желают быть властителями: один — тел, другой — дум. Поэт и тиран друг с другом связаны. Их объединяет, в частности, идея культурного центра, в котором оба они представительствуют. Эта идея восходит к Древнему Риму, который на самом-то деле был маленьким городом. Поэт и меценат, да? Вообще поэты постоянно кормились при дворах. Это, в общем, вполне естественно. Но если говорить о Фросте, то я не думаю, что у него были какие-то особенные иллюзии на этот счет. И что он серьезно рассчитывал уговорить Хрущева подружиться с Америкой. Потому что Фрост конечно же был республиканец — не по партийной принадлежности, но по духу. Фросту могло прийти в голову, что он повлияет на Хрущева. Но, полагаю, ненадолго. Не говоря уж о том, что Фрост — все, что угодно, но не «крестьянский» поэт. Это всеобщая аберрация. То, что Анна Андреевна Ахматова называла «народные чаяния».

Волков: Оден, который в молодости был политически весьма активен (и сочинял то, что называется «ангажированной» поэзией), к концу жизни пессимистически оценивал возможности влияния поэта на политические события. Оден говорил : «Ничто из написанного мною против Гитлера не уберегло от гибели ни одного еврея. Ничто из написанного мною не приблизило конец войны ни на минуту». Фрост, напротив, до конца своих дней твердо считал, что поэт может изменить что-то не только в реальной жизни, но и в политике. Разумеется, он не имел в виду повседневные политические решения. Он думал об идеях дальнего прицела. Может ли, по-вашему, поэт влиять на политическое развитие общества?

Бродский: Может. В этом я с Фростом согласен. И согласен, что речь не идет о моментальных изменениях. Влияние поэта простирается за пределы его, так сказать, мирского срока. Поэт изменяет общество косвенным образом. Он изменяет его язык, дикцию, он влияет на степень самосознания общества. Как это происходит? Люди читают поэта, и, если труд поэта завершен толковым образом, сделанное им начинает более или менее оседать в людском сознании. У поэта перед обществом есть только одна обязанность, а именно: писать хорошо. То есть обязанность эта — по отношению к языку. На самом деле, поэт — слуга языка. Он и слуга языка, и хранитель его, и двигатель. И когда сде-

не спрашивает меня: «А что, мадам, вы делаете с деревьями на своем участке? Я, например, из своих деревьев делаю карандаши». Ну тут я уж не выдержала и говорю: «Скажите мистеру Фросту, что если я срублю дерево на своем участке, то мне придется заплатить государству штраф шесть тысяч рублей».

Волков: А почему Ахматова говорила с Фростом через переводчика? Ведь она знала английский.

Бродский: Начальство было бы сильно недовольно. Не говоря уже о том, что английский Фроста — это американский английский. И могло бы случиться какое-нибудь недоразумение. Там был американский переводчик, который потом написал обо всем этом книжку — глупую (как, впрочем, и ее автор). Это Френк Риф, единственное достоинство которого заключается в том, что он — отец актера, с успехом сыгравшего в кино роль Супермена. Звучит замечательно — «отец Супермена», не правда ли? Ну слависты, как правило, не понимают либо того, либо другого, либо и того и другого. Вообще поразительно, как много недалеких людей занималось Ахматовой и Фростом...

Волков: Как получилось, что на встрече с Фростом Анна Андреевна прочла два стихотворения («Последняя роза» и «О своем я уже не заплачу...»), и оба посвящены вам?

Бродский: Я не знаю. Думаю, это вышло случайно. Да и насчет второго стихотворения я не уверен, что оно относится ко мне.

Волков: Анна Андреевна случайно вообще ничего не делала.

Бродский: Это правда. Быть может, дело в том, что стихи Фроста показал ей первым я. И пытался накачать ее, какой это замечательный поэт. Но скорее всего, стихи, читанные Анной Андреевной, были просто последние по времени.

Волков: При встрече Фрост подарил Ахматовой книгу с надписью. В передаче Чуковской, Анна Андреевна об этой книге впоследствии высказалась весьма сдержанно: «Видно, знает природу». Что было в ее устах невеликой похвалой.

Бродский: Я помню, когда я принес книжку Фроста, переведенную Сергеевым, она отозвалась так: «Не понимаю этого поэта. Он все время рассуждает о том, что можно купить, что можно продать. Что это за разговоры?» Еще она мне говорила, показывая на фотографию Фроста: «Прадедушка, переходящий в прабабушку».

Волков: Очень точно подмечено.

Бродский: Но конечно, Ахматова понимала, с кем говорит. Как и Фрост, я полагаю, понимал, с кем имеет дело.

Волков: Кстати, Нобелевскую премию в тот год получил Стейнбек.

Бродский: Что ж, неплохой писатель. Впрочем, это неважно.

Волков: Цветаева и Оден тоже остались без Нобелевской премии. А Одену так хотелось ее получить.

Бродский: Откуда у вас эти сведения? Могу сказать одно — он хотел этого меньше, чем Пастернак. Это я точно знаю.

Волков: Когда вы рассказываете американским студентам о Фросте, какова их реакция? Считается, что здесь Фроста знают все. Его постоянно цитируют, как в свое время в советских школах и вузах — Маяковского.

Бродский: Ну не очень-то его и цитируют. Хотя, конечно, Фрост — национальный поэт. И оттого стихи Фроста американская молодежь воспринимает с колоссальным предубеждением. Им всегда говорили, что Фрост — поэт сельской жизни, пасторалист такой...

Волков: Хрестоматийная фигура...

Бродский: Да, образцовый американец. Тогда вы им показываете, что, действительно, Фрост — американец. Только совсем в ином роде, чем они предполагали. Что Фрост — не хрестоматийный поэт, а явление куда более глубокое и пугающее. Что это и есть подлинно трагическое аутентичное американское сознание, которое маскирует себя уравновешенной речью, обстоятельностью, прячется за обыденностью описываемых явлений. И когда студенты это понимают, то приходят в состояние полного неистовства.

Ленинград. 1972.

Иосиф Бродский навсегда уезжает из своего дома. 4 июня 1972 года.

Глава 6

Преследования.
Высылка на Запад:
осень 1981–лето 1983

Волков: Процесс Бродского стал крупным событием в духовной жизни России шестидесятых годов. В вашу защиту выступили многие крупные фигуры русской культуры. Конечно, Ахматова, к кругу которой вы в тот период принадлежали. Но также Чуковский, Паустовский, Маршак. Некоторые из властителей дум того периода отказались быть вовлеченными в это дело. Рассказывают, что Солженицын, когда к нему обратились за поддержкой, ответил, что не будет вмешиваться, поскольку ни одному русскому писателю преследования еще не повредили. Меня особо интересует позиция Шостаковича в этом деле, поскольку я его знал, общался с ним — правда, более тесно позднее, когда мы вместе работали над его мемуарами. Шостакович подписывал заявления или письма к властям в вашу защиту?

Бродский: Вы знаете, я понятия не имею, что именно Шостакович подписывал и чего он не подписывал. Но, безусловно, он выступал в мою защиту довольно активным образом. Не знаю точно, сколько раз и в какой форме. Но это было именно так.

Волков: Помню, еще в Москве Найман рассказывал мне о своем визите к Шостаковичу в связи с вашим делом. Его к Шостаковичу привела Ахматова. Первый же вопрос Шостаковича был: «Он что, с иностранцами встречался?» И когда этот факт был подтвержден Найманом, то Шостакович сильно приуныл. То есть для него в тот период несанкционированное властями общение с иностранцами было серьезным нарушением «правил игры». Позднее взгляды его изменились. Но в тот момент Шостакович в подобной ситуации исходил из «презумпции виновности».

Бродский: Ну Господи! Что мы будем теперь обсуждать эти категории — из чего Шостакович исходил или не исходил. Это все абсолютный вздор. Беда положения нравов в Отечестве заключается именно в том, что мы начинаем бесконечно анализировать все эти нюансы добродетели или, наоборот, подлости. Все должно быть «или — или». Или — «да», или — «нет». Я понимаю, что нужно учитывать обстоятельства. И так далее, и тому подобное. Но все это абсолютная ерунда, потому что когда начинаешь учитывать обстоятельства, тогда уже вообще поздно говорить о добродетели. И самое время говорить о подлости.

Волков: Это — максималистская позиция.

Бродский: На мой взгляд, индивидуум должен игнорировать обстоятельства. Он должен исходить из более или менее вневременных категорий. А когда начинаешь редактировать — в соответствии с тем, что сегодня дозволено или недозволено, — свою этику, свою мораль, то это уже катастрофа.

Волков: Вы исходите из жестко детерминированной схемы развития событий, при которой одно с неумолимой последовательностью вытекает из другого. А человек редко развивается по таким законам. Его становление гораздо более хаотично.

Бродский: Разве нас не учили этому всю жизнь — что все развивается в логической последовательности?

Волков: Формально — да. А фактически — история, которую нам преподавали, была настолько испещрена черными дырами, что теряла всякую логическую, не говоря уж о фактической, последовательность. Для меня одним из доказательств этого был такой простой факт: в советских библиотеках простому читателю уже в конце шестидесятых годов не выдавали советские же газеты, изданные до 1964 года, то есть до падения Хрущева. То есть нельзя было получить газету «Правда» пятилетней давности! Настолько за этот период изменилась официальная позиция!

Бродский: Это очень интересно, но подтверждает мою точку зрения. Ведь менялось-то это все именно благодаря последовательности властей. Как результат их последовательности.

Волков: Из-за этого время от времени могли возникать смешные ситуации. Помню, я заказал в госфотоархиве энное количество фотографий Шостаковича разных лет. Заплатил за них заранее, как полагается. А выдавала мне их специальная такая дама, у которой только что погоны не просвечивали сквозь костюм. И она, естественно, каждый снимок, перед тем как мне его вручить, проверяла. Так вот, те фотографии, на которых Шостакович был запечатлен с Хрущевым, она мне не выдавала, а зафигачивала в мусорную корзину — раз! два! три! И даже не утруждала себя объяснениями. Я и так, без лишних объяснений, обязан был понять, что рядом с Хрущевым Шостаковичу стоять не положено. Потому что в то время Хрущев был персоной нон грата.

Бродский: Вот ведь как получается: Шостакович с Хрущевым — уже нельзя. Шостакович со Сталиным — еще нельзя, Шостакович с Лениным — вообще нельзя. И я думаю, что это даже к лучшему. Во всяком случае — для Шостаковича.

Волков: Ну с Шостаковичем — это вопрос сложный...

Бродский: Чего сложный? Чего сложный? Он мог вполне без всего этого обойтись, грубо говоря.

Волков: Грубо говоря — да. Но можно попробовать и не так грубо. Ведь творчество Шостаковича привлекло внимание властей чуть ли не с самого начала. А времена тогда были совсем не вегетарианские. И жизнь свою можно было потерять запросто. А личное знакомство с вождями могло послужить, по крайней мере на время, какой-то охранной грамотой. И потом, Шостакович ведь не просто свою жизнь спасал. Он также спасал свое дарование, свое творчество. Хотя и я до сих пор не могу понять одного его поступка — когда он в 1973 году подписал одно из антисахаровских писем, публиковавшихся тогда в «Правде». Мне рассказывали, что жена его потом звонила в руководящие инстанции и предупреждала, чтобы больше Шостаковичу писем на подпись не носили, потому что он может умереть от разрыва сердца! Зачем же он для начала и подписывал? В тот период никакого особенного ущерба власти ему нанести уж не могли.

Бродский: Во всем этом есть свой способ, свой метод. Потому что та катастрофа, о которой мы говорили, носит именно вот такой характер. Она разрушает личность. Она превращает личность в развалины: крыши уже нет, а печка, к примеру, все еще стоит.

Волков: Вас власти, насколько я знаю, тоже пытались одомашнить, играли с вами в кошки-мышки. Кажется, даже предлагали опубликоваться в журнале «Юность»?

Бродский: Совершенно верно.

Волков: Когда это было?

Бродский: Когда я только освободился, интеллигентные люди меня всячески, что называется, на щите носили. И Евтушенко выразил готовность поспособствовать моей публикации в «Юности», что в тот момент давало поэту как бы «зеленую улицу». Евтушенко попросил, чтобы я принес ему стихи. И я принес стихотворений пятнадцать-двадцать, из которых он в итоге выбрал, по-моему, шесть или семь. Но поскольку я находился в это время в Ленинграде, то не знал, какие именно. Вдруг звонит мне из Москвы заведующий отделом поэзии «Юности» — как же его звали? А, черт с ним! Это неважно, потому что все равно пришлось бы сказать о нем, что подонок. Так зачем же человека по фамилии называть... Ну, вот: звонит он и говорит, что, дескать, Женя Евтушенко выбрал для них шесть стихотворений. И перечисляет их. А я ему в ответ говорю: «Вы знаете, это все очень мило, но меня эта подборка не устраивает, потому что уж больно «овца» получается». И попросил вставить его хотя бы еще одно стихотворение — как сейчас помню, это было «Пророчество». Он чего-то там заверещал — дескать, мы не можем, это выбор Евгения Александровича. Я говорю: «Ну это же мои стихи, а не Евгения Александровича!» Но он уперся. Тогда я говорю: «А идите вы с Евгением Александровичем... по такому-то адресу». Тем дело и кончилось.

Волков: Несколько ваших стихотворений все же появилось в двух ленинградских альманахах. И кажется, даже шел разговор о первой книге ваших стихов? Первой в Отечестве, поскольку на Западе к этому времени у вас уже вышли книги — и по-русски, и в переводах...

Бродский: Да, и в этом случае власти действовали тоньше и занятней. Вдруг «Совпис» в Ленинграде изъявил готовность напечатать мою книжку. Чему я сильно порадовался. Хотя, с другой стороны, у меня были на этот счет и какие-то собственные соображения...

Волков: Какие же?

Бродский: Что, в общем, стихи-то не очень хорошие. Ну они попросили меня представить им «манускрипт». И я, отобравши кое-какие стихи, им этот самый «манускрипт» представил. Они его одобрили, выкинув какие-то два или три стихотворения. Но в общем все шло совершенно прекрасным образом: назначили мне какого-то редактора, работа шла, никаких волнений. Опять-таки — забыл фамилию редактора. И главного редактора фамилию забыл, и директора издательства. Ну это неважно. Вдруг они мне звонят: «Иосиф Александрович, приходите тогда-то и тогда-то, мы заключим с вами договор». И я не то чтобы воодушевился, поскольку не очень-то во все это и верил, но все же было приятно. Значит, каню я в издательство для заключения договора...

Волков: А где находилось ленинградское отделение «Советского писателя»?

Бродский: В Доме книги, на Невском проспекте. Подымаюсь на четвертый, кажется, этаж, вхожу в кабинет главного редактора. И вдруг вспомнил, что ему всего год до пенсии остался. И думаю: как же это так, не может он взять на себя такой ответственности — решить вопрос о договоре! Все-таки — пенсия. Тут-то я и понял окончательно, что несколько поторопился. Поскольку я с этим человеком уже имел дело в году, кажется, 1967...

Волков: В связи с выпуском альманаха «Молодой Ленинград»?

Бродский: Именно так. Они попросили у меня два или три стихотворения. И сначала я им дал «В деревне Бог живет не по углам...» и «Новые стансы к Августе». И этот самый главный редактор меня вызывает. Сидит, мнется и кашляет: «У вас тут в «Новых стансах к Августе» есть такая строчка — «в болото, где снята охрана» — вот это слово, «охрана», надо убрать». Я возражаю. Тем более что в данном случае это было все абсолютно безобидно. Он упирается: «Нет-нет, «охрана» — это невозможно!» Я удивляюсь: «Почему же это невозможно? Русского слова, что ли, такого нет?» Он продолжает настаивать: «Да ну, Иосиф Александрович, вы же понимаете...» Тогда я просто предложил ему взять другое стихотворение, а именно «На смерть Т.С. Элиота». Мне хотелось, чтобы они напечатали длинное стихотворение, потому что за длинное больше платили. И, поскольку там никакой такой «охраны» или чего-нибудь подобного не было, они это стихотворение взяли и напечатали! Что меня даже как-то и тронуло, поскольку, если не ошибаюсь, это было первое упоминание Элиота в советской прессе в положительном ключе.

Волков: Воображаю, как им за это влетело!

Бродский: И вот теперь я сижу в кабинете у того же самого человека. Господи, как же его звали? Память стала совершенно дырявая. Ну это неважно... И вот он чего-то такое кочевряжится, улыбается мне своими золотыми коронками и ведет какой-то совершенно непонятный разговор, который я, наконец, прерываю: «Вы пригласили меня на предмет заключения договора. Так вот, собираетесь вы заключать со мной договор или нет?» В ответ на что он препровождает меня в кабинет директора издательства, с которым у меня происходит следующий диалог:

— Я не понимаю, что происходит? — говорю я.

— А в чем дело? — интересуется он.

— Вот мне ваш главный редактор позвонил, чтобы я пришел на предмет заключения договора. Я прихожу, а ни о каком договоре нет и речи. В чем, собственно, дело?

— Понимаете... Там сложные обстоятельства...

— Вы знаете, про сложные обстоятельства я вам сам могу рассказать ничуть не меньше. В данную минуту меня интересует: собирается ли издательство «Советский писатель» заключать со мной договор на книжку моих стихов? Я вас спрашиваю, действительно, как мужчина мужчину. Меня интересует — «да» или «нет». А что касается нюансов, и почему именно «да» или, наоборот, «нет», то это меня совершенно не интересует. Да или нет?

— Ну если вы ставите вопрос так...

— Именно так я его и ставлю!

— Ну в таком случае — нет.

— Хорошо. Спасибо. Всего доброго.

Все. Я ушел. И на этом все кончилось.

Волков: Советский «Разговор книгопродавца с поэтом»!

Бродский: Но году в семидесятом разговоры о книжке возобновились. Видимо, они получили какой-то сигнал сверху.

Волков: И как же дело повернулось на сей раз?

Бродский: Записался я как-то на прием к Олегу Шестинскому, который об ту пору был начальником в ленинградском Союзе писателей. Он был — до известной степени — вполне милый человек. О чем же я собирался с ним говорить? Не помню, но это не столь существенно. Естественно, что я выступал в роли просителя, в какой же еще? Прихожу к Шестинскому в приемную, а там какая-то задержка. И шныряют какие-то два типа, выглядящие вполне недвусмысленным образом. Не то чтобы я в ленинградском Союзе писателей знал всех в лицо, но от этих двух просто пахло...

Волков: Органами?

Бродский: Да! Пахло решеткой. Железом. Покрутившись, эти типы исчезают. Потом Олег высовывается из кабинета, манит меня пальцем и говорит: «Слушай, Иосиф, тут два человека из Комитета госбезопасности хотят тебя видеть. Ты что-нибудь натворил?» Я в ответ: «Я натворил? Понятия не имею, чего я натворил! Я на прием к вам шел». Но коли люди из комитета хотят меня видеть — хорошо, закон есть закон. Пересекаю приемную, вхожу в кабинет заместителя Шестинского по хозяйственным делам, где такие дела всегда проворачиваются. Там два этих чувака.

Волков: Опишите их, это даже интересно!

Бродский: Один из них — пожилой, то есть из старой гвардии чекистов. Другой — молодой, со значком университета. На вид — симпатичный малый. Забыл, как его фамилия.

Волков: А они разве представились?

Бродский: Да, показали удостоверения.

Волков: Ну в удостоверениях, насколько я понимаю, они все были Иваны Ивановичи Ивановы!

Бродский: Нет, там были их звания и, думаю, их настоящие имена. Поздоровавшись, они начинают разговор о погоде, здоровье и прочем.

Волков: Светская беседа...

Бродский: Да, такая светская беседа, хуе-мое. А потом начинают играть на два смычка совершенно замечательную музыку. Один поет, что вот — ненормальная, Иосиф Александрович, ситуация сложилась с вашей биографией. И особенно с вашей — как бы это сказать — литературной деятельностью. «Ваши книги выходят на Западе и я думаю, что и вы, и мы одинаково заинтересованы в том, чтобы внести во все это ясность. Мы хотели бы все поставить на свои места, чтобы вы были нормальным, печатающимся в Советском Союзе автором». Я комментирую: «О Господи! Это — музыка для моих ушей!» Но с другой стороны раздаются звуки несколько иного рода: «Вот к вам все время приезжают какие-то иностранцы. Среди них есть настоящие друзья Советского Союза. Но есть, как вы понимаете, и люди, которые работают на вражеские разведки. И они, как вы понимаете, с одной стороны, не заинтересованы, а с другой, наоборот, заинтересованы...» И так далее, и так далее. «Ну, — я говорю, — вам виднее. Я не знаю». Они говорят: «Вы знаете, Иосиф Александрович, нам, конечно, виднее, но вы человек образованный...» Это я-то, с восьмью классами! «...и потому мы чрезвычайно ценим ваше мнение». А с другой стороны человек поет: «Пора, пора вам уже книгу выпускать!» И это все идет параллельно! С одной стороны: «Время от времени мы были бы чрезвычайно заинтересованы в вашей оценке, в ваших впечатлениях от того или иного человека. Вы понимаете, что среди них...» А с другой стороны: «Надо вам уже книгу печатать!»

Волков: Слова слаще звуков Моцарта...

Бродский: Да, такой вот балаган. И разговор этот, вы знаете, идет на таком — как бы это сказать? — естественном уровне:

— Если я правильно понимаю то, что сейчас происходит, то вы предлагаете напечатать книжку моих стихов, если я соглашусь с вами сотрудничать, да?

— Ну зачем так резко ставить вопрос?

— Нет, я просто хотел бы понять, о чем идет речь.

— Мы считаем, что с вашей книжкой сложилась ненормальная ситуация. И мы с удовольствием вам поможем — напечатаем ее безо всякой цензуры, на хорошей финской бумаге.

А с другой стороны несется:

— Вот, к вам разные профессора приезжают с Запада...

И я им говорю:

— Все это, конечно, замечательно. И то, что книжка выйдет, это все хорошо, это само собой. Но я на все это могу согласиться только на одном условии...

— На каком же?

— Если только мне дадут звание майора и зарплату соответствующую.

Они как бы в отпаде:

— Ну этого мы от вас не ожидали!

Волков: Что они все такие обидчивые да сенситивные!

Бродский: Вы должны вот что еще учесть, Соломон. Понимаете, сознание человека в такие моменты как бы раздвоено. Потому что вспомните ситуацию того времени: нам все время показывали какие-то шпионские фильмы — то ли про Рихарда Зорге, то ли еще про кого. По телевизору о том же, в газетах о том же. И в конце концов ты действительно начинаешь думать: может быть, это и правда, что среди этих самых западных херов приезжают какие-то там шпионы?

Но я им все-таки говорю:

— Это не мой департамент, а ваш. Я этим заниматься не в состоянии и не желаю. И вообще, мне не за это деньги платят, если вообще мне их платят. А вам за это деньги платят, о чем речь?

Они мне в ответ:

— Ведь вы же нормальный лояльный советский человек!

— Да куда лояльней! Но между вами и мной все-таки существует определенная разница, и не только в зарплате.

— Какая же?

А я к тому моменту в общем-то понимал, что могу затрепать их, да? И самого себя затрепать. Поскольку разговор идет на светском уровне, никто кандалами в кармане не звякает. И в общем-то в тот момент у меня даже против Комитета госбезопасности ничего особенного и не было, поскольку они меня довольно давно не тормошили. Но тут я вдруг вспомнил своего приятеля Ефима Славинского, который в ту пору сидел. И думаю: «Еб твою мать, Славинский сидит, а я тут с этими разговариваю. А может быть, один из них его сажал». И тогда я говорю: «Дело совершенно не в лояльности. А дело вот в чем. Я тут сейчас с вами сижу и у меня за спиной что — моя комната, моя пишмашинка и больше ничего, да? У вас же за спиной — огромная система. Мы не на равных разговариваем. И потому разговор этот на самом деле — абсурдный, поскольку имеет место быть тотальная несовместимость».

Волков: И как же они закруглили разговор после этого?

Бродский: Они говорят мне:

— Ну мы думали, Иосиф Александрович, что вы *умнее* окажетесь. (То есть мысль такая — что вы, евреи, все-таки умные люди.)

А я им в ответ:

— Ну значит ошиблись вы. Да и я, наверное, не прав. Но тем не менее, давайте так это и оставим — на уровне ошибки.

— Возьмите все-таки наш телефонный номер — на всякий случай.

— Спасибо за телефонный номер, но говорить нам совершенно не о чем.

Волков: Что называется, спасибо за доверие.

Бродский: Да, спасибо за доверие... Вот такую отмочил им наглость. Но с другой стороны, страха перед ними у меня никакого не было. Потому что если ты отсидел три раза в тюрьме, то пугать тебя уже нечем. Чем — четвертым, пятым, шестым разом?

Волков: И долго весь этот примечательный разговор продолжался?

Бродский: Часа три охмуряли ксендзы Адама Козлевича. После чего я ушел.

Волков: И на этом все кончилось?

Бродский: Отнюдь! Через два или три дня приезжает ко мне профессор одного из американских университетов и привозит гранки книжки моей «Остановка в пустыне». Его попросили передать мне эти, еще не сброшюрованные страницы, чтобы я их проверил. Мне это, кстати, ужасно приятно было — держать в лапах свою книжку. Чего лучше! Одновременно он дает мне оттиск своей статьи из какого-то слависткого журнала, про классика русской литературы. И вдруг я понял, что кагэбэшники именно этого профессора имели в виду, когда меня охмуряли! Это на него я должен был настучать! Я вычислил, что они у этого профессора, когда он приехал из Штатов в Москву, вскрыли чемодан и там увидели «Остановку в пустыне». И я за этого американа несколько беспокоюсь и пытаюсь ему на бумаге всячески объяснить, что к чему: дескать, за вами хвост; будьте чрезвычайно осторожны. После чего мы с ним треплемся про классическую русскую литературу. Затем я вывожу его дворами, чтобы за этим болваном никакого хвоста не было, и довожу его до метро.

Волков: Неужели вы в самом деле думали, что помогли ему избавиться от хвоста?

Бродский: Честно говоря — не знаю. Потому что вечером того же дня — звонок в дверь. Открываю — на пороге этот, который с университетским значком. Я ему: «Ну заходите, коли пришли». Он заходит, садится в кресло, начинает нахваливать мою библиотеку, словари в особенности:

— А вот этого словаря у меня нет.

— У меня у самого он недавно появился.

— А вот такой-то профессор у вас был?

— Да, представьте себе, был!

— И ничего он вам не оставил?

— Вот, оставил — статью про классика русской литературы с дарственной надписью.

— А больше ничего не оставлял?

Я смотрю на него таким голубым глазом, думаю — «еб твою мать!»:

— Нет, ничего не оставлял... Кофе хотите?

— Да, с удовольствием.

Тогда я выхожу на кухню и готовлю там кофе минут пятнадцать, чтобы он успел пошмонать. Возвращаюсь, наливаю ему кофе, мы треплемся опять про словари, после чего он уходит. И все.

Волков: Все?

Бродский: Нет, был еще эпилог, когда этот американский хрен прислал мне откуда-то из Италии открытку, которую он, видимо, сочинил по пьяному делу: дескать, большое спасибо, что вы меня предупредили о слежке КГБ. Открытым текстом! Я тогда, помню, подумал: ну и олух! Хотя теперь я иногда думаю: ладно, нормальное человеческое поведение. Сейчас-то мне это все равно...

Волков: Должен вам сказать, что я в первый раз слышу такое подробное описание приемов воздействия КГБ на неугодную им творческую фигуру. Этот их знаменитый метод «кнута и пряника»... В вашем случае, конечно, кнута было много больше, чем пряников... А как проходил тот роковой разговор в КГБ, когда вам наконец предложили покинуть пределы Советского Союза?

Бродский: А это было не в КГБ, а в ОВИРе... 10 мая 1972 года утром у нас дома раздается телефонный звонок. Я к телефону не подхожу, потому что с военкоматом происходит очередной тур переговоров о моем призыве в армию. Ну туда загнать меня шансов у них не было никаких, с моим послужным списком. Но все равно...

Волков: Приятного мало!

Бродский: Да, мало приятного. Мать берет трубку, просят Бродского, и она спрашивает: «Алексан-Иваныча или Иосиф-Алексаныча?» Выясняется, что Иосиф-Алексаныча. Я думаю — ладно, пес с ними, сейчас буду отбрехиваться, подымаю трубку и говорю:

— Да, я вас слушаю.

— Иосиф Александрович, это звонят из ОВИРа.

— Да? Очень интересно.

— Ну вот, теперь вы знаете, откуда звонят. Не могли бы вы к нам сегодня зайти?

Вежливость! Я им отвечаю:

— Вы знаете, я зашел бы, но вся история заключается в том, что у меня сегодня масса дел. И я не освобожусь раньше шести часов.

— Ну заходите в шесть, когда освободитесь. Мы вас подождем.

И это при том, что ОВИР закрывается не то в четыре, не то в пять!

Волков: Какая сверхъестественная предупредительность!

Бродский: А в тот день — так уж совпало — ко мне в гости пришел Карл Проффер...

Волков: Как вы с ним познакомились, кстати?

Бродский: Нас с ним Надежда Яковлевна Мандельштам познакомила. В один прекрасный вечер, помню, раздается от нее телефонный звонок из Москвы: «Иосиф, к вам зайдет один мой знакомый, очень хороший человек». И появился Карлуша, с которым мы подружились. Тотчас. И вот теперь он оказался в Ленинграде как раз в этот примечательный день, зашел ко мне со своими детьми. Я ему говорю: «Ты знаешь, Карл, какая интересная вещь — позвонили из ОВИРа, приглашают в гости!» И он этому, надо сказать, тоже подивился. А в тот день у меня, действительно, дел было навалом. Помню, какие-то переводы я должен был посылать в Москву — из какой-то там югославской поэтессы. И еще что-то, еще что-то... Последнее дело было на Ленфильме.

Волков: Вы для них сценарий писали?

Бродский: Нет, стихи подкладывал под какой-то мультипликационный фильм — уж не помню, венгерский или армянский. Часов в пять Ленфильм закрывался. Мы выходим с бабой, которая давала мне там эту работу (довольно славная девка была), и она говорит: «Ты куда сейчас? Нам домой идти почти по дороге!» А я ей объясняю: «Не могу, потому что мне сегодня с утра позвонили — представь себе! — из ОВИРа, чтоб я к ним зашел. Но ничего при этом не объяснили. Не понимаю, макет быть, у меня какой-нибудь американский дядюшка умер и оставил наследство?» Потому что какие у нормального человека могут быть мысли на этот счет, да?

Волков: У нормального — никаких...

Бродский: Приезжаю я, значит, в ОВИР. Мусор стоит, отпирает дверь. Вхожу. Естественно, никого. Прохожу в кабинет, где сидит полковник, все нормально. И начинается такой интеллигентный разговор про дела и погоду, пока я не говорю:

— Вы ведь меня, наверное, не про погоду вызвали разговаривать? (Хотя понятия не имею, зачем я им нужен!)

Полковник говорит:

— Вы, Иосиф Александрович, получали вызов из Израиля?

— Да, получал. И даже не один вызов, а целых два, если уж на то пошло. А, собственно, что?

— А почему вы этими вызовами не воспользовались?

— А с какой стати я ими буду пользоваться? Прежде всего, я не знаю, от кого они, а затем... Вы вот меня не пустили ни в Чехословакию, ни в Италию, хотя меня туда тоже приглашали.

— Значит, вы не подали заявления на выезд, потому что предполагали, что мы вас в Израиль не выпустим?

— Ну коли вы меня спрашиваете об этом — да, предполагал, что не выпустите. Но это было совершенно ни первой, ни последней причиной.

А полковник этот танец, вокруг да около, продолжает и задает такой заинтересованный вопрос:

— Ну а какая же, скажем, была первая из причин?

— Ну Господи — любая! Прежде всего: чего мне там делать, в Израиле, в конце-то концов? В гости съездить я бы не отказался, но насовсем? У меня тут свои дела...

И вдруг разговор поворачивается очень быстро и полковник говорит, оставляя всех этих «Иосиф-Алексанычей» позади:

— Ну вот что, Бродский! Мы сейчас вам выдадим анкеты. Вы их заполните. В течение самого ближайшего времени мы рассмотрим ваше дело. И сообщим вам об его исходе.

А дело происходит, между прочим, в пятницу, если я не ошибаюсь. Появляется дама и приносит анкеты. Я говорю:

— Вы знаете, я лучше эти анкеты возьму с собой и заполню их дома.

— Нет, вы заполните их сейчас. Здесь.

Я начинаю эти анкеты заполнять, и в этот момент вдруг все понимаю. Понимаю, что происходит. Я смотрю некоторое время на улицу и потом говорю:

— А если я откажусь эти анкеты заполнять?

Полковник отвечает:

— Тогда, Бродский, у вас в чрезвычайно обозримом будущем наступит весьма горячее время.

Это точная цитата... И я думаю: ну, значит, опять — то ли дурдом, то ли тюрьма... И не страшно это нисколько, но уж больно скучно. Вызов из Израиля они положили передо мной. Смотрю — он от Иври Якова. Что означает, вероятно, Еврей Яков, да? Я спрашиваю: «Какую писать степень родства?» Полковник говорит: «Пишите — внучатый племянник». Я пишу — «внучатый племянник». Он говорит: «Если что, мы вам деньгами поможем». Я отказываюсь, заполняю эти анкеты и ухожу. Это, как я уже говорил, пятница, шесть или семь часов вечера. В понедельник утром раздается телефонный звонок: «Иосиф Александрович, мы рассмотрели ваше заявление на выезд в Израиль. По нему принято благоприятное решение. Зайдите оформить документы на выезд и принесите свой паспорт». Вот так все это произошло, поскольку уж вы меня спросили об этом.

Волков: А почему они так торопились от вас избавиться?

Бродский: Объективно, я думаю, у них было два или три соображения. Главное, в это время Никсон должен был приехать в Москву. А у меня к тому времени уже существовала репутация на Западе. То есть какая она там была — репутация! Но тем не менее, до известной степени...

Волков: Но они, кажется, все равно не успели выставить вас до приезда Никсона?

Бродский: Да, хотя очень старались. Потому что звонили они мне в понедельник, а уже в среду мне были выданы все бумаги. И я должен был поставить визы и выматываться. Но тут я стал упираться:

— Нет, не могу, у меня дел много, вот архив должен привести в порядок...

— Да какой там архив?

— Я понимаю, что весь мой архив у вас, но тем не менее... И вообще, 24 мая мой день рождения, я хочу его отметить с родителями.

— Какая же ваша дата?

— Ну где-нибудь в конце августа, во второй половине сентября...

— Нет, это исключено!

— Ну хотя бы в середине июля! Раньше я никак не смогу.

Они отвечают:

— Четвертое июня — последнее число.

А это, представьте себе, 15 или 16 мая! Я говорю:

— А в противном случае?

— Не забывайте, что вы уже сдали свой паспорт. Без паспорта житье у вас будет очень трудное...

Волков: И все-таки, высылка, да еще такая срочная, в тот период была довольно-таки необычной акцией. Вы когда-нибудь пытались понять, что за ней стояло?

Бродский: Вы знаете, я об этом не очень много думал, по правде сказать. Пытаться представить себе их резоны, их ход мысли — мне это совершенно неохота. Потому что направлять свое воображение по этому руслу просто не очень плодотворно. К тому же многого я не знал. Но кое-что я выяснил, когда приехал в Москву ставить эти самые визы. Вам будет интересно узнать.

Волков: Я весь внимание...

Бродский: Приезжаю я, значит, в Москву поставить эти самые визы и, когда я закруглился, раздается телефонный звонок от приятеля, который говорит:

— Слушай, Евтушенко очень хочет тебя видеть. Он знает все, что произошло.

А мне нужно в Москве убить часа два или три. Думаю: ладно, позвоню. Звоню Евтуху. Он:

— Иосиф, я все знаю, не могли бы вы ко мне сейчас приехать?

Я сажусь в такси, приезжаю к нему на Котельническую набережную, и он мне говорит:

— Иосиф, слушай меня внимательно. В конце апреля я вернулся из Соединенных Штатов...

(А я вам должен сказать, что как раз в это время я был в Армении. Помните, это же был год, когда отмечалось 50-летие создания Советского Союза? И каждый месяц специально презентовали какую-либо из республик, да? Так вот, для журнала «Костер», по заказу Леши Лифшица, я собирал армянский фольклор и переводил его на русский. Довольно замечательное время было, между прочим...)

Так вот, Евтух говорит:

— Такого-то числа в конце апреля вернулся я из поездки в Штаты и Канаду. И в аэропорту «Шереметьево» таможенники у меня арестовали багаж!

Я говорю:

— Так.

— А в Канаде в меня бросали тухлыми яйцами националисты!

(Ну все как полагается — опера!) Я говорю:

— Так.

— А в «Шереметьево» у меня арестовали багаж! Меня все это вывело из себя и я позвонил своему другу...

(У них ведь, у московских, все друзья, да?)

И Евтух продолжает:

—...позвонил другу, которого я знал давно, еще с Хельсинкского фестиваля молодежи.

Я про себя вычисляю, что это Андропов, естественно, но вслух этого не говорю, а спрашиваю:

— Как друга-то зовут?

— Я тебе этого сказать не могу!

— Ну ладно, продолжай.

И Евтушенко продолжает: «Я этому человеку говорю, что в Канаде меня украинские националисты сбрасывали со сцены! Я возвращаюсь домой — дома у меня арестовывают багаж! Я поэт! Существо ранимое, впечатлительное ! Я могу что-нибудь такое написать — потом не оберешься хлопот! И вообще... нам надо повидаться! И этот человек мне говорит: ну приезжай! Я приезжаю к нему и говорю, что я существо ранимое и т.д. И этот человек обещает мне, что мой багаж будет освобожден. И тут, находясь у него в кабинете, я подумал, что раз уж я здесь разговариваю с ним о своих делах, то почему бы мне не поговорить о делах других людей?»

(Что, вообще-то, является абсолютной ложью! Потому что Евтушенко — это человек, который не только не говорит о чужих делах — он о них просто не думает! Но это дело десятое, и я это вранье глотаю — потому что ну чего уж!)

И Евтушенко якобы говорит этому человеку:

— И вообще, как вы обращаетесь с поэтами!

— А что? В чем дело?

— Ну вот, например, Бродский...

— А что такое?

— Меня в Штатах спрашивали, что с ним происходит...

— А чего вы волнуетесь? Бродский давным-давно подал заявление на выезд в Израиль, мы дали ему разрешение. И он сейчас либо в Израиле, либо по дороге туда. Во всяком случае, он уже вне нашей юрисдикции...

И слыша таковые слова, Евтушенко будто бы восклицает: «Еб вашу мать!». Что является дополнительной ложью, потому что уж чего-чего, а в кабинете большого начальника он материться не стал бы. Ну, на это мне тоже плевать... Теперь слушайте, Соломон, внимательно, поскольку наступает то, что называется, мягко говоря, непоследовательностью. Евтушенко якобы говорит Андропову:

— Коли вы уж приняли такое решение, то я прошу вас, поскольку он поэт, а следовательно, существо ранимое, впечатлительное — а я знаю, как вы обращаетесь с бедными евреями...

(Что уж полное вранье! То есть этого он не мог бы сказать!)

—...я прошу вас — постарайтесь избавить Бродского от бюрократической волокиты и всяких неприятностей, сопряженных с выездом.

И будто бы этот человек ему пообещал об этом позаботиться. Что, в общем, является абсолютным, полным бредом! Потому что если Андропов сказал Евтуху, что я по дороге в Израиль или уже в Израиле и, следовательно, не в их юрисдикции, то это значит, что дело уже сделано. И для просьб время прошло. И никаких советов Андропову давать уже не надо — уже поздно, да? Тем не менее я это все выслушиваю, не моргнув глазом. И говорю:

— Ну, Женя, спасибо.

Тут Евтушенко говорит:

— Иосиф, они там понимают, что ты ни в какой Израиль не поедешь. А поедешь, наверное, либо в Англию, либо в Штаты. Но коли ты поедешь в Штаты — не хорони себя в провинции. Поселись где-нибудь на побережье. И за выступления ты должен просить столько-то...

Я говорю:

— Спасибо, Женя, за совет, за информацию. А теперь — до свидания.

Евтух говорит:

— Смотри на это как на длинное путешествие...

(Ну такая хемингуэевщина идет...)

— Ладно, я посмотрю, как мне к этому относиться...

И он подходит ко мне и собирается поцеловать. Тут я говорю:

— Нет, Женя. За информацию — спасибо, а вот с этим, знаешь, не надо, обойдемся без этого.

И ухожу. Но чего я понимаю? Что когда Евтушенко вернулся из поездки по Штатам, то его вызвали в КГБ в качестве референта по моему вопросу. И он изложил им свои соображения. И я от всей души надеюсь, что он действительно посоветовал им упростить процедуру. И я надеюсь, что моя высылка произошла не по его инициативе. Надеюсь, что это не ему пришло в голову. Потому что в качестве консультанта — он, конечно, там был. Но вот чего я не понимаю — то есть понимаю, но по-человечески все-таки не понимаю — это почему Евтушенко мне не дал знать обо всем тотчас? Поскольку знать-то он мне мог дать обо всем уже в конце апреля. Но, видимо, его попросили мне об этом не говорить. Хотя в Москве, когда я туда приехал за визами, это уже было более или менее известно.

Волков: Почему вы так думаете?

Бродский: Потому что такая история там произошла. Ловлю я такси около телеграфа, как вдруг откуда-то из-за угла выныривает поэт Винокуров.

— Ой, Иосиф!

— Здравствуйте, Евгений Михайлович.

— Я слышал, вы в Америку едете?

— А от кого вы слышали?

— Да это неважно! У меня в Америке родственник живет, Наврозов его зовут. Когда туда приедете, передайте ему от меня привет!

И тут я в первый и в последний раз в своей жизни позволил себе нечто вроде гражданского возмущения. Я говорю Винокурову:

— Евгений Михайлович, на вашем месте мне было бы стыдно говорить такое!

Тут появилось такси. И я в него сел. Или он в него сел, уж не помню. Вот что произошло. И вот почему я думаю, что в Союзе писателей уже все знали. Потому что подобные акции обыкновенно происходили с ведома и содействия Союза писателей.

Волков: Я думаю, это все зафиксировано в соответствующих документах и протоколах, и они рано или поздно всплывут на свет. Но с другой стороны, в подобных щекотливых ситуациях многое на бумаге не фиксируется. И исчезает навсегда...

Бродский: Между прочим, эту историю с Евтушенко я вам первому рассказываю, как бы это сказать, for the record.

Волков: А как дальше развивались ваши отношения с Евтушенко?

Бродский: Дело в том, что у этой истории были еще и некоторые последствия. Когда я только приехал в Америку, меня пригласили выступить в Куинс-колледже. Причем инициатива эта принадлежала не славянскому департаменту, а департаменту сравнительного литературоведения. Потому что глава этого департамента, поэт Пол Цвайг, читал меня когда-то в переводах на французский. А славянский департамент — куда же им было деваться... И мы приехали — мой переводчик Джордж Клайн и я — сидим на сцене, а представляет нас почтенной публике глава славянского департамента Берт Тодд. А он был самый большой друг Евтуха, такое американское alter ego Евтуха. Во всех отношениях. И вот Берт Тодд говорит обо мне: «Вот каким-то странным образом этот человек появился в Соединенных Штатах...» То есть гонит всю эту чернуху. Я думаю: ну ладно. Потом читаю стихи. Все нормально. «Нормальный успех, стандартный успех» — кто это говорил? После этого на коктейль-парти ко мне подходит Берт Тодд:

— Я большой приятель Жени Евтушенко.

— Ну вы знаете, Берт, приятель ваш говнецо, да и от вас воняет!

И пересказал ему в двух или трех словах всю эту московскую историю. И забыл об этом.

Проходит некоторое время. Я живу в Нью-Йорке, преподаю, между прочим, в Куинс-колледже. Утром раздается телефонный звонок, человек говорит:

— Иосиф, здравствуй!

— Это кто говорит?

— Ты уже забыл звук моего голоса?! Это Евтушенко! Мне хотелось бы с тобой поговорить!

Я говорю:

— Знаешь, Женя, в следующие три дня я не смогу — улетаю в Бостон. А вот когда вернусь...

Через три дня Евтушенко звонит и мы договариваемся встретиться у него в гостинице, где-то около Коламбус Серкл. Подъезжаю я на такси, смотрю — Евтух идет к гостинице. Замечательное зрелище вообще-то. Театр одного актера! На нем то ли лиловый, то ли розовый пиджак из джинсы, на груди фотоаппарат, на голове большая голубая кепка, а в обеих руках по пакету. Мальчик откуда-то из Джорджии приехал в большой город! Но, главное, это все на публику! Ну это неважно... Входим мы в лифт, я помогаю ему с этими пакетами. В номере я его спрашиваю:

— Ну чего ты меня хотел видеть?

— Вот, Иосиф, люди здесь, которые раньше работали на мой имидж, теперь начинают работать против моего имиджа. Что ты думаешь о статье Роберта Конквеста в «Нью-Йорк Таймс»?

А я таких статей не читаю и говорю:

— Не читал, понятия не имею.

Но Евтушенко продолжает жаловаться:

— Я в жутко сложном положении. В Москве Максимов меня спрашивает, получил ли я уже звание подполковника КГБ, а сталинисты заявляют, что еще увидят меня с бубновым тузом между лопаток.

Я ему на это говорю:

— Ну, Женя, в конце концов, эти проблемы — это твои проблемы, ты сам виноват. Ты — как подводная лодка: один отсек пробьют...

Ну такие тонкости до него не доходят. Он продолжает рассказывать как они там в Москве затеяли издавать журнал «Мастерская» или «Лестница», я уж не помню, как он там назывался, — и уж сам Брежнев дал «добро», а потом все застопорилось.

Я ему:

— Меня, Женя, эти тайны мадридского двора совершенно не интересуют, поскольку для меня все это неактуально, как ты сам понимаешь...

Тут Евтух меняет пластинку:

— А помнишь, Иосиф, как в Москве, когда мы с тобой прощались, ты подошел ко мне и меня поцеловал?

— Ну, Женя, я вообще-то все хорошо помню. И если говорить о том, кто кого собирался поцеловать...

И тут он вскакивает, всплескивает руками и начинается такой нормальный Федор Михайлович Достоевский:

— Как! Как ты мог это сказать: кто кого собирался поцеловать! Мне страшно за твою душу!

— Ну, Женя, о своей душе я как-нибудь позабочусь. Или Бог позаботится. А ты уж уволь...

Тут Евтушенко говорит:

— Слушай, ты рассказал Берту Тодду о нашем московском разговоре... Уверяю тебя, ты меня неправильно понял!

— Ну если я тебя понял неправильно, то скажи, как звали человека, с которым ты обо мне разговаривал в апреле 1972 года?

— Я не могу тебе этого сказать!

— Хочешь, на улицу выйдем? На улице скажешь?

— Нет, не могу.

— Чего ж я тебя неправильно понял? Ладно, Женя, давай оставим эту тему...

— Слушай, Иосиф! Сейчас за мной зайдет Берт и мы пойдем обедать в китайский ресторан. Там будут мои друзья и я хочу, чтобы ты ради своей души сказал Берту, что ты все-таки меня неправильно понял!

— Знаешь, Женя, не столько ради моей души, но для того, чтобы в мире было меньше говна... почему бы и нет? Поскольку мне это все равно...

Мы все спускаемся в ресторан, садимся и Евтушенко начинает меня подталкивать:

— Ну начинай!

Это уж полный театр!

Я говорю:

— Ну, Женя, как же я начну? Ты уж как-нибудь наведи!

— Я не знаю, как навести!

Ладно, я стучу вилкой по стакану и говорю:

— Дамы и господа! Берт, помнишь наш с тобой разговор про Женино участие в моем отъезде?

А он тупой еще, этот Тодд, помимо всего прочего. Он говорит: «Какой разговор?» Ну тут я опять все вкратце пересказываю. И добавляю:

— Вполне возможно, что произошло недоразумение. Что я тогда в Москве Женю неправильно понял. А теперь, дамы и господа, приятного аппетита, но я, к сожалению, должен исчезнуть.

(А меня, действительно, ждала приятельница.) Встаю, собираюсь уходить. Тут Евтух хватает меня за рукав:

— Иосиф, я слышал, ты родителей пытаешься пригласить в гости?

— Да, представь себе. А ты откуда знаешь?

— Ну это неважно, откуда я знаю... Я посмотрю, чем я смогу помочь...

— Буду тебе очень признателен.

И ухожу. Но и на этом история не кончается! Проходит год или полтора, и до меня из Москвы доходят разговоры, что Кома Иванов публично дал Евтуху в глаз. Потому что Евтух в Москве трепался о том, что в Нью-Йорке к нему в отель прибежал этот подонок Бродский и стал умолять помочь его родителям уехать в Штаты. Но он, Евтушенко, предателям Родины не помогает. Что-то в таком роде. За что и получил в глаз.

Гринвич-Вилледж, Нью-Йорк. 1978.

Иосиф Бродский читает свои стихи. 1990.

Глава 7

У.Х.Оден:
осень 1978–весна 1983

Волков: Ко второй вышедшей в переводе на английский книге ваших стихов, опубликованной в 1973 году, предисловие написал знаменитый поэт Уистен Хью Оден. Меня очень привлекает этот автор. В России Оден практически неизвестен. Я начал читать его стихи и прозу после слушания ваших лекций в Колумбийском университете. Теперь я хотел бы узнать больше об Одене-человеке. Опишите мне лицо Одена.

Бродский: Его часто сравнивали с географической картой. Действительно, было похоже на географическую карту с глазами посредине. Настолько оно было изрезано морщинами во все стороны. Мне лицо Одена немножко напоминало кожицу ящерицы или черепахи.

Волков: Стравинский жаловался, что для того, чтобы увидеть, что из себя представляет Оден, его лицо надо бы разгладить. Генри Мур, напротив, с восхищением говорил о «глубоких бороздах, схожих с пересекающими поле следами плуга». Сам Оден с юмором сравнивал свое лицо со свадебным тортом после дождя.

Бродский: Поразительное лицо. Если бы я мог выбрать для себя физиономию, то выбрал бы лицо либо Одена, либо Беккета. Но скорее Одена.

Волков: Когда Оден разговаривал, его лицо двигалось? Жило?

Бродский: Да, мимика его была чрезвычайно выразительна. Кроме того, по-английски с неподвижным лицом говорить невозможно. Исключение — если вы ирландец, то есть если вы говорите почти не раскрывая рта.

Волков: Быстро ли Оден говорил?

Бродский: Чрезвычайно быстро. Это был такой «Нью-Йорк инглиш»: не то чтобы он употреблял жаргон, но акценты смешивались. Если угодно, это был «british английский», но сдобренный трансатлантическим соусом. Мне, особенно по первости, было чрезвычайно трудно за Оденом следовать; я никогда такого не слышал. Вообще встреча с чужим языком — это то, чего, я думаю, русский человек понять не то что не может — не желает. Он обстоятельствами жизни к этому не подготовлен. Вот вы знаете, как приятно услышать, скажем, петербургское произношение. Столь же приятно, более того — захватывающе, ошеломительно было для меня услышать оксфордский английский, «оксониан». Феноменальное благородство звука! Это случилось, когда мы приехали с Оденом в Лондон, и я услышал английский из уст близкого друга Одена, поэта Стивена Спендера. Я помню свою реакцию — я чуть не обмер, я просто был потрясен! Физически потрясен! Мало что на меня производило такое же впечатление. Ну, скажем, еще вид планеты с воздуха.Мне тотчас понятно стало, почему английский — имперский язык. Все империи существовали благодаря не столько политической организации, сколько языковой связи. Ибо объединяет прежде всего — язык.

Волков: Был ли разговор Одена похож на его прозу? То есть говорил ли он просто, логично, остроумно?

Бродский: По-английски невозможно говорить нелогично.

Волков: Почему же нет? Вполне возможно говорить напыщенно, иррационально...

Бродский: Я думаю, нет. Чем английский отличается от других языков? По-русски, по-итальянски или по-немецки вы можете написать фразу — и она вам будет нравиться. Да? То есть первое, что вам будет бросаться в глаза, это привлекательность фразы, ее закрученность, элегантность. Есть ли в ней смысл — это уже не столь важно и ясно, это отходит на второй план. В то время как в английском языке вам тотчас же ясно, имеет ли написанное смысл. Смысл — это первое, что интересует человека, на этом языке говорящего или пишущего. Разница между английским и другими языками — это как разница между теннисом и шахматами.

Волков: Как вы разговаривали с Оденом?

Бродский: Он был монологичен. Он говорил чрезвычайно быстро. Прервать его было совершенно невозможно, да у меня и не было к тому желания. Быть может, одна из самых горьких для меня вещей в этой жизни — то, что в годы общения с Оденом английский мой никуда не годился. То есть я все соображал, что он говорит, но как та самая собака, сказать ничего не мог. Чего-то я там говорил, какие-то мысли пытался изображать, но полагаю, что все это было настолько чудовищно... Оден, тем не менее, не морщился. Дело в том, что в настоящих людях — я не имею в виду Мересьева — в людях реализовавшихся есть особая мудрость... Назовите это третьим оком или седьмым чувством. Когда вы *понимаете*, с кем или с чем имеете дело — независимо от того, что человек, перед вами сидящий, вякает. Без разговоров. Это чутье, этот последний, главный инстинкт связан с самореализацией и, как это ни странно, с возрастом. То есть до этого доживаешь — как до седых волос, до морщин.

Волков: Мы оба видели много людей старых и совсем глупых...

Бродский: Совершенно верно. Вот почему я подчеркиваю важность самореализации. Есть некие ее ускорители, и литература — это один из них. То есть изящная словесность этому содействует.

Волков: Если в ней участвуешь...

Бродский: Да, совершенно верно, именно если в ней участвуешь. Я думаю, что читатель, как это ни грустно, всегда сильно отстает. Чего он там про себя ни думает, как он того или иного поэта ни понимает, он все-таки, как это ни горько, всего только читатель. Я не хочу сказать, что автор — существо высшего порядка. Но все-таки психологические процессы...

Волков: Протекают на разных уровнях...

Бродский: Главное — с разной скоростью. Я, например, занялся изящной словесностью по одной простой причине — она сообщает тебе чрезвычайное ускорение. Когда сочиняешь стишок, в голову приходят такие вещи, которые тебе в принципе приходить не должны были. Вот почему и надо заниматься литературой. Почему в идеале *все* должны заниматься литературой. Это необходимость видовая, биологическая. Долг индивидуума перед самим собой, перед своей ДНК... Во всяком случае, следует говорить не о долге поэта по отношению к обществу, а о долге общества по отношению к поэту или писателю. То есть обществу следовало бы просто принять то, что говорит поэт, и стараться ему подражать; не то что следовать за ним, а подражать ему. Например, не повторять уже однажды сказанного...

В старые добрые времена так оно и было. Литература поставляла обществу некие стандарты, а общество этим стандартам — речевым, по крайней мере — подчинялось. Но сегодня, я уж не знаю каким образом, выяснилось, что это литература должна подчиняться стандартам общества.

Волков: Это не совсем так. Общество и сейчас очень часто принимает правила игры, предложенные литературой, или, шире, культурой в целом.

Бродский: У вас довольно узкое представление об обществе.

Волков: Посмотрите на то, что происходит вокруг нас. Иногда кажется, что сейчас как никогда общество подражает тем образам, которые предлагаются, иногда даже навязываются ему искусством.

Бродский: Вы имеете в виду телевидение?

Волков: Для которого, не забудьте, работают и писатели, и поэты. Диккенс писал свои романы для еженедельных газеток с картинками; сегодня он, вероятно, работал бы на телевидении. И элитарная, и массовая культура — это части единого процесса.

Бродский: Соломон, вы живете в башне из слоновой кости. Страшно далеки вы от народа.

Волков: С кем бы вы сравнили Одена-человека?

Бродский: Внешне, повадками своими он мне чрезвычайно напоминал Анну Андреевну Ахматову. То есть в нем было нечто величественное, некий патрицианский элемент. Я думаю, Ахматова и Оден были примерно одного роста; может быть, Оден пониже.

Волков: Ахматова никогда не казалась мне особенно высокой.

Бродский: О, она была грандиозная! Когда я с ней гулял, то всегда тянулся. Чтобы комплекса не было.

Волков: Вы когда-нибудь обсуждали Одена с Анной Андреевной?

Бродский: Никогда. Я думаю, она едва ли догадывалась о его существовании.

Волков: Каковы были вкусы Ахматовой в области английской поэзии нового времени?

Бродский: Как следует Ахматова ее не знала. И знать не то чтобы не могла — мочь-то она могла, потому что английским владела замечательно, Шекспира читала в подлиннике. (Надо сказать, по части языков у Ахматовой дело обстояло в высшей степени благополучно. Данте я услышал впервые — в ее чтении, по-итальянски. О французском же и говорить не приходится.) Но помимо более чем полувековой оторванности от мировой культуры, помимо отсутствия книг, дело еще и в том, что в России, по традиции, представления об английской литературе были чрезвычайно приблизительные. Об этом и сама Анна Андреевна говорила: что русские об английской литературе судят по тем авторам, которые для литературы этой решительно никакой роли не играют. И Ахматова приводила примеры — один не очень удачный, а другой — удачный чрезвычайно. Неудачный пример — Байрон. Удачный — какой-нибудь там Джеймс Олдридж, который вообще все писал, сидючи в Москве или на Черном море. Если говорить серьезно, то представление об английской литературе в России действительно превратное (я имею в виду не только XX век, но и прошлые века). За исключением двух-трех фигур — скажем, того же Диккенса, совершенно замечательного писателя. Но ведь мы говорим как раз о поэзии; о ней вообще ничего неизвестно. Причины тому самые разнообразные, но прежде всего, я думаю, географические (которые я больше всего на свете и уважаю). Вспомните: у русских для всех народов, населяющих Европу, найдены презрительные клички, да? Немцы — это «фрицы», итальянцы — «макаронники», французы — «жоржики», чехи — «пепики». И так далее. Только с англосаксами как-то ничего не получается. Видно, пролив существует недаром. Мы не очень терлись друг о друга (что и замечательно). Другая причина — известная несовместимость того, что написано по-английски (особенно в стихах) с русской поэзией или с традиционным русским представлением об эстетическом. Англичан, прежде всего, трудно переводить. Но когда они уже переведены, то непонятно, что же перед нами возникает. Все мы в России знаем, что был великий человек Шекспир, но воспринимаем его как бы в некоторой перекидке, приноравливая, скорее всего, к Пушкину. Или возьмем переводы из Шекспира Пастернака: они, конечно, замечательны, но с Шекспиром имеют чрезвычайно мало общего. Очевидно, тональность английского стиха русской поэзии в сильной степени чужда. Единственный период совпадения вкусов — и тона — имел место, я думаю, в начале XIX века, в период романтизма. В тот момент вся мировая поэзия была примерно на одно лицо. Да и то Байрона в России не очень поняли. Русский Байрон — это сексуально озабоченный романтик, в то время как Байрон чрезвычайно остроумен, просто смешон. И этим действительно напоминает Александра Сергеевича Пушкина.

Волков: Когда вы впервые услышали об Одене? Когда прочли его?

Бродский: Услышал я о нем, наверное, лет двадцати пяти, когда впервые в какой-то степени заинтересовался литературой. Тогда Оден был для меня всего лишь одним именем среди многих. Первым всерьез об Одене заговорил со мной Андрей Сергеев — мой приятель, переводчик с английского. Фрост (среди прочих поэтов) русскому читателю представлен Сергеевым: если для меня существовал какой-нибудь там высший или страшный суд в вопросах поэзии, то это было мнение Сергеева. Но по тем временам я Сергеева еще таким образом не воспринимал. Мы с ним только-только познакомились. После того как я освободился из ссылки, я ему принес какие-то свои стишки. Он мне и говорит: «Очень похоже на Одена». Сказано это было, по-моему, в связи со стихотворением «Два часа в резервуаре». Мне в ту пору стишки эти чрезвычайно нравились; даже и сейчас я их не в состоянии оценивать объективно. Вот почему я так заинтересовался Оденом. Тем более что я знал, что Сергеев сделал русского Фроста.

Волков: Кажется, Сергеев встречался с Фростом, когда тот приезжал в Советский Союз в 1962 году?

Бродский: Да. Сергеев много занимался англоамериканской поэзией, именно поэтому я его мнение чрезвычайно ценю. Я, пожалуй, сказал бы, что мнение Сергеева о моих стишках мне всегда было важнее всего на свете. Для меня Сергеев не только переводчик. Он не столько переводит, сколько воссоздает для читателя англоязычную литературу средствами нашей языковой культуры. Потому что англоязычная и русская языковые культуры абсолютно полярны. Тем переводы, между прочим, и интересны. В этом их, если угодно, метафизическая сущность.

Вот я, естественно, и заинтересовался Оденом, принялся читать, что можно было достать. А достать можно было антологию новой английской поэзии, изданную в 1937 году и составленную Гутнером, первым мужем второй жены Жирмунского, Нины Александровны. Насколько я знаю, все переводчики этой антологии либо были расстреляны, либо сели. Мало кто из них выжил. Я знал только одного такого выжившего — Ивана Алексеевича Лихачева. Большой, очень тонкий человек, любитель одноногих. Царство ему небесное, замечательный был господин. Вот эта антология и стала главным источником моих суждений об Одене об ту пору. По качеству переводов это ни в какие ворота, конечно, не лезло. Но английского я тогда не знал; так, что-то только начинал разбирать. Поэтому впечатление от Одена было приблизительное, как и сами переводы. Чего-то я там просек, но не особенно. Но чем дальше, тем больше... Начиная примерно с 1964 года, я почитывал Одена, когда он попадался мне в руки, разбирая стишок за стишком. Где-то к концу шестидесятых годов я уже начал что-то соображать. Я понял, не мог не понять его — не столько поэтику, сколько метрику. То есть это и есть поэтика. То, что по-русски называется дольник — дисциплинированный, очень хорошо организованный. С замечательной цезурой внутри, гекзаметрического пошиба. И этот привкус иронии... Я даже не знаю, откуда он. Этот иронический элемент — даже нс особенно достижение Одена, а скорее самого английского языка. Вся эта техника английской «недосказанности»... В общем, Оден нравился мне больше и больше. Я даже сочинил некоторое количество стихотворений, которые, как мне кажется, были под его влиянием (никто никогда не поймет этого, ну и слава Богу): «Конец прекрасной эпохи», «Песня невинности, она же — опыта», потом еще «Письмо генералу» (до известной степени), еще какие-то стихи. С таким немножечко расхлябанным ритмом. По тем временам мне особенно нравились два поэта — Оден и Луи Макнис. Они и до сих пор продолжают мне быть чрезвычайно дороги; просто их читать чрезвычайно интересно. К концу моего существования в Советском Союзе — поздние шестидесятые, начало семидесятых — я Одена знал более или менее прилично. То есть для русского человека я знал его, полагаю, лучше всех. Особенно одно из сочинений Одена, его «Письмо лорду Байрону», над которым я изрядно потрудился, переводя. «Письмо лорду Байрону» для меня стало противоядием от всякого рода демагогии. Когда меня доводили или доводило, я читал эти стихи Одена. Русскому читателю Оден может быть тем еще дорог и приятен, что он внешне традиционен. То есть Оден употребляет строфику и все прочие причиндалы. Строфы он как бы и не замечает. Лучших сикстин, я думаю, после него никто не писал. Один из современников Одена, замечательный критик и писатель Сирил Коннолли сказал, что Оден был последним поэтом, которого поколение тирдцатых годов было в состоянии заучивать на память. Он действительно запоминается с той же легкостью, что и, например, наш Грибоедов. Оден уникален. Для меня он — одно из самых существенных явлений в мировой изящной словесности. Я сейчас позволю себе ужасное утверждение: за исключением Цветаевой, Оден мне дороже всех остальных поэтов.

Волков: Как вы вступили в контакт с Оденом?

Бродский: Когда мой переводчик Джордж Клайн приехал в Советский Союз, он сообщил мне, что английское издательство «Пингвин» собирается выпустить мою книжку. Я уж не помню, когда это было... В предыдущем воплощении... Клайн спросил: «А кого бы вы, Иосиф, попросили написать предисловие?» Я сказал: «Господи, разумеется, Одена! Но это маловероятно». И мое удивление было чрезвычайно велико, когда я узнал, что Оден действительно согласился на такое предисловие. С того момента мы были в некоторой переписке (пока я еще жил в Союзе). Он мне присылал книжечки, открыточки. Я ему в ответ — открыточки на моем ломаном инглише.

Волков: Когда вы встретились с Оденом?

Бродский: В июне 1972 года. Когда я приземлился в Вене, меня там встретил американский издатель Карл Проффер, мой приятель. Я знал, что Оден проводит лето в Австрии, вот и попросил Проффера — нельзя ли его разыскать? Прилетел я в Вену 4 июня, а 6 или 7 мы сели в машину и отправились на поиски этого самого Кирхштеттена в северной Австрии, где Оден жил (в Австрии этих Кирхштеттенов три). Наконец, нашли нужный Кирхштеттен, подъехали к дому; экономка нас погнала, сказав, что Одена дома нет (собственно, погнала Карла, потому что я по-немецки ни в зуб ногой). И мы уж совсем собрались уходить, как вдруг я увидел, что по склону холма подымается плотный человек в красной рубахе и подтяжках. Под мышкой он нес связку книг, в руке пиджак. Он шел с поезда — приехал из Вены, накупив там книг.

Волков: Как вы с Оденом нашли общий язык?

Бродский: В первый же день, когда мы сели с ним в этом самом Кирхштеттене и завелись разговаривать, я принялся его допрашивать. Это было такое длинное интервью на тему: что он думает о разных англоязычных поэтах. В ответ Оден выдавал мне (с некоторой неохотой) довольно точные формулировки, которые и по сей день для меня — ну, не то чтобы закон, но все же нечто, что следует принимать во внимание. Все это происходило, что называется, в несколько сессий. Оден был объективен, оценивал поэтов независимо от личных симпатий-антипатий, от того, близка ли ему была данная идиома или нет. Помню, он высоко оценил Роберта Лоуэлла как поэта, хотя относился к нему как человеку с большим предубеждением. У него в ту пору к Лоуэллу были претензии морального порядка. Очень высокого мнения Оден был о Фросте; довольно хорошо отзывался об Энтони Хехте. Вы понимаете, это не тот человек, который говорил бы: «Ах! Как замечательно!»

Волков: А вас Оден расспрашивал?

Бродский: Его первый вопрос был такой: «Я слышал, что в Москве, когда человек оставляет где-нибудь свою машину, он снимает «дворники», кладет их в карман и уходит. Почему?» Типичный Уистен. Я принялся объяснять: «дворников» мало, потому что запчасти изготовляются с большими перебоями, ничего не достать. Но, несмотря на мои объяснения, это обстоятельство осталось для Одена одной из русских загадок.

Волков: Говорил Оден с вами о русской литературе?

Бродский: Да, спрашивал о тех русских поэтах, которых знал. Говорил, что единственный русский писатель, к которому он хорошо относится, это Чехов. Еще, помню, Оден заметил, что с Достоевским он не мог бы жить под одной крышей; такое нормальное английское выражение. Да? Кстати, Оден написал вполне одобрительную рецензию на том Константина Леонтьева, переведенный на английский.

Волков: Стивен Спендер рассказывал как-то, что на них всех огромное воздействие оказало раннее советское кино. Спендер вспоминал, что в тридцатые годы, когда он и Кристофер Ишервуд жили в Берлине, они выискивали в газетах — не идет ли где-нибудь советский фильм, а найдя, обязательно шли смотреть. Вероятно, представления людей этого круга о советской действительности сложились под впечатлением «Путевки в жизнь» и прочих подобных советских фильмов.

Бродский: Думаю, не столько «Путевки в жизнь», сколько Эйзенштейна. Мое ощущение, что Эйзенштейн повлиял на Одена более или менее впрямую. Ведь что такое Эйзенштейн, вообще русский кинематограф того периода? Это замечательное обращение с монтажом, Эйзенштейном подхваченное, в свою очередь, у поэзии. И если взглянуть, чем Оден отличается от других поэтов, окажется — именно техникой монтажа. Оден — это монтаж, в то время как Пабло Неруда — это коллаж.

Волков: В разговоре о советском кино Спендер особо выделял то, что он называл «поэтическим символизмом»: изображение тракторов, паровозов, заводских труб... А вас не удивляли левые взгляды Одена?

Бродский: К моменту нашего с ним знакомства от этих взглядов не осталось камня на камне. Но я понимаю, что происходило в сознании западных либералов об ту пору, в тридцатые годы. В конце концов, невозможно смотреть на существование, на человеческую жизнь, и быть довольным тем, что видишь. В любом случае. И когда тебе представляется, что существует средство...

Волков: Альтернатива...

Бродский: Да, альтернатива, — ты за нее хватаешься, особенно по молодости лет. Просто потому, что совесть тебя мучает: «что же делать?» Но поэт отказывается от политических решений какой бы то ни было проблемы быстрее других. Вот и Оден отошел от марксизма чрезвычайно быстро: думаю, что он серьезно относился к марксизму на протяжении двух или трех лет.

Волков: Кажется, Ахматова однажды высказалась довольно иронически на тему флирта западных интеллектуалов с коммунизмом?

Бродский: Да, как-то мы с Анатолием Найманом обсуждали в ее присутствии следующую тему: что вот-де какие замечательные американские писатели, как они понимают про жизнь и существование, какая в них твердость, сдержанность и глубина. Все как полагается. И между тем все они, когда выводят героя с левыми симпатиями, дают колоссальную слабину. Да?

Волков: Хемингуэй в «Пятой колонне»...

Бродский: Ну чего там говорить про Хемингуэя. Но вот даже Фолкнер, который самый из них приличный...

Волков: Да, у него тоже эта Линда Сноупс...

Бродский: На что Ахматова заметила: «Понять, что такое коммунизм, может только тот человек, который живет в России и ежедневно слушает радио».

Волков: Оден спрашивал о вашем советском опыте: суд, ссылка на Север и прочее?

Бродский: Он задал несколько вопросов по этому поводу. Но я как человек светский (или, может быть, у меня неверное представление о светскости?) на эту тему предпочитаю особо не распространяться. Человек не должен позволять себе делать предметом разговора то, что как бы намекает на исключительность его существования.

Волков: Опишите дом Одена в Кирхштеттене.

Бродский: Это был двухэтажный дом. Оден жил там со своим приятелем, Честером Каллманом, и с экономкой-австриячкой. В доме была потрясающая кухня — огромная, вся заставленная специями в маленьких бутылочках. Настоящая кухонная библиотека.

Волков: Говорят, там был невероятный беспорядок — повсюду валялось грязное белье, старые газеты, остатки еды?

Бродский: Нет, это все художественная литература. Некоторый хаос наличествовал, но белье нигде не валялось. Собственно, наверху я не был, в спальню мне было совершенно незачем ходить. В гостиной было довольно много книг; на стенах — рисунки, среди них очень хороший портрет Стравинского.

Волков: Если не ошибаюсь, Оден сильно вам помог в первые дни на Западе?

Бродский: Он пытался организовать, устроить все мои дела. Добыл для меня тысячу долларов от American Academy of Poets, так что на первое время у меня были деньги. Каким-то совершенно непостижимым образом телеграммы для меня стали приходить на имя Одена. Он пекся обо мне как курица о своем цыпленке. Мне колоссально повезло. И кончилось это тем, что через две недели после моего приезда в Австрию мы сели в самолет и вместе полетели в Лондон, на фестиваль «Poetry International», где мы вместе выступали, и даже остановились вместе, у Стивена Спендера. Я прожил там пять или шесть дней. Оден спал на первом этаже, я — на третьем.

Волков: Как выглядел рядом с Оденом Спендер?

Бродский: Дело в том, что их отношения сложились давным-давно, и Спендер всегда находился в положении, как бы сказать — младшего? Видимо, Спендером самим так было установлено с самого начала. И как бы ясно было, что Уистен — существо более значительное. Да? В этом, между прочим, колоссальная заслуга самого Спендера. Потому что признать чье бы то ни было превосходство, отказаться от соперничества — это акт значительной душевной щедрости. Спендер понял, что Уистен — это дар ему.

Волков: После смерти Одена все расспрашивали Спендера о нем... Он даже был вынужден доказывать, что Оден не затаскивал его в свою кровать.

Бродский: Да, я знаю, в «The Times Literary Supplement». Я понимаю, что Стивен несколько устал от этой навязанной ему роли — оденовского конфиданта, знатока и комментатора. В конце концов, Спендер — крупный поэт сам по себе.

Волков: После Кирхштеттена и Лондона летом 1972 года, когда вы увидели Одена в следующий раз?

Бродский: Рождество 1972 года я провел в Венеции, а обратный путь в Америку пролегал через Париж и Лондон. Будучи в Лондоне, я позвонил Одену, который в то время жил в Оксфорде. Я приехал к нему в Оксфорд, мы много разговаривали. После чего я увидел Одена уже только следующим летом, на «Poetry International-1973» в Лондоне. И той же осенью он умер. Это было для меня сильным потрясением.

Волков: Вы ощущали Одена как отца?

Бродский: Ни в коем случае. Но чем дольше я живу, чем дольше занимаюсь своей профессией, тем более и более реальным для меня становится этот поэт. Тем в большей степени я впадаю в некоторую зависимость от него. Я имею в виду зависимость не стилистическую, а этическую. Влияние Одена я могу сравнить с влиянием Ахматовой. Примерно в той же степени я находился — или по крайней мере оказался — в зависимости от Ахматовой, от ее этики. Иначе, впрочем, и быть не могло, потому что по тем временам я был совершенно невежественный вьюнош. То есть с Ахматовой, если вы ничего не слышали о христианстве, то узнавали от нее, общаясь с нею. Это было влияние, прежде всего, человеческое. Вы понимаете, что имеете дело с хомо сапиенс, то есть не столько с «сапиенс», сколько с «деи». Да? Если говорить о том, кого я нашел и кого потерял, то я бы назвал трех: Анна Андреевна, Оден и Роберт Лоуэлл. Лоуэлл был, конечно, несколько в другом ключе. Но между этими тремя есть нечто общее.

Волков: Я давно хотел расспросить вас о Лоуэлле...

Бродский: Я знал его относительно давно. Мы познакомились с ним в 1972 году на том же «Poetry International», на который меня привез Оден. Лоуэлл вызвался читать мои стихи по-английски. Что было с его стороны чрезвычайно благородным жестом. И тогда же пригласил приехать к нему в гости в Кент, где он тем летом отдыхал. Моментально возникло какое-то интуитивное понимание. Но нашей встрече помешала одна штука. Дело в том, что к тому моменту я был довольно сильно взвинчен и утомлен всеми этими перемещениями: Вена, Лондон, переезд с одной квартиры на другую. Поначалу тобою владеет ощущение — не то чтобы жадности, не то чтобы боязни — как бы все это не кончилось... Но стараешься все понять и увидеть *сразу*. Да? И поэтому все смешивается в некоторый винегрет. Я помню, как я приехал на вокзал Виктория, чтобы отправиться к Лоуэллу и, увидев расписание поездов, вдруг совершенно растерялся. Перестал что-либо соображать. И я не то чтобы испугался мысли, что вот куда-то еще надо ехать, но... Сетчатка была переутомлена, наверное, и я с некоторым ужасом подумал еще об одной версии пространства, которая сейчас передо мной развернется. Вы, вероятно, представляете себе, что это такое...

Волков: О да! Это ощущение ужаса и неуверенности в том...

Бродский: Что же происходит за углом, да? В общем, я просто позвонил Лоуэллу с вокзала и попытался объяснить, почему я не могу приехать. Попытался изложить все эти причины. Но тут монеты кончились; разговор прервался.

Лоуэлл потом мне говорил: он решил, что это Уистен уговорил меня не ехать, поскольку между Лоуэллом и Оденом существовала некоторая напряженность. Ничего подобного! Уистен даже не знал, что я собираюсь встретиться с Лоуэллом. Но эта реакция Лоуэлла проливает свет на то, каким он был человеком. Не то чтобы он был закомплексован, но не очень уверен в себе. Конечно, это касается чисто человеческой стороны, потому что как поэт Лоуэлл знал себе цену весьма хорошо. На этот счет у него заблуждений не было. Если не считать Одена, то я не встречал другой более органичной фигуры в писательском смысле. Лоуэлл мог писать стихи при любой погоде. Я не думаю, что у него бывали периоды, когда оно...

Волков: Пересыхало...

Бродский: Да. То есть, вероятно, это с ним происходило, как со всеми нами время от времени. Но я думаю, это не так мучило Лоуэлла, как мучило большинство его современников — Дилана Томаса, Джона Берримана, Сильвию Плат. На мой взгляд, именно эти мучения и привели Берримана и Плат к самоубийству, а вовсе не алкоголизм или депрессия. Лоуэлл был чрезвычайно остроумный человек, причем один из самых замечательных собеседников, которых я знал. Как я уже говорил, Оден был абсолютно монологичен. Когда я думаю о Лоуэлле, то вспоминаю всякий раз его — не то чтобы сосредоточенность на собеседнике, но огромное внимание к нему. Выражение лица чрезвычайно доброжелательное. И ты понимаешь, что говоришь не стенке, не наталкиваясь на какие-то идиосинкразии, а человеку, который слушает.

Волков: А в общении с Оденом такое ощущение не возникало?

Бродский: С Оденом ситуация была несколько иная. Когда я приехал, мой английский был в зачаточном или скорее противозачаточном — если учитывать тогдашние шансы русского человека когда-либо им воспользоваться — состоянии. И я даже несколько удивляюсь тому терпению, которое проявлял Оден ко всем моим грамматическим выкрутасам. Я в состоянии был задать несколько вопросов и выслушивать ответы. Но сформулировать свою собственную мысль так, чтобы не было стыдно... К тому же надо учитывать чисто придаточное качество русского мышления, от чего к тому времени я просто был не в состоянии, разговаривая, отделаться. Да? С Лоуэллом получилось по-другому.

После встречи в 1972-м мы с ним не виделись до 1975 года. Была дружественная переписка, носившая скорее общий характер. В 1975 году я преподавал в Смитколледже. Вдруг раздается звонок из Бостона от Лоуэлла. Он пригласил меня к себе, наговорив при этом — тут же, по телефону — массу комплиментов (полагаю, впервые взял в руки мою книжку).

Опять случился комический эпизод, потому что я приехал к Лоуэллу на наделю раньше или позже, чем было условлено. Уже не помню. Но разговоры с Лоуэллом — это было потрясающе! О Данте, например, со времен бесед с Анной Андреевной мне до 1975 года, то есть до встречи с Лоуэллом, так и не удавалось ни с кем поговорить. «Божественную комедию» он знал так, как мы знаем «Евгения Онегина». Для него это была такая же книга, как и Библия. Или как «Майн кампф», между прочим.

Волков: Странное сочетание любимых книг...

Бродский: Это сложная история. Дело в том, что Лоуэлл, будучи во время Второй мировой войны призванным в армию, отказался от воинской службы. Он был убежденным пацифистом. И был за это подвергнут какому-то номинальному наказанию, сколько-то отсидел.

Но когда война окончилась, то выяснилось, что, хотя иметь пацифистские убеждения — это благородно, но с другой стороны — фашизм был как раз тем злом, с которым действительно бороться следовало. (И многие соотечественники Лоуэлла отправились на фронт и воевали; кто вернулся, а кто и погиб.) Видимо, Лоуэлл при всей своей принципиальности почувствовал себя неуютно. И, как я догадываюсь, решил изучить фашизм более пристально, получить информацию как бы из первых рук. Так он прочел «Майн кампф». Я думаю, именно вульгарность сознания, Гитлеру присущая, произвела впечатление на Лоуэлла. Эта вульгарность обладает собственной поэтикой. Мне это приходило в голову. Дело в том, что во всяком жлобстве есть элемент истины; катастрофично как раз это обстоятельство. Добавьте к этому заявление Одена, сделанное им году примерно в 35—36-м, что все дело не в Гитлере, а в том, что Гитлер — внутри любого из нас. Изучение «Майн кампф» соединилось у Лоуэлла со склонностью к депрессии. Он страдал формой маниакально-депрессивного психоза, который, впрочем, никогда не принимал лютого выражения. Но приступы эти были чрезвычайно регулярны. Минимум раз в год он оказывался в лечебнице. И каждый раз, когда Лоуэлл делал что-либо, что было ему, как говорится, против шерсти, когда наступали эти маниакальные периоды, он показывал знакомым в качестве своей любимой книги — «Майн кампф». Это был сигнал того, что Лоуэлл «выпадает».

Я думаю, что в состоянии подавленности Лоуэлл идентифицировал себя — до известной степени — с Гитлером. Подоплека этого чрезвычайно проста: мысль о том, что я — дурной человек, представитель зла. Да? На самом деле такая мания куда более приемлема, чем когда человек отождествляет себя с Христом или Наполеоном. Гитлер — это куда более правдоподобно, я считаю.

Волков: Вам не кажется, что это все-таки свидетельствует о некоторой психологической и, быть может, интеллектуальной распущенности?

Бродский: Вероятно, это так. Лоуэлл обладал примечательной интуицией. Интеллектуальная распущенность — когда ты не обращаешь внимания на детали, а стремишься к обобщению — присуща до известной степени всем, кто связан с литературой. Особенно это касается изящной словесности. Ты стараешься формулировать, а не растекаться мыслию по древу. Это свойственно и мне, и другим. Ну, в моем случае, это, может быть, просто еврейская местечковая тенденция к обобщению. Не знаю. Формулировки Лоуэлла были замечательные. И что мне в нем еще нравилось: он был стопроцентный американец. В образованных американцах меня раздражает этот комплекс неполноценности по отношению к Европе. Эзра Паунд или кто-нибудь другой сбегает в Европу и оттуда начинает кричать, что все американцы — жлобы. На меня это производит столь же дурное впечатление, как вульгарные проявления западничества в России. Дескать, сидим мы как свиньи и лаптем щи хлебаем, в то время как за границей существуют Жан-Жак Руссо и, скажем...

Волков: Бруклинский мост...

Бродский: Все, что угодно, да? В Лоуэлле этого совершенно не было.

Волков: Если исходить из привычных норм общения, то Лоуэлл был, видимо, не самым простым собеседником. То же касается и Одена. Я читал, что Оден вечерами бывал так пьян, что не воспринимал никакой информации. Спендер говорил, что ближе к старости Оден часто забывал все, что говорилось ему после шести часов вечера.

Бродский: Дело, может быть, было в качестве информации... Главное, Оден ложился в девять часов спать. Вот в это время подходить к нему было бессмысленно. Насколько я знаю, он всю жизнь соблюдал своеобразный режим. Вставал довольно рано и, я думаю, первый свой мартини выпивал примерно в полдень. Я его помню об это время — в одной руке рюмка, в другой — сигарета. После ланча Оден ложился спать. Просыпался, если не ошибаюсь, часа в три. И тогда начинался вечерний цикл.

Волков: При этом Оден был довольно-таки плодовит: стихи, критическая проза, пьесы...

Бродский: Я думаю, этот поэт потерял времени меньше, чем кто-либо. Он еще умудрялся невероятно много читать! То есть можно сказать, что вся жизнь Одена сводилась к сочинению, чтению и к мартини между. Всякий раз, когда я с ним разговаривал, первое, о чем заходила речь: что я читал, что читал он.

Волков: Было ли для вас проблемой то, что Оден — гомосексуалист?

Бродский: По самому началу (при всем том, что я о нем знал и читал) этого я не знал. А когда узнал, на меня это не произвело ни малейшего впечатления. Даже наоборот: я воспринял это как дополнительный повод к отчаянию, у него существовавший. Дело в том, что поэт всегда в той или иной степени обречен на одиночество. Это деятельность такая, при которой помощников просто не имеется. И чем дальше ты этим занимаешься, тем больше отделяешься ото всех и вся.

К тому времени я достаточно знал историю изящной словесности, чтобы понять, что поэт обречен на существование не самое благополучное. Особенно в личном смысле. Бывали исключения. Но мы чрезвычайно редко слышим о счастливой семейной жизни автора, будь то поэт русский или англоязычный. Оден на меня производил впечатление очень одинокого человека. Я думаю, что чем лучше поэт, тем страшнее его одиночество. Тем оно безнадежнее...

Волков: Тотальнее...

Бродский: Совершенно верно, очень точное слово. Конечно же Оден был тотально одинок. И в конечном счете, все сердечные привязанности Одена суть плоды этого одиночества.

Волков: Сам Оден в разговоре с вами никогда не касался этой темы?

Бродский: Нет, нет. Во-первых, я думаю, что если бы он даже и заговорил об этом, то мой английский об ту пору был настолько неадекватен, что никакой сколько-нибудь содержательной беседы не получилось бы. Да? Во-вторых, Оден принадлежал — просто уж по возрасту — к иной школе. Это гомосексуализм, окрашенный викторианством; совсем другой сорт...

Волков: Английской школы...

Бродский: Если угодно, да. Но здесь еще более важным является следующий принцип: независимо от того, гомосексуалист ты или нет, твои личные дела, твоя сексуальная жизнь не являются предметом всеобщего достояния и барабанного боя. Меня совершенно выводит из себя, когда, например, литературоведы посвящают свою жизнь доказательству того, что Альбертина у Пруста—на самом-то деле Альберт. Это не литературоведение, а процесс, обратный творчеству. В частности, творчеству исследуемого писателя. Расплетание ткани. Представьте себе! Литератор сплел все это кружево, скрывая некоторый факт. Сокрытие зачастую есть источник творчества. Форма созидания, если угодно. Автор как бы набросил вуаль на лицо. И тот, кто расплетает это кружево, раскрывает всю эту сложную фабрику, занимается делом, прямо противоположным творческому процессу. Если угодно, это сожжение книги; ничуть не лучше.

Что касается Одена, то мы знаем, что поедание всякого запретного плода сопряжено с чувством вины. И это продолжающееся чувство вины—как и самое творчество, о чем мы уже говорили — приводит, как это ни парадоксально, к невероятному нравственному развитию индивидуума. Это развитие, приводящее к более высокой степени душевной тонкости.

Я думаю, гомосексуалисты зачастую куда более нюансированные психологически существа, нежели гетеросексуалы. Такое встречается очень часто. И когда все это переплетается с таким уникальным лингвистическим даром, как, например, оденовский, — вот тогда вы действительно имеете дело с человеком, реализовавшим все свои возможности — на предмет душевной тонкости.

Волков: Вы затронули, в связи с Оденом, важную тему — нужно ли читателю знать о жизни автора? Важна ли эта жизнь? Правда ли, что жизнь и стихи никак не связаны? Начиная с романтической эпохи, между жизнью поэта и его стихами иногда очень трудно провести грань: посмотрите на Байрона, Новалиса или Лермонтова. Разве можно представить себе ценителя пушкинской поэзии, который не знал бы деталей личной жизни Пушкина? Эта жизнь — пушкинское творчество в не меньшей степени, чем «Медный всадник».

Бродский: Романтизм повинен в том, что сложилась бредовая ситуация, которую явно бессмысленно обсуждать или анализировать. Конечно, когда мы говорим «романтический герой», то это вовсе не Чайльд Гарольд, не Печорин. На самом деле — это сам поэт. Это Байрон, Лермонтов. Оно, конечно, прекрасно, что они так жили, но ведь чтобы эту традицию поддерживать, требуется масса вещей: на войну пойти, умереть рано, черт знает что еще! Ибо при всем разнообразии жизненных обстоятельств автора, при всей их сложности и так далее, вариации эти куда более ограничены, нежели продукт творчества. У жизни просто меньше вариантов, чем у искусства, ибо материал последнего куда более гибок и неистощим. Нет ничего бездарней, чем рассматривать творчество как результат жизни, тех или иных обстоятельств. Поэт сочиняет *из-за* языка, а не из-за того, что «она ушла». У материала, которым поэт пользуется, своя собственная история — он, материал, если хотите, и есть история. И она зачастую с личной жизнью совершенно не совпадает, ибо — обогнала ее. Даже совершенно сознательно стремящийся быть реалистичным автор ежеминутно ловит себя, например, на том, что «стоп: это уже было сказано». Биография, повторяю, ни черта не объясняет.

Волков: Но не кажется ли вам, что отношение самих поэтов к этой проблеме — по меньшей мере двойственное? Возьмем того же Одена, который тоже часто декларировал, что чтение биографий ничего в понимании данного литератора не проясняет. Он призывал не составлять его, Одена, биографию и уговаривал друзей уничтожить адресованные им письма. Но с другой стороны, этот же Оден, рецензируя английское издание дневников Чайковского, писал, что нет ничего интереснее, чем читать дневник друга. А посмотрите на Одена-эссеиста! С каким явным удовольствием он разбирает биографии великих людей! Он наслаждается, выудив какую-нибудь вполне приватную, но выразительную деталь. И разве это не естественное чувство?

Бродский: Вы знаете, почему Оден был против биографий? Я об этом думал; недавно мы толковали об этом с моими американскими студентами. Дело вот в чем: хотя знание биографии поэта само по себе может быть замечательной вещью, особенно для поклонников того или иного таланта, но это знание зачастую вовсе не проясняет содержание стихов. А может и затемнять. Можно повторить обстоятельства: тюрьма, преследование, изгнание. Но результат — в смысле искусства — неповторим. Не один Данте ведь был изгнан из Флоренции. И не один Овидий из Рима.

Волков: Извините, но я в этой двойственной позиции Одена вижу только одно: его нежелание...

Бродский: Чтобы кто-нибудь копался в *моей* жизни, да? Да нет, если хотите читать биографии, читайте! Пусть себе пишут, это их дело, десятое. Меня занимает позиция самого литератора. Они все, в общем-то, еще при жизни воспринимают себя в посмертном свете. Все мы начинали с чтения биографий великих людей, все мы думали, что они — это мы. Да? Опасность в том, что в какой-то момент биография и творчество перехлестываются в сознании самого поэта; осуществляется некая самомифологизация. Вот у Одена этого совершенно не было. Другой пример — Чеслав Милош. Недавно он выступал в Нью-Йорке с чтением своих стихов, и кто-то из аудитории задал ему вопрос: «Как, по-вашему, будут развиваться события в Польше?» Милош ответил: «Вы во власти романтического заблуждения. Вы отождествляете поэта с пророком. Но это вещи разные». Конечно, поэт может предсказать нечто, и это сбудется...

Волков: Андрей Белый предсказал появление атомной бомбы...

Бродский: Заниматься предсказаниями такого рода — не дело поэта. Об этом хорошо говорил Оден: можно написать «завтра пойдет дождь». Есть даже вероятность, что так оно и будет. Но на самом деле поэту просто надо было срифмовать слова «завтра» и «скорбь» (по-английски, как вы знаете, они рифмуются).

Волков: С этим можно согласиться. С чем согласиться нельзя, так это со стремлением автора отгородить свою биографию от своего творчества. Другое дело, коли современное творчество было бы анонимным, как в древности. Мы ничего не знаем о личной жизни Гомера. Романтизм сделал подобное невозможным, раз и навсегда. Поэт проживает свою жизнь как одно из самых важных своих произведений. Иногда не различишь, что для читателя важнее: жизнь поэта или его стихи. Парадоксально, но нечто подобное происходит на наших глазах с Оденом. Он просил не писать о нем; в ответ биографии Одена выходят одна за другой. Один критик заметил, что скоро больше читателей будет получать удовольствие от историй об Одене, нежели от его стихов.

Бродский: Вероятно, ибо по́шло... На самом деле это совершенно естественная ситуация. И возникла она по одной простой причине: Оден был замечательный афористический мыслитель. Думаю, таких нынче уж нет. И потому мнения, которые Оден высказывал (а зачастую и просто ронял), обладают, на мой взгляд, не меньшей ценностью, чем его поэтическое творчество.

Волков: Конечно! Мы приходим к выводу, что жизнь Одена, его облик обладают, очевидно, эстетической ценностью. Оден создал «миф об Одене», в котором весь он: греческий киник со своими глубокими морщинами, алкоголизмом, грязными ногтями...

Бродский: Этого я за ним не замечал!

Волков: Что ж, это и есть миф. Оставим читателям оденовских биографий «их» Одена...

Бродский: Вы знаете, интерес к биографиям — и, в частности, к биографиям поэтов — зиждится на двух обстоятельствах. Во-первых, биография — это последний бастион реализма. Да? В современной прозе мы все время сталкиваемся со сложной техникой: тут и поток сознания, и его разорванность, и так далее. Единственный жанр, в котором обыватель...

Волков: Читатель...

Бродский: Это синоним... в котором он еще может найти связное повествование от начала до конца — глава первая, вторая, третья — это биография. Во-вторых, в нашем секуляризованном обществе, где церковь утратила всякий авторитет, где к философам почти не прислушиваются, поэт видится как некий вариант пророка. Обывателем...

Волков: Читателем...

Бродский: ...поэт рассматривается как единственно возможное приближение к святому. Общество навязывает поэту роль святого, которую он играть совершенно не в состоянии. Оден тем и привлекателен, тем и хорош, что он от этой роли все время отбрыкивался.

Волков: Но в итоге сыграл ее, как видим, блестяще — быть может, лучше, чем любой из его современников.

Бродский: Совершенно верно. Но я думаю, эту роль навязало ему не общество и не читатели, а время. И поэтому не важно, в конце концов, отказывался ли он от этой роли.

Волков: С этим я согласен. Время создает из автора персонаж истории, хочет он того или нет.

Бродский: Дело обстоит не совсем так. Время уподобляет человека самому себе. Возрождение создало образ деятельного человека, который в дальнейшем был развит Просвещением и эпохой романтизма. И, замечу я, идеал деятельного человека — независимо от рода этой деятельности — чреват дурными последствиями. Потому что за деятельностью приходит идея последовательности, одна из самых губительных. Скажем, последовательный вариант коммунизма или фашизма — это концлагерь. Последовательно проведенная религиозная идея оборачивается догмой. И так далее. Но я-то говорю не о времени в человеческом восприятии, не об исторических периодах. На самом деле я имею в виду время в метафизическом смысле, со своим собственным лицом, собственным развитием. Время к вам поворачивается то той стороной, то этой; перед нами разворачивается *материя* времени.

Одно из самых грандиозных суждений, которые я в своей жизни прочел, я нашел у одного мелкого поэта из Александрии. Он говорит: «Старайся при жизни подражать времени. То есть старайся быть сдержанным, спокойным, избегай крайностей. Не будь особенно красноречивым, стремись к монотонности». И он продолжает: «Но не огорчайся, если тебе это не удастся при жизни. Потому что когда ты умрешь, ты все равно уподобишься времени». Неплохо? Две тысячи лет тому назад! Вот в каком смысле время пытается уподобить человека себе. И вопрос весь в том, понимает ли поэт, литератор — вообще человек — с чем он имеет дело? Одни люди оказываются более восприимчивыми к тому, чего от них хочет время, другие — менее. Вот в чем штука.

Волков: Я часто вспоминаю о письме Пушкина, в котором он отвечает князю Вяземскому: тот сокрушался об утрате записок Байрона. Пушкина прорвало: «Толпа жадно читает исповеди, записки, etc., потому что в подлости своей радуется унижению высокого, слабостям могущего. При открытии всякой мерзости она в восхищении. Он мал, как мы, он мерзок, как мы! Врете, подлецы: он и мал и мерзок — не так, как вы — иначе». И одновременно Пушкин говорит про поэта: «И меж детей ничтожных мира, быть может, всех ничтожней он». Вам не кажется, что здесь налицо то же противоречие, что и в позиции Одена? То есть с одной стороны Пушкин настаивает на том, что поэт *всегда*, во всех своих житейских проявлениях выше толпы, которая нс смеет совать нос в его жизнь; с другой же стороны, пытается закрепить за поэтом право в быту быть самым ничтожным из ничтожных — «пока не требует поэта к священной жертве Аполлон». За всем этим стоит, как мне кажется, одно: стремление оградить свою частную жизнь от общественного суда, оставаясь при этом лицом публичным. Это невозможно; это нечестно, наконец!

Бродский: Это и так, и не так. На самом деле все гораздо интереснее. Почему, если поэт и мерзок, то не так, как все? Да потому, что поэт постоянно имеет дело со временем. Что такое стихотворение, вообще стихотворный размер? Как и любая песнь, это — реорганизованное время. Птичка поет — что это такое? Реорганизация ритма. А откуда ритм? Кто отец — или мать — ритма? Вот. И поэт все время имеет с *этим* дело! И чем поэт технически более разнообразен, тем более непосредствен его контакт с источником ритма. Да? Хочет он того или не хочет. Если уж мы говорим об Одене, то более разнообразного поэта — в ритмическом отношении — нет. Отсюда естественно, что Оден сам становится более или менее — ну, не знаю, назовите это временем.

Волков: Значит, вы считаете, что земное существование поэта очищается благодаря соприкосновению с ритмом, со временем?

Бродский: Когда мы произносим слово «очищение», то сразу привносим качественную категорию. На самом деле речь идет не об очищении. Очищение от чего — от жизни, что ли? Сейчас часто употребляется слово «отстранение». Вот это-то и происходит. Отстранение от клише.То есть почему, скажем, Оден такой замечательный поэт? Особенно поздний Оден, которого многие не любят? Потому что он достиг нейтральности звука, нейтральности голоса. Эта нейтральность дорого дается. Она приходит не тогда, когда поэт становится объективным, сухим, сдержанным. Она приходит, когда он сливается со временем. Потому что время — нейтрально. Субстанция жизни — нейтральна.

Волков: Представим себе русского любителя поэзии, который стихов Одена никогда не видел. Для того, чтобы фигура Одена стала такому читателю понятнее и ближе, я хотел бы, чтобы вы провели параллель между Оденом и близкими к нему русскими поэтами.

Бродский: Это довольно трудно: любая параллель приблизительна...

Волков: Условимся, что такая параллель будет не целью, а средством, инструментом.

Бродский: Если только как инструмент... Тогда я назвал бы Алексея Константиновича Толстого и позднего Заболоцкого.

Волков: Вот неожиданное сближение! А ведь и вправду, Алексей Константинович Толстой был в числе родоначальников русского абсурдизма!

Бродский: Да, совершенно верно. Замечательный был господин. Но я напоминаю, что эта параллель — исключительно стилистическая, просто намек на какие-то стилистические особенности.

Волков: Почему, говоря об Одене, вы вспоминаете именно позднего Заболоцкого?

Бродский: Я думаю, что поздний Заболоцкий куда более значителен, чем ранний.

Волков: Я не ожидал такой оценки...

Бродский: Тем не менее... Вообще Заболоцкий — фигура недооцененная. Это гениальный поэт. И, конечно, сборник «Столбцы», поэма «Торжество земледелия» — это прекрасно, это интересно. Но если говорить всерьез, это интересно как этап в развитии поэзии. Этап, а не результат. Этот этап невероятно важен, особенно для пишущих. Когда вы такое прочитываете, то понимаете, как надо работать дальше.

На самом деле, творчество поэта глупо разделять на этапы, потому что всякое творчество — процесс линейный. Поэтому говорить, что ранний Заболоцкий замечателен, а поздний ровно наоборот — это чушь. Когда я читаю «Торжество земледелия» или «Ладейникова», я понимаю: дальше мне надо бы сделать то или это. Но прежде всего следует посмотреть, что же сделал дальше сам Заболоцкий! И когда я увидел, что сделал поздний Заболоцкий, это потрясло меня куда сильнее, чем «Столбцы».

Волков: Чем же вас потрясла «Некрасивая девочка»?

Бродский: Почему же именно «Некрасивая девочка»? Вот послушайте:

> *В этой роще березовой,*
> *Вдалеке от страданий и бед,*
> *Где колеблется розовый*
> *Немигающий утренний свет...*

Вот музыка! Вот дикция! Или другое стихотворение, такого хрестоматийного пошиба — «В очарованье русского пейзажа...» Или более раннее стихотворение:

> *Железный Август в длинных сапогах*
> *Стоял вдали с большой тарелкой дичи.*
> *И выстрелы гремели на лугах,*
> *И в воздухе мелькали тельца птичьи.*

Посмотрите, как замечательно прорисован задний план! Это дюреровская техника. Я думаю, самые потрясающие русские стихи о лагерях, о лагерном опыте принадлежат перу Заболоцкого. А именно, «Где-то в поле, возле Магадана...»

Волков: Да, это очень трогательные стихи.

Бродский: Трогательные — не то слово. Там есть строчка, которая побивает все, что можно себе в связи с этой темой представить. Это очень простая фраза: «Вот они и шли в своих бушлатах — два несчастных русских старика». Это потрясающие слова. Это та простота, о которой говорил Борис Пастернак и на которую он — за исключением четырех стихотворений из романа и двух из «Когда разгуляется» — был все-таки неспособен. И посмотрите, как в этом стихотворении Заболоцкого использован опыт тех же «Столбцов», их сюрреалистической поэтики:

> *Вкруг людей посвистывала вьюга,*
> *Заметая мерзлые пеньки.*
> *И на них, не глядя друг на друга,*
> *Замерзая, сели старики.*

Не глядя друг на друга! Это то, к чему весь модернизм стремится, да никогда не добивается.

Волков: Но поздний Заболоцкий, в отличие от раннего, был способен написать — и опубликовать — стихотворение возмутительно слабое. Я подбираю для себя маленькую антологию «Русские стихи о Венеции». И, я думаю, в этой подборке стихи Заболоцкого о Венеции — самые скверные. Их можно было бы в «Правде» напечатать: Венеция во власти американских туристов, контрасты богатства и нищеты. Какая-то стихотворная политинформация...

Бродский: Это понятно. Мне лично кажется, что плохие стихи Заболоцкого — это признак его подлинности. Хуже, когда все замечательно. Кстати, я таких случаев и не знаю. Быть может, один Пастернак.

Волков: А военные стихи Пастернака?

Бродский: Да... Но его спасает дикция. Мандельштам — масса провалов. О Цветаевой и говорить не приходится, особенно по части дурновкусия. Хотя, конечно, наиболее безвкусный крупный русский поэт — это Блок. Да нет, у всех есть провалы, и слава Богу, что есть. Потому что это создает какой-то масштаб. Да и вообще, если поэт развивается, провалы неизбежны. Боязнь провалов сужает возможности поэта. Пример: Т. С. Элиот. Кстати, я заметил, что советские поэты особенно склонны подчиниться тому образу, который им создается. Не ими, а им! Скажем, Борис Слуцкий, которого я всегда считал лучше всех остальных, — какое количество печальных глупостей он наделал и натворил, вписываясь в свой образ мужественного поэта и мужественного политработника. Он, например, утверждал, что любовной лирики мужественный человек писать не должен. И из тех же мужественных соображений исходя, утверждал, что печатает стихи, по его же собственным словам, «первого и тридцать первого сорта». Лучше б он тридцать первого этого сорта вовсе не сочинял! Но, видимо, разносортица эта неизбежна — у большого поэта во всяком случае. И вполне вероятно, что сокрытие ее Слуцкий считал позерством.

Волков: Оден в эссе о Стравинском говорит, что именно эволюция отличает большого художника от малого. Взглянув на два стихотворения малого поэта, нельзя сказать — какое из них было написано раньше. То есть, достигнув определенного уровня зрелости, малый художник перестает развиваться. У него больше нет истории. В то время как большой художник, не удовлетворяясь достигнутым, пытается взять новую высоту. И только после его смерти возможно проследить в его творчестве некую последовательность. Более того (добавляет Оден), только в свете последних произведений большого художника можем мы как следует оценить его ранние опусы.

Бродский: Господи, конечно же! Совершенно верно! Знаете, как это делали японцы? У них вообще более здоровое отношение к вопросам творческой эволюции. Когда японский художник достигает известности в какой-то манере, он просто меняет манеру, а вместе с ней и имя. У Хокусая, по-моему, было почти тридцать разных периодов.

Волков: Хокусай зато и прожил почти сто лет... А что вы думаете о поздних оденовских редакциях своих ранних стихотворений? Во многих случаях они радикально отличаются от первоначальных вариантов.

Бродский: Мне чрезвычайно жалко, что Оден этим занялся. Но в конце концов, для нас эти редакции не являются окончательными. Это ревизии, которые так и остались лишь ревизиями. Правда, есть случаи, когда вмешательство Одена приводило к значительному улучшению текста.

Волков: Какова была бы ваша текстологическая позиция при издании «академического» Одена?

Бродский: Как правило, я предпочитаю его первоначальные варианты. Но разбираться пришлось бы от стихотворения к стихотворению. Поскольку, как я уже сказал, для некоторых из стихов Одена ревизии, в общем, можно считать оправданными.

Волков: Как вы относитесь к тем изменениям, которые на склоне лет вносил в свои ранние произведения Пастернак?

Бродский: Как правило, эти изменения прискорбны. То, что он этим занялся, заслуживает всяческого сожаления. Почти без исключений.

Волков: В свои поздние годы Заболоцкий, как известно, тоже радикально переработал «Столбцы» и другие ранние стихотворения. Вдобавок он самолично составил «окончательный» свод своих опусов. Я вижу, вы отрицательно относитесь к ревизиям у других поэтов. Исправляете ли вы собственные тексты?

Бродский: Во-первых, нужно дожить до возраста Пастернака или Заболоцкого. Во-вторых, я просто не в состоянии перечитывать свои стихи. Просто физически терпеть не могу того, что сочинил прежде, и вообще стараюсь к этому не притрагиваться. Просто глаз отталкивается. То есть я даже не в состоянии дочитать стихотворение до конца. Действительно! Есть некоторые стихотворения, которые мне нравятся. Но их я как раз и не перечитываю; у меня какая-то память о том, что они мне нравятся. Я думаю, что за всю свою жизнь я перечитал старые свои стихи менее одного раза. Это, как говорят, его и погубит... Что касается «окончательной» редакции... Не думаю, что я когда-нибудь этим займусь. По одной простой причине: забот у меня и так хватает. Более того, когда видишь, что человек занялся ревизиями своих ранних опусов, всегда думаешь: «не писалось ему в тот момент, что ли?» В ту минуту, когда мне не пишется, я настолько нехорошо себя чувствую, что заниматься саморедактированием — просто не приходит в голову.

Волков: Оден был остроумным человеком?

Бродский: О, чрезвычайно! Это даже не юмор, а здравый смысл, сконцентрированный в таких точных формулировках, что когда ты их слышишь, это заставляет тебя смеяться. От изумления! Ты вдруг видишь, насколько общепринятая точка зрения не совпадает с реальным положением вещей. Или какую глупость ты сам только что наворотил.

Волков: Фрейд часто появляется — так или иначе — в стихах Одена. Вы с ним обсуждали Фрейда?

Бродский: Вы знаете, нет. И слава Богу, потому что произошел бы скандал. Как известно, Оден к Фрейду относился с большим воодушевлением, что и понятно. Ведь Оден был рационалистом. Для него фрейдизм был одним из возможных языков. В конце концов, всю человеческую деятельность можно рассматривать как некий язык. Да? Фрейдизм — один из наиболее простых языков. Есть еще язык политики. Или, например, язык денег: по-моему, наиболее внятный, наиболее близкий к метафизике.

Волков: То, что вы сказали относительно здравого смысла у Одена, напомнило мне одну вещь. Читая воспоминания об Одене, видишь, как часто к нему приходили — к поэту, к человеку внешне весьма эксцентричному — за житейским советом. Иногда это были люди, вполне далекие от литературы или искусства.

Бродский: То же самое, между прочим, происходило с Анной Андреевной Ахматовой. Куда бы она ни приезжала, начиналась так называемая «ахматовка». То есть люди шли косяками... За тем же самым.

Волков: Оден переехал в Америку из Англии, когда ему было тридцать два года, стал американским гражданином. Он очень любил Нью-Йорк, да и вообще к Америке относился, мне кажется, с большой нежностью. Вы все-таки считаете Одена английским поэтом?

Бродский: Безусловно. Если говорить о фактуре оденовского стиха, она, конечно, английская. Но с Оденом произошла замечательная трансформация: он еще и трансатлантический поэт. Помните, я говорил вам, что разговорный язык Одена был как бы трансатлантический? На самом деле тенденция к трансатлантизму, видимо, заложена в самом английском: это язык наиболее точный и — потому — имперский, как бы обнимающий весь мир. Оден к языку относился чрезвычайно ревностно. Думаю, что не последней из причин, приведшей его сюда, в Штаты, был — реализованный им в результате — лингвистический выигрыш. Он, видимо, заметил, что английский язык американизируется. Заметьте — в предвоенные и военные годы Оден усиленно осваивает, запихивает в свои стихи американские идиомы.

Волков: Не странно ли, что Оден при этом постоянно выступал против коррупции языка?

Бродский: Не все американизмы разлагают язык. Ровно наоборот. Американизмы могут быть немного вульгарны, но они, я считаю, очень выразительны. А ведь поэта всегда интересует наиболее емкая форма выразительности. Да? Для Одена, родившегося в Йорке и воспитанного в Оксфорде, Америка была подлинным сафари. Он действительно, как говорила Ахматова, брал налево и направо: из архаики, из словаря, из профессиональной идиоматики, из шуточек ассимилировавшихся национальных меньшинств, из шлягеров и тому подобных вещей.

Волков: Вам не кажется, что такому языковому раскрепощению способствовала более вольная атмосфера богемного Гринвич-Виллиджа, где Оден поселился?

Бродский: Я не знаю. Наверное, можно и так сказать. В начале-то был Бруклин.

Волков: Когда Оден в конце жизни уехал из Нью-Йорка и вернулся в Оксфорд, он — вероятно, неожиданно для себя — увидел, что Оксфорд совершенно не пригоден для существования. Вы не находите в этом иронии?

Бродский: Отчасти, да. Оден тосковал по Нью-Йорку чрезвычайно сильно. На круги своя возвращаешься не в том виде, в каком их покинул. У Экклезиаста про это, увы, ничего нет.

Волков: Он брюзжал. Брюзжание — старческая форма выражения тоски. Он устал от жизни.

Бродский: Может быть, вы и правы. Я могу сказать вот что. Когда человек меняет свое местожительство, он, как правило, руководствуется не абстрактными соображениями, а чем-то чрезвычайно конкретным. Когда Оден с Кристофером Ишервудом перебрались в Штаты, на то была вполне конкретная причина. В свою очередь, я хорошо помню резоны, которые Оден выдвигал для обоснования своего возвращения в Оксфорд. Оден говорил, что он человек пожилой. И, хотя он абсолютно, идеально здоров — что было в сильной степени преувеличением — тем не менее ему нужен уход. В Оксфорде Одену была предоставлена прислуга. Он жил в коттедже XV века — переоборудованном, конечно.

Разумеется, жизнь Одена в Оксфорде была другой — совершенно иной ритм, иное окружение. И действительно, Одену в Оксфорде было скучно. Но картина была грустной не только поэтому. Грустно было видеть, как с Оденом обращались его оксфордские коллеги. Я помню, мы с Оденом пошли на ланч в Месс-холл. И не то чтобы Одена его коллеги третировали, но им было совершенно на него наплевать — знаете, когда тебя оттирают от миски, от стола... Это такая английская феня: дескать, у нас академическое равенство. Но на самом-то деле — какое же это равенство? Есть люди гениальные, а есть — просто. И профессиональные академики это должны бы понимать. Думаю, они это так или иначе понимают. Так что на самом-то деле — это подлинная невоспитанность, подлинное неуважение. Ну это неважно...

Волков: Что думает об Одене американская молодежь? Например, ваши студенты?

Бродский: Как правило, американские студенты Одена не знают. Так, по крайней мере, дело обстоит сегодня. Либо у них о нем самые общие представления, навязанные доминирующими кликами или тенденциями. Дело в том, что Оден оказал невероятное влияние на современную американскую поэзию. Вся так называемая «исповедальная» школа вышла из него, они все — прямое следствие Одена, его дети в духовном смысле, а зачастую даже и в чисто техническом. Но никто этого не знает! И когда ты показываешь студентам — кто же отец их нынешних кумиров, а затем — кто отец Одена, то ты просто открываешь им сокровища. Когда я сюда, в Штаты, приехал, то поначалу у меня нервы расходились сильно. Я думал: в конце концов — кто я такой, как это я буду говорить американцам об ихней же литературе? Ощущение было, что я узурпирую чье-то место.

Потому что приехал-то я с представлением, будто здесь все все знают. И, в лучшем случае, я смогу им указать на какой-то странный нюанс, который мне, как человеку из России, открылся. То есть предложить как бы славянскую перспективу на англоязычную литературу. Да? Я думал, что мой взгляд, мой угол зрения может дать хотя бы боковую подсветку предмета. Но столкнулся я совсем с иной ситуацией. Говорю это не хвастовства ради, а ради наблюдения как такового: выяснилось, что я знаю об американской литературе и, в частности, об американской поэзии ничуть не меньше, чем большинство американских профессоров. Видите ли, мое знание этого предмета — качественно иное. Оно скорее активное: знание человека, которому все эти тексты дороги. Дороже, пожалуй, чем большинству из них. Поскольку моя жизнь — не говоря уже о мироощущении — была этими текстами *изменена*. А с таким подходом к литературе американские студенты, как правило, не сталкиваются. В лучшем случае, им преподносят того же Одена в рамках общего курса английской поэзии XX века, когда поэт привлекается в качестве иллюстрации к какому-нибудь «изму». А не наоборот, да? И это, в общем, чрезвычайно трагично. Но такова — по необходимости — всякая академическая система. Впрочем, достоинство местной академической системы в том, что она достаточно гибка, чтобы включить в себя также и внеакадемическую перспективу. Когда преподавателем становится не академик, а человек вроде Одена, Лоуэлла или Фроста. Даже, простите, вроде вашего покорного слуги. То есть человек, который поэзией занимается, а не варит из нее суп. Да? Когда преподаватель — персонаж из хаоса...

Волков: Вы много занимались английскими поэтами-метафизиками: Джоном Донном «со товарищи». Каково было отношение к ним Одена? Что, по-вашему, дали метафизики новой англоязычной поэзии?

Бродский: Мы с Оденом про это много не говорили — не успели. Да мне и в голову бы не пришло спрашивать, ибо совершенно очевидно, что Оден — плоть от ихней плоти. Это как спрашивать человека, как он относится к своим клеткам...

Что дали метафизики новой поэзии? В сущности, все. Поэзия есть искусство метафизическое по определению, ибо самый материал ее — язык — метафизичен. Разница между метафизиками и неметафизиками в поэзии — это разница между теми, кто понимает, что такое язык (и откуда у языка, так сказать, ноги растут) — и теми, кто не очень про это догадывается. Первые, грубо говоря, интересуются источником языка. И, таким образом, источником *всего*. Вторые — просто щебечут.

Волков: Не слишком ли сильно сказано?

Бродский: Конечно, конечно — в этом щебете тоже проскальзывает масса интересного. Ведь метафизичны не только слова как таковые. Или мысли и ощущения, ими обозначенные. Паузы, цезуры тоже метафизичны, ибо они также являются формами времени. Я уже говорил, кажется, что речь — и даже щебет — есть не что иное, как форма реорганизации времени...

Волков: Английские поэты-метафизики стали сравнительно недавним открытием для русского читателя. В чем их своеобразие, «особость»?

Бродский: Поэтическую тенденцию, предшествовавшую метафизикам, можно было бы назвать, грубо говоря, традиционно-куртуазной. Стихи были не особенно перегружены содержанием; все это восходило к итальянскому сладкозвучию, всем этим романам о Розе и т.п. Я сильно упрощаю, естественно, но можно сказать, что метафизическая школа создала поэтику, главным двигателем которой было развитие мысли, тезиса, содержания. В то время как их предшественников более интересовала чистая — в лучшем случае, слегка засоренная мыслью — пластика. В общем, похоже на реакцию, имевшую место в России в начале нашего века, когда символисты довели до полного абсурда, до инфляции сладкозвучие поэзии конца XIX века.

Волков: Вы имеете в виду призыв «преодолевших символизм» акмеистов к «прекрасной ясности»?

Бродский: И акмеистов, и ранних футуристов, и молодого Пастернака... Что же касается английских метафизиков, то они явились как результат Ренессанса, который (в отличие от весьма распространенной точки зрения) был временем колоссального духовного разброда, неуверенности, полной компрометации или утраты идеалов.

Волков: Характеристика эпохи звучит до боли знакомо...

Бродский: Да, похоже на атмосферу в Европе после Первой мировой войны. Только в период Ренессанса дестабилизирующим фактором была не война, а научные открытия; все пошатнулось, вера — в особенности. Метафизическая поэзия — зеркало этого разброда. Вот почему поэты нашего столетия, люди с опытом войны — нашли метафизическую школу столь им созвучной. Коротко говоря, метафизики дали английской поэзии идею бесконечности, сильно перекрывающую бесконечность в ее религиозной версии. Они, быть может, первые поняли, что диссонанс есть не конец искусства, а ровно наоборот — тот момент, когда оно, искусство, только-только всерьез и начинается. Это — на уровне идей.

Волков: А в смысле стихотворного ремесла?

Бродский: О, это был колоссальный качественный взрыв, большой скачок! Невероятное разнообразие строфики, головокружительная метафорика. Все это надолго определило стилистическую независимость английской поэзии от континентальных стиховых структур. Посмотрите хотя бы на техническую сторону творчества Одена. Вы увидите, что в этом столетии не было — за исключением, пожалуй, Томаса Харди — поэта более разнообразного. У Одена вы найдете и сафическую строфу, и анакреонтический стих, и силлабику (совершенно феноменальную — как в «Море и зеркале» или в «Хвале известняку»), и сикстины, и вилланели, и рондо, и горацианскую оду. Формально — Оден просто результат того, что мы считаем нашей цивилизацией. По сути же он — последнее усилие ее одушевить.

Волков: В томе советской литературной энциклопедии издания 1967 года об английской «метафизической школе» говорится, что она «порывает с реалистическими и гуманистическими традициями ренессансной лирики»; на советском литжаргоне это означает неодобрение. С другой стороны, в проспекте «Литературных памятников», изданном в Москве в том же 1967 году, поэты-метафизики были охарактеризованы с большим почтением. Этот проспект объявлял о подготовке к изданию тома «Поэзия английского барокко» в вашем переводе и с комментариями академика Жирмунского. Как этот том затевался?

Бродский: Вполне банальным образом: в 1964 году мне попался в руки Джон Донн, а затем и все остальные: Херберт, Крашоу, Воган. И я начал их переводить. Сначала для себя и корешей, а затем для какой-нибудь возможной публикации — в будущем.

Волков: Почему Донн привлек ваше внимание?

Бродский: Увлечение Донном началось — как, по-моему, у всех в России — с этой знаменитой цитаты из хемингуэевского «По ком звонит колокол»: «Нет человека, который был бы как Остров, сам по себе, каждый человек есть часть Материка, часть Суши; и если Волной снесет в море береговой Утес, меньше станет Европа, и также, если смоет край Мыса или разрушит Замок твой или Друга твоего; смерть каждого Человека умаляет и меня, ибо я един со всем Человечеством, а потому не спрашивай никогда, по ком звонит Колокол: он звонит по Тебе». На меня этот эпиграф произвел довольно большое впечатление, и я попытался разыскать эту цитату из Донна в оригинале (хотя и не очень знал английский об эту пору). Кто-то из иностранных студентов-стажеров, учившихся в Ленинграде, принес мне книжечку Донна. Я всю ее перебрал, но искомой цитаты так и не нашел. Только позднее до меня дошло, что Хэмингуэй использовал не стихотворение Донна, а отрывок из его проповеди, в некотором роде стихотворный подстрочник. Но к этому времени заниматься Донном было уже довольно поздно, потому что меня посадили. Потом, когда я уже был на поселении, Лидия Корнеевна Чуковская прислала мне — видимо, из библиотеки своего отца — книгу Донна в издании «Современной библиотеки». И вот тут-то, в деревне, я принялся потихонечку Донна переводить. И занимался этим в свое удовольствие на протяжении полутора-двух лет. Через Анну Андреевну Ахматову я познакомился с Виктором Максимовичем Жирмунским. Он, видимо, читал мои переводы и предложил идею тома для «Литпамятников». Идея эта чрезвычайно мне понравилась, но, к сожалению, работу над переводами я продолжал с непростительными перерывами: надо было зарабатывать на жизнь, да еще надо было что-то свое сочинять. В 1971 году Жирмунский умер, но с его смертью идея издания не заглохла. Меня вызвали в Москву, в издательство «Наука», где сказали, что договоренность остается в силе. К этому времени переводов у меня было все еще недостаточно. Следовательно, выпуск тома передвигался года на два. Но наступило 10 мая 1972 года, и ни о какой книжке не могло уже быть и речи. Жаль. Там был бы не только Донн. Планировалась антология метафизической поэзии, вся эта банда. Параллельно со мной переводом Донна занимался Борис Томашевский...

Волков: Который в итоге и выпустил русскую книжку Донна...

Бродский: Да, я просмотрел ее. Потому что читать ее, зная Донна в оригинале, невозможно. Переводы — на уровне «любовь коварная и злая»... Расположения к этому переводчику у меня нет никакого, потому что позволить себе такое дейсто — это, конечно, полный моветон.

Волков: Кроме Донна и других «метафизиков», кого еще из англоязычных поэтов вы переводили?

Бродский: Самых разнообразных авторов. Например, Фроста, Дилана Томаса, Лоуэлла. Переводил «Квартеты» Элиота; но это вышло довольно посредственно, слишком много отсебятины. Пытался переводить Одена, что труднее всего, на мой взгляд. Вообще, я ведь переводил со всех существующих и несуществующих языков: с чешского, польского, арабского. Переводил с хинди.

Волков: Помните, мы говорили об интересе Одена к стихотворным текстам из области «легкого» жанра? Я знаю, что ему нравилось литературное творчество Джона Леннона. А как вы относитесь к поэзии группы «Битлз»? Вы ведь, кажется, перевели их «Желтую подлодку»?

Бродский: Да, по просьбе ленинградского журнала «Костер». Вообще-то я всерьез отношусь к этим делам. По-английски это может быть очень интересно. А тексты, написанные Джоном Ленноном и Полом Маккартни, совершенно замечательные. Вообще, лучшие образцы английского и американского легкого жанра — не такой уж и легкий жанр. В известной степени это пугающий жанр. Например, Ноэл Коуард. Или гениальный Коул Портер. А блюзы! Но переводить все это чрезвычайно трудно: надо знать традиции блюза, традиции английской баллады. В России никто не знает, что такое английская баллада. Или, тем более, баллада шотландская.

Волков: А переводы Жуковского?

Бродский: Попробуйте соединить Жуковского и поэзию «Битлз»! Все это довольно грустно, потому что русская культурная традиция ориентирована в основном на французскую и немецкую литературы. Которые по сравнению с тем, что происходило об ту же самую пору в английской литературе, абсолютный детский сад. Помните, мы говорили о несчастной судьбе антологии Гутнера? Переводы там были не такие уж и блестящие, но дух английской изящной словесности эта антология все-таки передавала. Было бы хорошо ее переиздать. Но я не знаю, кто этим будет заниматься.

Иосиф Бродский за своим письменным столом. Нью-Йорк. 1978.

Нью-Йорк. 1990.

Глава 8

Жизнь в Нью-Йорке.
Побег Александра Годунова:
осень 1978–зима 1990

Волков: Вы уже много лет житель Нью-Йорка, пустивший корни в фешенебельном, с богемным оттенком районе. Вас здесь все знают, вы всех знаете. Жизнь ваша, с внешней стороны по крайней мере, вполне комфортабельна, расписание более-менее установилось. Не кажется ли вам, что существование здесь более предсказуемо, стабильно, чем в Союзе?

Бродский: И да, и нет. Скорее нет.

Волков: Отчего же?

Бродский: Черт его знает. Прежде всего потому, что здесь не особенно-то живешь внешней жизнью. Ведь чем дурна предсказуемость? Она проявляется в твоих сношениях с внешним миром – место, где ты живешь, служба, люди. Ну, во-первых, Нью-Йорк для такой предсказуемости слишком уж многообразен. Здесь постоянно имеет место какой-то физиономический калейдоскоп. И таким образом, хотя бы частично, эффект предсказуемости снимается. Во-вторых, я внутренне не очень завишу от того, что со мной происходит на улице, в метро, в университете, и так далее. Хотя это окружение иногда надоедает. Не хочу сказать, что живу какой-то разнообразной и богатой внутренней жизнью, но, в общем, все, что со мной происходит – происходит, главным образом не вовне, а внутри. И здесь, на Западе, в большей степени, чем в Союзе. Может быть, благодаря тому, что здесь среда все-таки несколько чуждая, да? И с моей стороны это либо защитная реакция, либо...

Волков: Замыкание...

Бродский: Когда концентрируешься на том, что для тебя представляется наиболее существенным. А уж здесь монотонность — не то чтобы была совсем исключена, но... И кроме того, в моем бизнесе, в литературе, работа так или иначе проецируется на жизнь. И жизнь начинает зависеть от того, что ты делаешь на бумаге. И если в жизни повторение каких-то ситуаций еще возможно, то на бумаге это как бы немыслимо, потому что в литературе или искусстве такие повторения будут называться клише, да? И так же, как ты избегаешь клиширования в литературе, ты стараешься уклониться от этого — каким-то естественным образом — и в нормальном, повседневном существовании. То есть происходит как бы безоткатное, линейное движение.

Волков: Вы как-то сказали мне, что не разделяете свою жизнь на периоды. А если говорить о жизни внутренней?

Бродский: Это замечательный вопрос, Соломон, но отвечать на него трудно по одной простой причине: я никогда всерьез к себе не относился. И это ни в коем случае не кокетство. И вообще, за переменами внутренними следить невозможно, если только они не принимают качественного характера. Когда происходит нечто, чего ты сам за собой не подозревал.

Волков: В жизни или на бумаге?

Бродский: В мозгу. Но замечаешь это именно сочиняя, когда вдруг до чего-то дописываешься. Когда в голову приходит какая-то фраза, которая в общем, оказывается правдой и для твоего внутреннего состояния, да? Один такой момент я помню очень отчетливо, это было году в 62-ом. Я написал стихи: «Все чуждо в доме новому жильцу». На самом-то деле это, конечно, не про жильца, это метафора такая была. Потому что я вдруг понял, что стал не то чтобы новым человеком, но что в то же тело вселилась другая душа. И мне вдруг стало понятно, что я — это другое я. С тех пор такого порядка перемен со мною, пожалуй, не происходило. Но, конечно, интонация...

Волков: Поэтическая?

Бродский: ...того, что ложится на бумагу,— эта интонация изменилась. Как говорят в народе, «ушла в глухую несознанку». Это психическое состояние существовало и раньше, но постепенно стало проявляться со все большим учащением. И в последние годы я, кажется, начал находить для него форму. И для меня это стало сравнительно новым ощущением. Но это сдвиг, заметный, скорее, на бумаге, нежели внутренне. То есть когда ты уже не выходишь из себя, не реагируешь, и решения на бумаге уже не локальные, а чисто зрительные. Или, скажем, дедуктивные.

Волков: Что чувствует поэт, живущий в чужой стране, но продолжающий писать на родном языке?

Бродский: Ничего особенного не чувствует. Кажется, Томас Манн сказал, перебравшись жить сюда, в Соединенные Штаты: «Немецкая изящная словесность там, где я нахожусь». Все.

Волков: Но ведь между прозой и поэзией есть некоторая разница.

Бродский: Со стишками, конечно, дело сложнее. Потому что проза — это просто завелся и... В прозе есть тот механический элемент, который, видимо, сильно помогает. Я не знаю, я никогда особенно прозой не занимался. Что касается стихописания — это, конечно, несколько сложнее. Для того, чтобы стишок написать, надо все время вариться в идиоматике языка. То есть слушать его все время — в гастрономе, в трамвае, в пивном ларьке, в очереди и так далее. Или совсем его не слушать. Вся история заключается в том, что, живя в Нью-Йорке, находишься в половинчатом положении. С одной стороны, телефон звонит и все вроде бы продолжается. А с другой стороны, ничего не продолжается. Такая вот фиктивная ситуация. Было бы лучше вообще не слышать родного языка. Или наоборот — слышать его гораздо чаще. Чаще невозможно. Да? Если только не создавать себе искусственной среды. Конечно же встречаешься с людьми из России, говоришь с ними. Но, как правило, это вынужденный выбор, вынужденное употребление языка. Не говоря уже о том, что тут иногда приходится иметь дело с людьми, с которыми дома я даже и разговаривать бы не стал. По сути дела, важно не на каком языке человек говорит, а *что* он говорит. Но в этом отношении ситуация здесь ничуть не лучше, чем в отечестве.

Волков: Вы как-то обронили замечание, что для поэта важно, выйдя на улицу, увидеть вывески на родном языке. То есть для поэта значение имеет не только звучащая речь, но и зримые образы. Это так?

Бродский: До известной степени. Иероглифика здесь другая. Колористическая гамма — иная абсолютно. Но я не думаю, что на этом надо делать такое уж сильное ударение. Потому что, в принципе, колористическая гамма здесь такова, какой она и должна быть на самом деле. Для нормального человека. Может быть, она такая, какой была в России до семнадцатого года?

Волков: А какое влияние на сочинение стихов оказывает смена пейзажа, скажем, пейзажа петербургского на нью-йоркский?

Бродский: В общем, не производит большого впечатления. Нет, конечно же, производит. Производит. Только влияет не просто смена пейзажа, а всего окружения. Ты родился в этом городе, ты живешь в нем, умрешь. Ты знаешь об этом городе все, до скончания света... Все тебе намозолило глаза. Ты прошел множество стадий: любопытства, привязанности, уважения, пассивного интереса, безразличия, отвращения. Когда живешь всю жизнь в одном городе, тебя начинают, в конце концов, интересовать облака. Климат, погода, перемены света. И сначала кажется, что та же история должна повториться и здесь, в Нью-Йорке. Но Нью-Йорк чересчур альтернативен — чисто зрительно, я имею в виду. Это другая, в сущности, система. Тут колоннаду поди найди. Да? И инерцию восприятия, которая дома так помогала, здесь не обрести. Потому что, по сути, дело не в смене колорита или пейзажа, а просто в инерции. В прерванной рутине, и пока вновь обретешь это ощущение, не знаю, сколько времени пройти должно.

Волков: Об этом я и хотел спросить. Вы не ощущаете, что Нью-Йорк — именно Нью-Йорк, а не Новая Англия — осторожно, постепенно начинает требовать своего места в ваших стихах? Или он так и остается в этом смысле чужим?

Бродский: Если уж говорить серьезно, петербургский пейзаж классицистичен настолько, что становится как бы адекватным психическому состоянию человека, его психологическим реакциям. То есть по крайней мере автору его реакция может казаться адекватной. Это какой-то ритм, вполне осознаваемый. Даже, может быть, естественный биологический ритм. А то, что творится здесь, находится как бы в другом измерении. И освоить это психологически, то есть превратить это в твой собственный внутренний ритм, я думаю, просто невозможно. По крайней мере, невозможно для меня. Да и не интересует меня особенно это. Надо сказать, сие никому не удалось, не только человеку, который приехал, что называется, едва ли не в гости. Но это не удалось и туземному человеку. Единственную попытку каким-то образом переварить Нью-Йорк и засунуть его в изящную словесность совершил Харт Крейн в своем «Мосте». Это замечательные стихи. Там столько всего... Но естественным путем Нью-Йорк в стихи все же не вписывается. Это не может произойти, да и не должно, вероятно. Вот если Супермен из комиксов начнет писать стихи, то, возможно, ему удастся описать Нью-Йорк.

Волков: Разве другие поэты за это не брались?

Бродский: Я помню только еще одну очень серьезную попытку, ее предпринял Федерико Гарсиа Лорка. Но из этого номера тоже, на мой взгляд, ничего не вышло. Кроме одной замечательной метафоры — «серая губка», или что-то в этом роде. Потому что когда на некотором расстоянии, с некоторым отстранением, смотришь на панораму Нью-Йорка, — действительно, похоже на губку.

Волков: Живя здесь, я вижу, что стихи Лорки о Нью-Йорке чересчур уж злобные.

Бродский: Но пьесы у него замечательные. Конечно, лучший испанский поэт — Антонио Мачадо, а не Лорка. К сожалению, Мачадо в Нью-Йорке не побывал. Ужасно обидно.

Волков: И все же, так или иначе, переход на англоязычные рельсы представляется неминуемым? Он уже начался, кажется?

Бродский: Это и так, и не так. Что касается изящной словесности — это определенно не так. Что до прозы — это, о Господи, полный восторг, конечно. И я ужасно рад. Когда пишешь на иностранном языке... Когда приходится писать на иностранном языке, это подстегивает. Может, я переоцениваю свое участие в русской литературе (именно участие), но мне это, в общем, надоело. Прозы, эссе я в России не писал. И если уж здесь, на Западе приходится писать прозу, то, по крайней мере, надо себя как-то развлечь. А большего развлечения, чем писать на иностранном языке, я не знаю. И, в конце концов, почему «на иностранном»? Я считаю, что два языка — это норма. В России, кстати, так оно всегда и было. В старые добрые времена. Я, конечно, понимаю, что услышать такое уместно скорее из уст русского дворянина, нежели из уст русского еврея. Но стихи на двух языках писать невозможно, хотя я и пытался это делать.

Волков: Помнится, в первом номере возобновившего свой выход высоколобого «Кэньон Ревью» был помещен сделанный вами перевод стихотворения Владимира Набокова — с русского на английский. Возникла интересная историко-лингвистическая ситуация. Что вы испытывали, переводя набоковское стихотворение?

Бродский: Ощущения были самые разнообразные. Прежде всего, полное отвращение к тому, что я делаю. Потому что стихотворение Набокова — очень низкого качества. Он вообще, по-моему, несостоявшийся поэт. Но именно потому, что Набоков несостоявшийся поэт, — он замечательный прозаик. Это всегда так. Как правило, прозаик без активного поэтического опыта склонен к многословию и велеречивости... Итак, отвращение. Когда издатели «Кэньон Ревью» предложили мне перевести стихотворение Набокова, я сказал им: «Вы что, озверели, что ли?» Я был против этой идеи. Но они настаивали — я уж не знаю, исходя из каких соображений (было бы интересно проследить психологические истоки этой настойчивости). Ну, я решил — раз так, сделаю, что могу. Это было с моей стороны такое озорство-неозорство. И я думаю, между прочим, что теперь — то есть по-английски — это стихотворение Набокова звучит чуть-чуть лучше, чем по-русски. Чуть-чуть менее банально. И, может быть, вообще лучше переводить второстепенных поэтов, второсортную поэзию, как вот стихи Набокова. Потому что чувствуешь, как бы это сказать... большую степень безответственности. Да? Или, по крайней мере, степень ответственности чуть-чуть меньше. С этими господами легче иметь дело. Если бы меня попросили переводить Марину Ивановну Цветаеву, Бориса Леонидовича Пастернака, то я бы сильно задумался. Хотя черт его знает! В конце концов, это просто дело досуга. То есть будь я посвободней внутренне — как и внешне, впрочем — то этим, может быть, и следовало заняться всерьез. Но до этого никогда не дойдет, я надеюсь. Потому что это был бы — полный позор.

Волков: Когда вы пишете стихи, обращаетесь ли вы при этом к какой-то подразумеваемой аудитории?

Бродский: Знаете, как Стравинский ответил на подобный вопрос? По-моему, Роберт Крафт спросил у Стравинского: «Для кого вы пишете?» Тот ответил: «Для себя и для гипотетического alter ego». Все.

Волков: А это гипотетическое alter ego в вашем случае говорит, вероятно, по-русски?

Бродский: Пожалуй... Точнее, я и не задумывался о том, на каком языке оно говорит.

Волков: И где оно в таком случае живет, это alter ego?

Бродский: А черт его знает. Это его личное дело.

Волков: Вы помните рассуждения Набокова в связи со сделанным им самим переводом «Лолиты» на русский? Он говорил, что не понимает сам, какой внутренний импульс толкнул его на эту работу. Он, дескать, даже не представляет себе возможного читателя.

Бродский: Я вам должен сказать, что это именно психология прозаика. Прозаик задумывается о подобных вещах, поэт — нет. Дело в том, что разница между людьми, занимающимися изящной словесностью, и теми, кто занимается прозой, чрезвычайно велика. Вообще подразделение литературы на прозу и на поэзию началось именно с возникновением прозы. Ибо только в прозе такое разделение и могло быть выражено. Искусство по природе, по сути своей иерархично. Сознание литератора тоже иерархично, автоматически; в этой иерархии поэзия стоит выше прозы. Хотя бы потому, что поэзия старше. Поэзия вообще-то очень странная вещь. Она — достояние и троглодита, и сноба. Она может быть произведена и в каменном веке, и в самом новейшем салоне. В то время как для прозы необходимо развитое общество, развитая структура, какие-то устоявшиеся классы, если угодно. Тут уж можно начать рассуждать как марксист и даже не ошибиться. Поэт работает с голоса, со звука. Содержание для него не так важно, как это принято думать. Для поэта между фонетикой и семантикой разницы почти нет. Поэтому поэт чрезвычайно редко задумывается — кто же на самом деле составляет его аудиторию. То есть, по крайней мере, он задумывается над этим гораздо реже, чем прозаик. Цветаева высказалась как-то замечательным образом, она сказала: «Чтение — есть соучастие в творчестве». И это замечание именно поэта. Прозаик такого никогда бы не сказал. Толстой этого ни в коем случае не сказал бы. Потому что познание — это в самом деле соучастие. Что есть познание, то есть разгадка преступления? Именно психическое соучастие, соучастие воображения. Поэтому поэт... То есть я не хотел бы начать говорить от имени поэтов... «Я — поэт»... Роберт Фрост говорил: «Сказать, что я поэт — значит сказать, что я хороший человек». Да? Но могу сказать, что очень редко встречал я людей этой профессии, которые серьезно задумывались бы, для кого они пишут. Это их в основном спрашивают, для кого они пишут. И в зависимости от ответа начинаются большие или меньшие неприятности.

Волков: Как вы относитесь к такому парадоксальному явлению: многие из тех, кого можно было бы назвать лидерами современной русской культуры, в данный момент живут вне метрополии, на Западе? Такова ситуация в прозе, поэзии, музыке, балете, философии.

Бродский: Ну Господи... Я не думаю, что это действительно так. Может быть, сегодня это так. Мы вообще склонны временную ситуацию принимать за постоянную. Если говорить о творчестве, о создании нового искусства, то я вообще не думаю, что нынче происходит нечто, что могло бы быть так названо. Создание нового русского искусства, литературы — такого вообще, по-моему, сегодня нету. Если угодно, нигде нету. Нигде. Ни в России, ни на Западе. Так что хотя бы поэтому трудно говорить о лидерах. Я понимаю, что тут уже возникают подозрения в ложной скромности. Может быть, я пишу стихи лучше, чем другие. Я с этим совершенно согласен. Ибо иначе я этим делом и не занимался бы. Но я не думаю, что это обуславливает какое-либо лидерство. Я бы вот как сказал, если уж на то пошло. Действительно, в настоящий момент на Западе живет огромное количество талантливых русских людей. Дело в том, что русские люди — всегда в той или иной степени *выходцы* из России. Они всегда активно участвовали в культурной жизни Запада. Ну возьмите я не знаю кого — Дягилева, Бакста, Стравинского, кого хотите. С литературой это было несколько иначе, но и с литературой было.

Волков: Тургенев последние двадцать лет жизни провел главным образом за границей, умер в Буживале.

Бродский: Что Тургенев, а Федор Михайлович Достоевский! А Николай Васильевич, простите, Гоголь!

Волков: «Мертвые души» написаны в Риме, о чем...

Бродский: ...о чем всегда забывают. Да? Все! Господи, почти все! За исключением бедного Александра Сергеевича Пушкина, которому...

Волков: ...которого не выпустили. Ему не дали визы.

Бродский: Совершенно точно, не дали визы. А так — практически все, кто хотел, могли уехать на Запад, жить или умирать. Баратынский вон умер в Италии.

Волков: Тютчев тоже десятилетиями жил на Западе, сложился там как поэт.

Бродский: И ничего, никто не шумел по этому поводу. А Герцен? Ну там, правда, политика была замешана. Замечательный, кстати сказать, стилист Герцен. Только врет очень много. У меня есть один знакомый в Лондоне. Ну, знакомый — это не то слово... Сэр Исайя Берлин. У него студент был, который занялся Герценом и раскопал герценовскую переписку — я уж не помню с кем. Как раз самый момент приезда Герцена в Англию. И вот он пишет в Россию — туманы, то-се, пятое-десятое. И в каждом письме: туманы, туманы, туманы. Так этот англичанин решил проверить лондонские газеты. И — абсолютно никаких туманов! Федор Михайлович Достоевский тоже был, между прочим, совершенно чудовищный лжец, царство ему небесное. Я помню как, гуляя по Флоренции, набрел на дом, где он жил. Он оттуда посылал отчаянные письма домой — что вот, дескать, денег нет. А дом этот был напротив Палаццо Питти. То есть, через Понте Веккио, напротив Палаццо Питти. Простенько.

Волков: Яновский, друг Достоевского, подтверждает, что как раз в те дни, когда Достоевский жаловался на страшную нужду и бездснежье, он останавливался в лучших гостиницах, ел в лучших ресторанах и разъезжал на лучших извозчиках.

Бродский: Вообще-то автору так и следует вести себя. Тут я автора нисколько не обвиняю. Тут он всегда прав. И он даже не лжец. В тех условиях, в какие автор поставлен обществом, он может себе это позволить. Непонятно еще, почему он не крадет, не убивает. Я, например, считаю, что идея Раскольникова насчет старухи-процентщицы — абсолютно авторская идея.

Волков: Достоевский написал «Идиота» за границей, большая часть «Бесов» написана там же. В оценке этих романов данный факт не имел решающего значения. А с определенного времени это начало иметь решающее значение — *где* сочинение создано.

Бродский: Мы знаем, с какого времени. С девятьсот семнадцатого года. В отношении Достоевского тут есть еще одна любопытная деталь. Во многих его романах главные события — это, в конце концов, развязки того, что произошло за границей. Началось, завязалось за границей. Князь Мышкин сходит с ума и лечится...

Волков: Все действие «Игрока»...

Бродский: Ну о чем речь! Верховенские набираются за границей этих диких идей, приезжают... А Иван Карамазов! В Россию все они возвращаются кончать. Вот Бахтин употребляет термин «карнавализм». Совершенно неправильный термин, я считаю. Скандализм ! Это скандал, а не карнавал! Оно гораздо интереснее. Причем в ранних своих сочинениях Достоевский еще не умел скандалов описывать. Скажем, собрались у него люди в гостиной , начинается переброска репликами, перебранка. А дальше Федор Михайлович пишет — «и пошло, и пошло, и пошло». Он еще не понимает, как это сделать. А позже он этому научился.

Волков: Вот вы сказали, что Достоевский сам мог подумывать о том, как бы ему убить старуху-процентщицу. Для него вопрос о том, как бы добыть денег, разбогатеть — один из самых важных, просто навязчивый. Одна из постоянных тем Достоевского — как бы вдруг заработать миллион.

Бродский: Силу идеи накопления я, между прочим, и на себе испытал. Помню, у меня однажды в Анн Арборе на счету вдруг оказалось три с половиной тысячи долларов. И я уже поймал себя на мысли: «елки-палки, хорошо бы четыре было!» Захотелось...

Волков: ... округлить.

Бродский: Да, округлить! И я знаю людей, для которых такое округление становится главным занятием, потому что округлять ведь можно и в ту, и в другую сторону.

Волков: Здесь, на Западе, я по-новому взглянул на некоторые вопросы русской литературной истории. В особенности на те, что связаны с деньгами, с богатством или отсутствием оного. Ведь в России писатели существовали некогда в условиях свободного рынка. А это подразумевало конкуренцию, со всеми вытекающими отсюда последствиями. Нормальный капитализм, о котором в Союзе уже успели подзабыть. Скажем, Достоевский жаловался жене, что Льву Толстому, который в литературном заработке вовсе не нуждался, за «Анну Каренину» в журнале заплатили с готовностью по пятьсот рублей с листа.

А ему, Достоевскому, двести пятьдесят рублей дали с неохотой. И Достоевский добавляет: «Нет, уж слишком меня низко ценят, оттого что работой живу». В Союзе мне этот мотив остался бы непонятен, а здесь... Тут еще загвоздка в том, что в Союзе об ту пору (годы шестидесятые, семидесятые) говорить о деньгах, обсуждать заработки считалось прямо-таки неприличным. Этот вопрос как бы выносился за скобки. Такое всеобщее интеллигентское лицемерие. И из-за этого возникали странные ситуации. Например, я беседовал с великим композитором Свиридовым о Мусоргском, которого он знал и любил как никто и о котором говорил важные и интересные вещи. Разговор шел профессиональный и как бы на равных. И я заметил Свиридову, что хорошо бы это записать и опубликовать. На что Свиридов величественно так скривился: дескать, оставим эти низменные, сиюминутные заботы о публикациях, а будем думать вечными категориями. При этом он, Свиридов, без труда мог себе позволить оперировать исключительно вечными категориями. Поскольку на одной только синекуре секретаря Союза композиторов загребал не меньше пятисот рублей, не говоря уж об авторских и гонорарах за выступления и записи. А я зарабатывал сто двадцать рублей в месяц. И весьма был озабочен тем, как свести концы с концами. Вот вам и равенство промеж российских интеллигентов.

Бродский: То, о чем вы говорите, очень интересно. И между прочим, у этой проблемы есть два аспекта. Прежде всего, идея равенства как таковая мне представляется абсолютно бредовой. И я об этом не устаю заявлять. Затем, другое: когда зарабатываешь, получаешь зарплату, — хоть и сто двадцать рублей, все равно стыдно. Когда я в России работал на заводе, мне неловко было расписываться в ведомости и получать деньги. Хотя я там работал, что называется, как вол. Я думаю, что в итоге дело совершенно не в равенстве, а в русском сознании. Хотя все это гораздо шире, чем просто русское сознание. Это — религиозные традиции. Между прочим, не только в России, но и в Европе про деньги говорить не принято. Там множество политических партий, платформ, философий, и всего что угодно. Все это можно обсуждать беспрепятственно, но про деньги никто и не заикнется. В то время как здесь, в Штатах, все говорят — ну не все, но, в общем, люди довольно много говорят про деньги. Тут, правда, есть другая форма лицемерия. Американцы в массе своей, по сравнению с европейцами, люди чрезвычайно обеспеченные. И тем не менее, богатый американец может начать кобениться из-за того, что сэндвич покажется ему слишком дорогим. Или разыграет по этому поводу в ресторане целый спектакль.

Волков: Я с этим тоже сталкивался не раз. В ресторан американцы беспечно идут в основном тогда, когда счет так или иначе оплачивает компания, в которой они служат.

Бродский: Это какая-то постоянная игра в экономию. Тоже, вероятно, религиозного происхождения, пуританского. На самом-то деле то, что русскому человеку представляется вульгарным, эти американские оценки — «о, такой-то стоит миллион долларов, такой-то — десять миллионов» — имеет свой резон. Посмотрите, вся политическая жизнь здесь, все политические разговоры крутятся вокруг одного — сколько денег будет истрачено на ту или иную программу. Скажем, сколько республиканцы кладут на оборону или образование, а демократы — на социальные нужды или борьбу с наркоманией. То есть все время говорят о деньгах. И это абсолютно резонно. Потому что благосостояние той или иной заинтересованной группы населения зависит в значительной степени от государственных капиталовложений. То есть деньги — это одна из самых главных реальностей. Это куда более реальная вещь, чем политические убеждения, платформы и философии. В Европе этого совершенно не просекают. И в России тоже. Там, правда, ситуация вообще напоминает театр абсурда, где ни о деньгах, ни о политике речи нет. Так что я даже не знаю, о чем там идет речь. Я помню, в Ленинграде мы с приятельницей пошли в театр Акимова на какую-то комедию. И сбежали со второго действия. Так приятельница моя высказалась довольно-таки замечательно: «В России театр абсурда и публика поменялись местами». То есть на сцене полный реализм, зато в зале — черт-те что.

Волков: Мы затронули тему нью-йоркского общепита. Вы как — готовите себе сами или пользуетесь ресторанами?

Бродский: Есть такая иллюзия, что готовить самому — дешевле. И это так, до известной степени. Но в конечном счете это не дешевле. Потому что с этим связана масса психологических издержек. Во-первых, весь этот хаос. Во-вторых, возникают бесконечные дилеммы: посуду мыть или не мыть? И если мыть — то сейчас или потом? И так далее. Поэтому, как правило, вечером я куда-нибудь выхожу. Но иногда готовлю сам, особенно, когда я преподаю в колледже. Потому что там ситуация несколько иная: ты живешь обыкновенно не в самом колледже, а в каком-то доме или квартире. И, скажем, в Мичигане — там вообще хоть три года скачи, ни до какого ресторана не доскачешь. И поэтому там обедаешь, где придется. Где ночь застает.

Волков: Здесь, в Нью-Йорке, тьма экзотических ресторанов и экзотических кухонь. Какой из них вы отдаете предпочтение?

Бродский: С первого дня — китайской. В Чайнатауне, то есть Китай-городе, совершенно замечательные рестораны. Или вот еще неподалеку есть потрясающее индийское заведение. И между прочим, на поверку все это оказывается не так уж дорого. А разница с отечественной кухней — фантастическая. Прежде всего, разнообразие. И в чисто кулинарном отношении — это просто совершенно другой вкусовой ряд, если угодно.

Волков: А как же армянская и грузинская кухни в Союзе? Да еще все эти азиатские пилавы?

Бродский: Нет, это совершенно не то. Это, в конце концов, вариации на ту же самую тему. Если сравнивать, то я сказал бы, что русская кухня — это традиционная гармония, а китайская — это двенадцати-тоновая система. Только вкусная, потому что настоящей двенадцати-тоновой системы мне на обед лучше не надо. А все эти кавказские дела — один из утонченных вариантов традиционной гармонии: ска-жем, Шопен или какой-нибудь другой из романтиков.

Волков: Несколько дней назад в «Нью-Йорк Таймс» какой-то мест-ный китайский ресторан дал объявление о том, что съестные припасы им поставляют прямо из Сычуани. И я подумал — что за ерунда, ведь ничего в этой самой Сычуани нет. А в сегодняшней «Таймс» — интервью с китайским адвокатом из метрополии, приехавшим на стажировку в Ко-лумбийский университет. Его спросили о впечатлениях от Чайнатауна. И, конечно, «у советских собственная гордость»: он отвечает, что в Чай-натауне грязно и по улицам ходить опасно. Но о еде отзыв восторжен-ный: говорит, что как в самых лучших пекинских ресторанах. Что в переводе с партийного языка на человеческий означает — нью-йорк-ский китайский ресторан на десять голов выше любого пекинского.

Бродский: Ну что он там видел в Китае, этот адвокат? Нормальный китайский общепит. Я полагал, что китайские партийные боссы, во-обще верхушка жрет — как и в Советском Союзе — вполне замечатель-ным образом. Как и американские туристы в Китае — точнее, нью-йоркские туристы. Ибо только они понимают толк в китайской кухне. Потому что европейцы — что они знают об этом? Им в Китае могут на тарелку навалить все, что угодно, и они все равно будут ки-пятком писать. Но вот, например, человек, чьему мнению я чрезвычай-но доверяю, поскольку именно я развратил его на все эти сычуаньские и хунанские дела — Миша Барышников, да? Миша ездил в Китай танце-вать, и когда он вернулся, я его спрашиваю: «Ну как тебе китайская кух-ня в метрополии?» Так вот, по его мнению, жратва в Китае — при том, что общая ситуация там катастрофическая — жратва все-таки замеча-тельная. Конечно, для специальных гостей. Ну, Барышникова и компа-нию там принимали замечательным образом.

Волков: Вообще-то американские туристы, возвращающиеся из Китая, равно как из России, советуют при поездке туда запасаться «алка-зельцер» — этим магическим средством от желудочных неприятнос-тей. Потому что даже иностранцам норовят подсунуть гнилье. И я не знаю, дают ли теперь вообще в странах с однопартийной системой ка-чественный продукт за пределами цековских или других закрытых едален.

Бродский: Не знаю, я в таких не был. Это точно. Но вероятно, что все эти экзотические, да и вообще национальные кухни здесь, в Нью-Йор-ке, находятся на своем пике. То есть можно предположить, что они на-голову выше того, что можно найти в соответствующих метрополиях. За исключением, вероятно, итальянских ресторанов. Французские ре-стораны здесь есть замечательные, но их недостаток — невероятная дороговизна. И вот приходишь к выводу, что по своей доступности и разнообразию китайская (и, пожалуй, японская) кухни здесь, это — гастрономический эквивалент демократии. Именно так.

Волков: Что вы показываете в Нью-Йорке своим приятелям (или приятельницам) из России? Что красивого и что безобразного? Потому что здесь и того, и другого навалом.

Бродский: Вообще-то я не нахожу безобразным то, что признается за таковое здесь, в Нью-Йорке. Это просто, как я уже говорил, другой эстетический ряд. Поэтому я обязательно показываю Гарлем — в районе 140-х, 150-х улиц, и не на западной стороне, а на восточной. Это потрясающее зрелище — Бронкс, со всеми этими жуткими разрушенными кварталами. Другой обязательный аттракцион — нью-йоркское метро, причем этим метро нужно пользоваться, ездить в нем и жить, а не просто разок сунуть нос. Тогда метро становится одним из самых примечательных зрелищ в Нью-Йорке. Что еще? Ну, «Серкл Лайн», то есть окружная линия, — пароход, делающий круг вокруг острова Манхэттен.

Волков: А Кони-Айленд? Европейцы считают нужным навестить Кони-Айленд, чтобы порадоваться тому, как разваливается и загнивает Нью-Йорк.

Бродский: Нет, это неинтересно. Это — ЦПКиО. А вот в Чайнатаун сходить, действительно, чрезвычайно занимательно. Затем южная оконечность Манхэттена, район Уолл-стрит. Это качественно иное явление, иной принцип в смысле архитектуры. Я помню, моя приятельница приехала первый раз в Нью-Йорк — из Англии. Ну это все равно что из России, то же самое. И я повел ее в район Уолл-стрит, часов в семь-восемь вечера, когда все там пустеет, смотреть на небоскребы. И она сказала по поводу этих небоскребов любопытную вещь. Дескать, все это замечательно тем, что здания эти сообщают тебе твой подлинный масштаб. Потому что в Европе масштаб не тот. Там здания, если и не нормальной пропорции, то все же находятся более или менее под контролем твоего воображения. В Нью-Йорке же и пропорции, и воображение твое абсолютно отметаются в сторону, как не имеющие никакого отношения к реальности.

Волков: А с вами за время житья здесь приключались какие-нибудь специфически нью-йоркские истории?

Бродский: Нет, просто попадаешь время от времени примерно в те же катастрофические ситуации, что и в отечестве. А так ничего особенного не происходило. Но я помню, как мне приснился первый стопроцентно нью-йоркский, как мне представляется, сон. Приснилось, что мне нужно отсюда, из Гринвич-Виллиджа, отправиться куда-то на 120-ю или 130-ю улицу. И для этого мне надо сесть на метро. А когда я подхожу к метро, то вдруг вижу, что весь этот Бродвей — то есть отсюда до, скажем, Гарлема или даже дальше — поднимается и становится вертикально! То есть вся эта длинная улица внезапно превратилась в жуткий небоскреб. И поэтому метро перестает быть метро, а становится лифтом. И я поднимаюсь куда-то, ощущая при этом, что Бродвей становится на попа! Это было потрясающее ощущение! Вероятно, тут была какая-то эротика. И доехав таким образом до 120-й улицы, я выхожу из лифта на перекресток, как на лестничную площадку. Это был совершенно новый для меня масштаб сна.

Волков: Я, кстати, хотел спросить — есть ли, по-вашему, разница между эротикой европейской и американской?

Бродский: Насколько я могу судить, являясь, как бы это сказать, субъектом, как, впрочем, и объектом этого дела — никакой особенной разницы нет. Может быть, люди здесь менее склонны к резиньяции, но это, я думаю, сейчас довольно-таки универсальное явление.

Волков: Еще один момент, для человека из России довольно-таки диковинный. В Нью-Йорке по официальным данным не менее двадцати процентов населения — гомосексуалисты. А здесь, в Виллидже, я думаю, пропорция обратная, то есть гетеросексуалов не больше двадцати процентов. И к этому, насколько я могу заметить, эмигранты из России привыкают не сразу. Но привыкают. Недавно мы с Марианной гуляли по нашему району, недалеко от Линкольн-центра. Было хорошее воскресное утро, солнышко светило, парочки влюбленные шли навстречу одна за другой. И, глядя на них, я подсознательно испытывал какое-то неудобство. Что-то казалось мне непривычным. А дело в том, что большинство парочек были — мужчина и женщина. Между тем как я уже привык к тому, что если идет парочка навстречу, то это обязательно — мужчина и мужчина. Потому что сексуальная демография нашего района уже приближается к гринвич-виллиджской.

Бродский: В этой области, как и везде, Нью-Йорк — «самый-самый». Вот тут у меня рядом — Кристофер-стрит, самая главная улица по этой части в Штатах и, тем самым, в мире. Но на меня это никакого особенного впечатления не производит. Здесь огромное количество девиц, и, в общем, на меня хватает.

Волков: Вам когда-нибудь здесь, в Гринвич-Виллидже, мужчина предлагал союз да любовь?

Бродский: Ни разу. Только однажды очень пьяный негр стал, значит, излагать мне все это дело. Но исключительно, я думаю, по соображениям пьяного красноречия, а не в порыве любовных чувств.

Волков: В Нью-Йорке образовалась довольно-таки значительная русскоязычная община. Становится ли колония языковая также и артистической колонией? Ощущаете ли вы, что взаимная потребность в общении увеличивается?

Бродский: В моем случае каких-то качественно новых приобретений — в смысле дружбы — среди соотечественников нет. Единственный человек, с которым я был мало знаком в России, — это Миша Барышников. Здесь мы с ним видимся довольно часто — просто потому, что он совершенно потрясающий человек. Человек потрясающего ума и интуиции. Человек, который — помимо всего прочего! — знает стихов на память гораздо больше, чем я... Вообще, теоретически, вся эта идея — артистической колонии — абсолютно фиктивная. Эта идея выросла из традиции XIX века. В Америке такое просто немыслимо, противоестественно. То есть идет против естества страны. Потому что идея богемы, идея колонии артистов возникает только в централизованном государстве. Она возникает как зеркальное отражение этой централизации: чтобы сомкнуться, чтобы противостоять. Поэтому идея богемы, по-моему, может выжить только в современной Москве. Поскольку более централизованного государственного аппарата, чем там, в данный момент просто не существует. То есть Москва — это пока что имперская столица, действительно. Ведь в чем идея артистической колонии? В противостоянии поэта и тирана. А это возможно только тогда, когда, скажем, вечером в опере они встречаются. Тиран сидит в ложе — поэт в партере. Он представляет себя карбонарием, в воображении своем он вытаскивает револьвер. А вообще-то он бормочет нечто сквозь зубы и бросает гневный взгляд. Вот и вся идея богемы. Существует другая идея. Идея объединения людей эстетического — в принципе конечно же этического — знания. Как ирландские монахи, которые пытались сохранить знание, культуру, литературу, язык. То, что происходит сегодня — и в России, и здесь, — с этим на самом-то деле не имеет ничего общего. Хотя все мы помним, что Россия — страна с огромными ресурсами, с невероятными человеческими возможностями. И какой бы отток культуры, интеллигенции из нее ни происходил, она рано или поздно из своих недр что-нибудь эдакое выдаст и всех удивит. Это, если угодно, количественный эффект. Это просто огромная страна, огромная культура. А в том, что касается литературы, — один из самых грандиозных языков. И поэтому совершенно неизбежно, что в недрах этого языка возникнут явления, которые всех нас будут сводить с ума. Независимо от того, где будет находиться человек, говорящий или пишущий на этом языке — в Москве, Питере, Париже или Нью-Йорке.

Волков: А как вы с Барышниковым здесь встретились?

Бродский: Это очень странно, но как мы встретились я, ей-богу, не могу вспомнить. Но одно могу сказать: он на меня произвел — и производит — колоссальное впечатление. Причем вовсе не своими качествами танцовщика, тем более, что в этой области я специалистом ни в коем роде не являюсь. А прежде всего — своим совершенно невероятным природным интеллектом. Я вообще отношусь к людям, которые меня моложе, с некоторым — как бы это сказать? Ну, как старшеклассники относятся к приготовишкам? Такой взгляд сквозь пальцы, да? А Барышников моложе меня почти на десять лет. Но Барышников — это существо абсолютно уникальное. Он родился день в день с Вольфгангом Амадеем Моцартом. И у них, я думаю, масса общего. Вообще же, если говорить о людях, с которыми меня судьба и обстоятельства свели вне России, то это, в первую очередь, Оден. Это Стивен Спендер,

Сюзен Зонтаг, Дерек Уолкот, Чеслав Милош, сэр Исайя Берлин... Вот знакомства, за которые я благодарен судьбе в связи со своим перемещением в пространстве. Имея в виду профессиональные, литературные дела. И это Барышников, если говорить не о литературе, а о чисто человеческих отношениях. Вот имена, которые сразу же приходят в голову, если иметь в виду людей, которые пользуются определенной известностью. Но меня-то как раз в них интересует не столько их известность или деятельность, сколько какие-то иные их качества. Хотя и естественно смотреть на человека сквозь призму его деятельности. Но на Барышникова, между прочим, я сквозь призму его деятельности не смотрю.

Волков: Здесь я познакомился с рядом незаурядных людей, в разное время бежавших из России. И в разговорах с ними выяснил, что побег для них — страшная психологическая травма, незаживающая рана, даже если с того дня прошло шестьдесят лет. Некоторые стараются эту травму скрыть. Другие, напротив, охотно ее «психоанализируют». Вас из России фактически выслали. Мы с Марианной — просто уехали, хотя и не без существенных неприятностей. И это тоже было травмой. И боль до сих пор не прошла. Барышников совершил побег. Вы с ним говорили об этом? Обсуждали эту проблему с психологической точки зрения?

Бродский: Мы говорили об этом, Миша рассказывал, как это произошло. Но психологизировать и тем более обобщать тут трудно, потому что всякий раз это, видимо, происходило определенным, уникальным образом.

Волков: Это все-таки, должно быть, очень страшно — убежать. Потому что ты обрубаешь все мгновенно. А «нормальный» отъезд — это как-никак постепенный процесс.

Бродский: Мне-то кажется, что для русского человека нового времени нет более естественной мысли, чем о побеге. Это естественное состояние его ума и души. Причем до октябрьского переворота такой эмоциональной необходимости у русского человека, по-видимому, не возникало. А ежели она возникала, то он платил городовому или дворнику червонец, и тот через три или четыре дня приносил ему заграничный паспорт. Это Ахматова мне рассказывала, она так во Францию уезжала. Я могу сказать, что сама идея побега, конечно, во многом импульсивного характера. И в случае с Барышниковым импульс сыграл свою роль. Хотя он, натурально, об этом думал заранее и неоднократно, просто должен был думать. Но в итоге, я думаю, это все-таки был скорее импульс, нежели решение, взвешенное со всех сторон. Хотя именно Барышников — постольку, поскольку я его знаю — свои поступки обыкновенно взвешивает и рассматривает с разных сторон. Эта аналитическая способность в нем совершенно поразительна. Это такой анализ, который не занимает много часов, дней напряженных размышлений. У Барышникова это все просто постоянно варится в голове... Когда я говорю, что для русского человека идея побега довольно естественна, то опираюсь и на свой опыт. Я, например, помню, что в тюрьме и ссылке половину времени думал о том, как бы сбежать. Впрочем, как и находясь на свободе. У меня были всякие проекты — например, убежать на воздушном шаре. Или на подводной лодке с моторчиком от пылесоса. Я уж не помню, что тогда мне приходило в голову. Но это все было не очень серьезно, просто идеи, вроде изобретения велосипеда или вечного двигателя. Один раз, правда, проект побега на самолете зашел довольно далеко. Я отказался от него только в самый последний момент. И это произошло не из-за страха, а просто жалко стало, что не увижу каких-то людей. И, кроме того, кем я был тогда? Пацаном девятнадцати лет. Довольно смешно... Но ощущения человека перед побегом мне с тех пор более или менее понятны...

Волков: Были еще моменты в вашей жизни, когда желание убежать из России резко обострялось?

Бродский: Да, когда в 1968 году советские войска вторглись в Чехословакию. Мне тогда, помню, хотелось бежать куда глаза глядят. Прежде всего от стыда. От того, что я принадлежу к державе, которая такие дела творит. Потому что худо-бедно, но часть ответственности всегда падает на гражданина этой державы. Я тогда был в ужасном состоянии.

Волков: Вы были вовлечены в один чрезвычайно нашумевший побег, имевший место здесь, в Нью-Йорке, в конце августа 1979 года. Я говорю о побеге танцовщика Большого театра Александра Годунова. Как получилось, что вы приняли участие в этой сенсационной истории?

Бродский: Когда это было, вы говорите, — в августе?

Волков: Если не ошибаюсь, Годунов решил остаться 21 августа, во вторник.

Бродский: Если действительно 21 августа, то это даже смешно. Потому что вторжение 1968 года в Чехословакию произошло в эти же числа.

Волков: Как вы узнали о побеге Годунова?

Бродский: Я занимался какими-то своими делами. Переводил что-то. Жара. Причем в городе у воды жара давит особенно. Сердце. Срочные дела. Поэтому я без особой радости отреагировал на незапланированный звонок одного своего приятеля. А приятель говорит мне: «Иосиф, знаешь какую-нибудь квартиру свободную за городом?» Я с некоторым законным раздражением: «Понятия не имею». Потом решил, что у чувака появилась баба. Нормальные дела... надо помочь... Спрашиваю: «Как скоро тебе надо?» Он: «Вообще-то чем раньше — тем лучше». Ладно, я позвонил нескольким знакомым, у которых наличествует загородное жилье. Лето, люди работают в городе, вечером едут на дачу. Вакантной жилплощади нет. Но в одном месте мне сообщают, что два или три дня их дачка будет свободной. Я перезваниваю приятелю: «Есть, надо только заехать за ключами по такому-то адресу». Он, несколько неожиданно: «А не мог бы ты эти ключи привезти ко мне сам?» Я стал догадываться, что происходит нечто менее регулярное, чем нормальные левые заходы ангажированного человека. И когда на вопрос мой: «Когда тебе нужны ключи?» тот ответил: «Сейчас!» — тут я окончательно сообразил, что произошла какая-то лажа с балетом. Потому что в голосе приятеля чувствовалось некоторое напряжение; в городе гастролировал в те дни балет Большого театра; чувак же этот был с балетными довольно сильно завязан. Заехал за ключами и отправился к нему. Приезжаю; он мне — то се, пятое десятое; «вот хочу тебе представить: Годунов».

Волков: И какова была ваша реакция?

Бродский: Я перед этим о Годунове ничего не слышал. Предстала предо мной фигура экстраординарная в полном смысле этого слова: вообразите себе всю эту массу, тяжелую челюсть, голубые глаза, блондин, длинные волосы — воплощение эстетики шестидесятых годов. Мне все это, честно говоря, не очень понравилось. Но постепенно привыкаешь. Я потом уж подумал, что в случае Годунова особенного разрыва между искусством и индивидуумом быть не может. Он просто выходит на сцену — и это само по себе событие. В жизни — то же самое. Он не просто сидит в квартире, он *присутствует*. Когда он встает, ты понимаешь — что-то уже произошло. Во всем этом была одна примечательная вещь: и в тот момент, и после Годунов вел себя с потрясающим достоинством. С одной стороны, это часть его облика, конечно. О сцене я сейчас не говорю, а в жизни... Человек, обладающий массой Годунова, передвигается величественней, это неизбежно. И за этим явлением чрезвычайно интересно наблюдать. С другой стороны, Годунов с юных лет звезда. И, следовательно, развращен до известной степени успехом и поклонением. В момент же побега он оказался абсолютно один — ни мамы, ни жены, ни друзей, никого. Положиться абсолютно не на кого. И со всех сторон ничего, кроме подвоха, ожидать не приходится. В этой ситуации поведение Годунова было особенно примечательным — я имею в виду именно его достоинство.

Волков: Советская «Литературная газета» в те дни доказывала, что Годунову задурили голову, что его уговорили остаться в США. Как там было написано, его «буквально осаждала повсюду целая команда подстрекателей, суливших златые горы и море дармового виски».

Бродский: Вот уж чего, между прочим, точно не было. И чтобы его кто бы то ни было осаждал! И чтобы ему что бы то ни было сулили! То есть о виски — и речи не было. Со стороны Годунова это был прыжок в абсолютную неизвестность.

Волков: Я подробно обсуждал с Годуновым всю эту историю. Мы планировали написать совместно книгу. (К сожалению, эта идея не реализовалась.) У меня сложилось впечатление, что со стороны Годунова побег этот был более или менее импровизацией.

Бродский: События развивались примерно следующим образом. Годунов пришел в гости и, когда завязался разговор, стал выяснять — с кем бы ему следовало связаться, если бы он решил дать деру? На что ему было отвечено, что конечно же рекомендации могут быть даны всякие, но есть одно немаловажное привходящее обстоятельство. Какое именно? «Ты же говоришь — «если». А на «если» отвечать невозможно». То есть невозможно просто так называть имена, адреса и так далее. Тем не менее Годунов продолжает настаивать: «А если я все-таки хотел бы... просто поговорить...» — «Ну что ж, — отвечает мой приятель ему, — говори со мной!» Тогда он и услышал от Годунова: «Вот я и говорю». Приятель вышел в соседнюю комнату и позвонил мне.

Волков: Почему именно вам, а не кому-нибудь из балетного мира?

Бродский: Американский балетный мир (в Нью-Йорк особенно) сильно завязан с русской колонией. Довериться балетным было бы риском. Затем, не было никакой гарантии, что балетный человек не наберет сразу номер советского консульства. Что, учитывая последующую реакцию некоторых принадлежащих к артистическому миру американцев на известие о побеге Годунова, оказалось вполне реалистичным предположением. (Было даже интересно услышать о некоторых откликах. Кризисные ситуации всегда интересны. Потому что выясняется — кто хозяин, кто лакей.) И еще одно обстоятельство диктовало осторожность. Годунов — солист, звезда. Моментально людям в голову приходят соображения касательно балетного бизнеса, конкуренции. То есть — кто, когда и как будет заключать контракты. И опять-таки никто не будет в состоянии держать язык за зубами.

Волков: И как разворачивались события?

Бродский: В общем, мы сели в машину и поехали на дачку, поскольку ясно было, что Годунова надо спрятать. Мой первый совет ему был — связаться с кем-нибудь в государственном департаменте США. Годунов был танцовщик с именем, и я рассудил, что его начнут приглашать за рубеж, понадобятся бумаги на выезд, бумаги будет выдавать тот же госдепартамент; пускай они возьмут его так или иначе под свою опеку. Всегда лучше, если кто-то наверху тебя знает. Так и получилось, между прочим. На следующий день мы вернулись в город, где и произошли все необходимые манипуляции с заполнением анкет. Саша сидел на диване, я — в кресле, иммиграционный чиновник — на стуле. Тут же были двое из ФБР. Я переводил. После чего Сашу повезли в полицейское управление снять отпечатки пальцев (процедура, производимая со всеми эмигрантами). Ну, думаю, все в порядке. Вернулся к себе. Принял душ, переоделся; занялся своими бумажками. Вдруг опять телефон: «Иосиф, не мог бы ты отвезти Сашу в Коннектикут?» Ну что делать? Главное — он, что называется, без языка. В Коннектикуте мы провели три последующих дня.

Волков: А в это время в Нью-Йорке начался газетный шквал: «Ведущий танцовщик Большого театра попросил политического убежища в США!» Все вспоминали о Нуриеве, Макаровой, Барышникове. Но те были из Ленинграда. А из Большого — Годунов был первый.

Бродский: Мы, в общем, все это предвидели. Поэтому после того, как Годунов прошел иммиграционную процедуру, наш общий знакомый позвонил одному из лучших адвокатов в Соединенных Штатах — Орвиллу Шеллу. Это был один из наиболее замечательных американцев, с которыми мне вообще доводилось иметь дело. Может быть, немножко наивный, как все они. Но, когда надо, и не наивный. Шелл поставил госдепартамент в известность, что он представляет интересы Годунова. Буквально через пятнадцать минут ему оттуда перезвонили: советские требуют с Сашей рандеву. Действительно, по консульской конвенции они имели на это право. Шелл сказал Годунову: «У меня нет никаких идей ни за, ни против такой встречи; это зависит исключительно от вас. Но, будь я на вашем месте, я бы встретился с советскими — хотя бы потому, что в качестве условия можно было бы потребовать свидания с вашей женой».

Волков: Да, главная-то каша заварилась из-за жены Годунова, балерины Людмилы Власовой! Они прилетели на гастроли в Нью-Йорк вместе, а остался Годунов — один. Мне он, помнится, так и не объяснил с полной внятностью, *что* именно тогда между ними произошло...

Бродский: Миле Власовой мы пробовали звонить в первый же день побега Саши. Сначала она была на репетиции, потом должна была выступать, потом было поздно звонить — на гастролях КГБ устанавливало для артистов комендантский час, после которого из гостиницы уже не выпускали. Мы прозванивались к ней из Коннектикута. Но было совершенно ясно, что в гостинице Милы уже нет. Трубку в ее номере подымал какой-то советский человек. Мы пытались связаться с Милой тремя или четырьмя известными нам способами. Ничего не получилось. Затем нам стало известно, что она находится на территорий советского консульства в Нью-Йорке. Встречу с Милой назначили на пятницу, в час дня. Шелл позвонил нам, попросил быть наготове. Два человека из госдепартамента вылетели в Нью-Йорк. В тот момент, когда они приземлились в Нью-Йорке, им было сказано, что Людмилу Власову — в сопровождении четырех человек из советского консулата — усадили в машину. Машина движется по направлению к аэропорту Кеннеди. То есть советские нарушили условия соглашения с государственным департаментом. Эти двое из госдепартамента прыгнули в автомобиль и кинулись вдогонку. Я думаю, в определенный момент на Ван Дейк-экспресс они находились позади советской машины на расстоянии не больше мили или полутора.

Волков: Тут-то и началось самое захватывающее: конфронтация двух супердержав в аэропорту Кеннеди. Телевидение, радио, газеты только об этом и трубили. Мне в те дни казалось, что весь мир, затаив дыхание, следит за этой драмой...

Бродский: Шелл позвонил Годунову: советский самолет, на котором, по плану советских, Мила должна была улететь в Москву, задержан; было бы хорошо, если бы мы приехали в аэропорт Кеннеди. Отправляемся туда, эскортируемые ФБР. С ФБР полная комедия: они ищут въезд в ПАН-АМ, промахиваются раз, другой. С этого ляпа и начались три жарких дня в аэропорту. Первую ночь мы провели в микроавтобусе. Вторую — в городе, на третью нас повели в гостиницу в аэропорту. В гостинице полно советских: консульские работники, гэбэшники, корреспонденты. Со стороны ФБР запихивать нас туда было абсолютным идиотизмом. Когда мы к этой гостинице подъехали, и я увидел, что там творится... Я говорю ребятам из ФБР: «Слушайте, это не мое дело — вам объяснять, но вы что, вообще не соображаете, да?» — «А чего делать?» — «Ну, может быть, можно в гостиницу войти через кухню, я уж не знаю что...» Они поперлись на кухню — нет, вроде бы там хода нету. Тогда я говорю: «Видите пожарные лестницы слева и справа? Почему бы не открыть одну из них?» Так и сделали; Саша вскарабкался по лестнице как кот Мурзик. Это было довольно комично. Хотя вся история развивалась скорее в трагическом плане.

Волков: К этому времени ею уже занимались Брежнев с советской стороны и Джимми Картер — с американской...

Бродский: Еще нет, потому что это был уик-энд. Когда из госдепартамента позвонили в Москву, в министерство иностранных дел, там никого не оказалось. Москва поначалу предложила, чтобы с их стороны переговоры вело какое-то лицо из комитета госбезопасности. Но с КГБ госдепартамент отказался иметь дело. Поскольку эти два учреждения по своему положению в государственной иерархии неадекватные. А советские представители в Нью-Йорке уперлись, что было совершенно натурально: коли советский здесь работает, он сделает все, от него зависящее, чтобы его нельзя было упрекнуть в недостаточном рвении. Кому охота терять хороший пост, нью-йоркскую малину? В конце концов, американцы проиграли. Дело в том, что главной целью переговоров была встреча Годунова с Милой. И не просто ради волеизъявления Милы по поводу того, хочет ли она остаться с ним, но ради волеизъявления свободного, в нормальной обстановке, вне самолета, вне присутствия ста соотечественников. Мы добивались встречи, обещанной советскими. За то, что все кончилось так трагично, вина лежит, главным образом, на президенте Картере, и косвенно — на американском представителе в ООН Макгенри, которому было поручено вести это чрезвычайно сложное дело. У Макгенри же не было настоящего опыта международных переговоров, а тем более — переговоров с советскими. В критической ситуации Макгенри, разумеется, решил быть чрезвычайно осторожным. Осторожным он и оказался...

Волков: Но ведь американцы задержали советский самолет с Власовой на борту в аэропорту. То есть поначалу действовали довольно-таки решительно...

Бродский: Да, и вернувшись в понедельник в офис, президент Картер издал два распоряжения. Первое — генеральному прокурору: Картер разрешал использовать полицию любым, представлявшимся ему, генеральному прокурору, целесообразным образом. Другое распоряжение Картера было для Макгенри: проявлять сдержанность. То есть левая рука отменяла то, что делала правая. Когда выяснилось, что на встречу Годунова и Милы советские согласия не дадут, Шелл предложил: «Почему бы не написать Миле записку? Она сидят в самолете, ничего не знает, ей начальники голову морочат. Записку Макгенри возьмет с собой на встречу с Милой и передаст ей, чтобы Миле стало ясно, из-за чего весь сыр-бор разгорелся. На посла советские прыгать и вырывать записку не станут...» Я говорю: «А на Милу?» — «И на Милу не станут, потому что это будет чересчур уж нахально». Я говорю: «Ладно, будем надеяться...» Мы составили эту записку в чрезвычайно внятных и, так сказать, приватных выражениях. Отдали ее Шеллу, тот записку Годунова передал Макгенри. Проходит время. Шелл входит: «Она сказала — «нет». Мы все раздавлены. Собираем свои манатки, тут я говорю: «Да, а как она отреагировала на записку?» Ответ Шелла был: «Записка осталась в кармане у Макгенри... Он ее не передал...» Я чуть было не заревел. По-моему, даже заревел. Годунову пришлось меня урезонивать. Такое больно вспоминать. Все это прошло чересчур близко к сердцу. Ведь я был — как бы это сказать — устами, которыми Годунов глаголил. Не просто рупором. В конце концов, у меня тоже в голове что-то происходило. Что-то я соображал, пытался объяснить американцам. Сильное нервное напряжение. Усталость. Вот я и сорвался.

Волков: И все-таки даже после многих десятков часов разговоров с Годуновым, многое в этой истории остается для меня загадочным. Я имею в виду психологическую сторону. И ту скрытую драму, которая разыгралась между Годуновым и его женой — в отличие от всем видимой политической конфронтации между сверхдержавами...

Бродский: Для меня совершенно несомненно, что Мила была чрезвычайно дорога Саше. Они были женаты семь лет. И когда семь лет совместной жизни идут псу под хвост исключительно из-за политических соображений — об этом невыносимо даже думать.

Волков: Как бы, по-вашему суждению, развивались события, если Власова могла бы сделать выбор в нормальной обстановке?

Бродский: Не знаю. Думаю, она бы осталась. Саша объяснил мне — буквально на следующий день после своего побега — что они обсуждали такую возможность неоднократно. Тем не менее в последние дни в Нью-Йорке она не выразила готовности; хотя в другом случае она такую готовность, видимо, выражала. Мне кажется, это нормальная супружеская история, когда сегодня ты говоришь «нет», потому что знаешь, что завтра скажешь «да». Или наоборот. Думаю, что и у Саши в голове не было полной ясности. Потому что, пока ты в самом деле не бежишь, непонятно, о чем и речь идет. Продумать все до деталей Саша просто не мог. Да детали эти и вообразить себе невозможно! Видимо, он исходил из предположения, что все как-нибудь образуется. Годунов догадывался, что после Нью-Йорка его собираются отправлять обратно в Москву. Он понял, что времени нет. Что разговоры с Милой будут длиться бесконечно. Он, может быть, ее и уговорил бы в конце концов, но момент был бы потерян. Потому что одно дело — строить планы побега в Советском Союзе, а другое — в городе Нью-Йорке. Вот Саша и решил выполнить по крайней мере одну часть плана, главную для него. Потому что для него главное было — самореализация в качестве артиста. Все-таки Годунов был в первую очередь — артист, а уж потом — муж. Думаю, для всякого художника главное — это то, что ты делаешь, а не то, как ты при этом главном живешь. Женщина, когда надо выбирать между известным и неизвестным, — предпочитает известное. Отбросим романтическую, эмоциональную сторону, которая могла бы побудить Милу остаться. С практической точки зрения, чисто профессионально, ход рассуждений Милы мог быть таков. Годунов звезда. Ей, по качеству ее таланта, особой малины не предвиделось. Она была на семь лет старше Годунова. У Саши, если к нему придет успех на Западе, не останется никаких — если мы опять-таки отбросим романтические чувства — сдерживающих обстоятельств. Поэтому Мила вполне могла предположить, что ее жизнь на Западе обернется не самым счастливым образом. Ее итоговое решение зависело бы от степени привязанности к Годунову. Но в том контексте, который возник в аэропорту Кеннеди, привязанность и прочие романтические эмоции отступили на задний план, а на первый план выступил страх. Саша, при всем напряжении, при всей необычности и ненормальности ситуации, был в человеческом окружении, среди людей, ему сочувствовавших. Для него любовь к жене не отступила на задний план. Наоборот, все прочее отступило. У Милы произошел, видимо, обратный процесс. Если бы она и хотела сказать советскому начальнику, что остается, то не смогла бы. Просто не смогла! Американцам не вообразить тот психологический нажим, ту волну, которая в такие моменты обрушивается на человека... Из аэропорта мы возвращались в чрезвычайно подавленном настроении. На другой день была объявлена пресс-конференция. В эту ночь мы спали всего два или три часа. Потому что нас пытались заставить отказаться от этой пресс-конференции. До сих пор не могу понять, почему. Мне аргументы американцев, нас уговаривавших, казались полным вздором. Но давление было такое, которому я никогда в жизни — даже на допросах в КГБ — не подвергался... Тем не менее Саша выстоял. На пресс-конференции (на которую собралось человек триста репортеров) он давал чрезвычайно внятные ответы. Это было впечатляющее зрелище. Не только пресс-конференция, но все поведение Годунова в эти дни. Потому что я увидел человека, который расцветает в кризисных ситуациях. И это стало для меня довольно-таки памятным переживанием...

Волков: За время нашего житья в Нью-Йорке мы стали свидетелями любопытного процесса адаптации метрополией русской зарубежной культуры. Шаляпин, Рахманинов или Бунин были частично адаптированы довольно давно, то есть они пребывали в ранге классиков, хотя и ущербных, еще тогда, когда мы жили в Союзе. Затем пришла очередь Стравинского и Дягилева. Постепенно из страшного бяки превратился в хорошего человека Марк Шагал. То же произошло с Джорджем Баланчиным. Наконец, дело дошло до Набокова и поэтов «парижской ноты». Напечатали даже живых эмигрантов, среди них — Бродского и Солженицына. Теперь начинается повторный процесс адаптации — более полной, более благожелательной и объективной — тех же эмигрантских классиков: Шаляпина, Рахманинова, Бунина, Стравинского...

Бродский: Я бы сказал, что их не адаптируют, а кооптируют. Того же Шаляпина — Господи, куда дальше ехать...

Волков: Мне кажется, что введение в постоянный обиход какой-либо культурной ценности, пусть даже обкорнанной и вырванной из контекста, есть все-таки более плюс, чем минус.

Бродский: В общем, да. Видимо, да. Я не знаю...То есть живи я, скажем, в Питере, я бы занял более максималистскую позицию. И когда я говорю — «в общем, да», то говорю это не потому, что действительно так считаю, а потому, что мне уже неохота спорить. На самом-то деле я как раз с этим не согласен. Когда я вижу, как в метрополии препарируют эмигрантскую культуру, эмигрантское искусство, когда я листаю обкорнанные публикации или узнаю о какой-то выборочной выставке... То есть, может быть, в отношении живописи, изобразительного искусства такой подход и приносит какие-то плоды, но для литературы — нет. Конечно, можно по какому-то куску материала восстановить или, еще лучше, вообразить массу всего остального — того, что могло предшествовать появлению, скажем, этой дикции и так далее. И, конечно, чем бы дитя ни тешилось, лишь бы не плакало. Но в общем-то мне подобное отношение не очень нравится. Разумеется, мне не очень нравится и, так сказать, обратный вариант этого моего максимализма. Например, я еще по Ленинграду помню поколение людей, душевный базис которых, главное их «я» зиждилось на том, скажем, что где-то существует Матисс, который в Союзе запрещен. И когда Матисса разрешили, то на территории его легенды произошел колоссальный крах. Я такие происшествия прекрасно помню. Но мне, в общем, больше все-таки нравится ситуация «или—или». Я именно подобную ситуацию всегда предпочитал — и не только в искусстве, но и в политике, и в жизни. Вот, например, эта история с Польшей, да? Конечно, замечательно, что советские туда не вторгаются. И для поляков это хорошо. Но хорошо ли это для России? Я не уверен, хотя и грех, конечно, говорить так, да? Потому что это советское невмешательство свидетельствует о том, что имперское мышление становится более утонченным, более гибким. Что естественно предполагает увеличение жизнеспособности империи. И, с одной стороны, я невероятно рад за поляков, но с другой — для России это не очень хороший симптом. И если вернуться к разговору об искусстве, то, конечно, прелестно, что разрешают Стравинского, и Шагал с Баланчиным уже хорошие люди. Но это также означает, что империя в состоянии позволить себе определенную гибкость. В каком-то смысле это не уступка, а признак самоуверенности, жизнеспособности империи. И вместо того, чтобы радоваться по этому поводу, следовало бы, в общем, призадуматься... И предпринять какие-то следующие шаги.

Волков: Когда я приехал на Запад, то с огромным интересом прочел изданные здесь записки Лидии Корнеевны Чуковской об Ахматовой. Я их воспринимаю как чрезвычайно ценный документ, характеризующий мышление не только и не столько Ахматовой, сколько самой Чуковской и всего слоя русской интеллигенции, ею представляемого. И я запомнил одну поразившую меня запись Чуковской шестидесятого года. Она пишет о Георгии Адамовиче, живущем в Париже. До нее дошла, кажется, книга его критической прозы. И вот Чуковской представляется, что это весточка из какого-то запредельного мира: оказывается, что-то где-то происходит и помимо метрополии. Кто-то еще пишет и печатается по-русски где-то там, в Париже. И я помню, как, прочтя это, вдруг перенесся в шестидесятый год и с содроганием представил себе реальную ситуацию тех лет. Ведь действительно, для тогдашней интеллигентской среды даже понятия такого, как русская зарубежная культура, не существовало. То есть был полностью отрезан огромнейший культурный пласт, и это чрезвычайно негативно влияло на культурный баланс внутри страны.

Бродский: Факт «столь долгого отсутствия» русской зарубежной культуры в метрополии можно объяснить не только эффективностью совершенного отрезания или обрезания, но также простой географией. Потому что, когда вы думаете о Западе, то все-таки вспоминаете в первую очередь не о живущих там русских эмигрантах. Когда вы думаете о Париже, то первая мысль не о том, что там жили Ходасевич или Адамович, а о Валери или Сартре, да? То есть имеет место нормальный культурно-географический принцип, в связи с которым и не должно особенно задумываться о существовании русского культурного островка на Западе. Это с одной стороны. С другой же... Я, например, знал об Адамовиче. И что он живет в Париже. Конечно, это был не шестидесятый год, но я помню, что году этак в шестьдесят седьмом я, найдя первый сборник стихов Адамовича, вышедший в Петербурге — не помню уж, в 1914 или 1916 году — передал с одной приятельницей эту книжку Адамовичу в Париж. И потом эта приятельница вновь появилась в Ленинграде с благодарностью от Адамовича. Это говоря конкретно об Адамовиче, да? Что же до русской зарубежной культуры в целом, то, разумеется, мы не знали в подробностях — кто сейчас жив, кого уже нет, что происходит в данный момент. Но зато то, что до нас доходило, носило — и это замечательно, и в этом достоинство железного занавеса — вневременной характер. То есть имело, на мой взгляд, характер абсолюта, до известной степени.

Волков: Разница в том, что сейчас все это является частью повседневного опыта гораздо более широкого круга людей. И, соответственно, сильнее влияет на психологию, условно говоря, производителей культуры в метрополии. И я не думаю, что проза Алданова или стихи того же Адамовича выглядели более вневременными, говоря вашими словами, чем проза Солженицына и стихи Бродского. Восприятие культуры не очень-то выигрывает, когда она к публике поступает, так сказать, спазматически, а не в результате естественного, ровного процесса.

Бродский: Вы знаете, Соломон, это вполне возможно. Но то, о чем вы говорите, произошло — я могу позволить себе сардоническое замечание — уже после нас. Я уже об этом ничего не знаю. При мне и Солженицын был дома, и я сам был дома. И все остальные были дома. Да и неважно это. Неважно... Просто я хотел сказать, что, на мой взгляд, наиболее ценное в русской зарубежной культуре всегда в нашем сознании присутствовало. В высшей степени. То есть чего я только не читал в шестидесятые годы, особенно во второй их половине! Главным образом это был Шестов, затем Бердяев, Лосский, Франк. И, между прочим, не позднее шестьдесят пятого года я прочел «К определению понятия культуры» Элиота и «Портрет художника в юности» Джойса. Это, конечно, не русская культура, но, с другой стороны, все это было переведено на русский, хотя и издано на Западе.

Волков: Но заметьте опять-таки, каков хронологический разрыв! Вы читали то, что было создано на Западе полвека тому назад, как в случае с тем же Джойсом. То, что уже давным-давно отстоялось, откристаллизовалось и было признано всем миром. Но ведь это ненормально! При нормальном кровообращении культуры вы получаете то, что создано сегодня, а не пятьдесят лет тому назад!

Бродский: Вы знаете, я с этим тоже не согласен! Потому что это — взгляд даже не из нашего времени, а из нашего места, что называется. Это взгляд современный и западный. Если же вспомнить о том, как культура развивалась на протяжении тысячелетий, то это был процесс далеко не единовременный. Нечто происходило в Ассирии, нечто в Греции, или в Индии, или в Византии. И пока одно доходило до другого, проходили века.

Волков: Это ушло, и навсегда. Культура нынче распространяется мгновенно. И, я думаю, эта ситуация необратима. Конечно, все это теперь идет мощным потоком, в котором масса шлака. Но я совершенно не согласен с жалобами на то, что сейчас народ, дескать, потребляет одну только мерзость и пошлость, а раньше-то купался в волнах исключительно высокой литературы. Народ в России в 1830 году жадно читал творения Булгарина и Александра Анфимовича Орлова, а вовсе не Пушкина. А сейчас читают и Пикуля, и Набокова, и Пушкина. И я уверен, что не только в абсолютных, но даже, может быть, и в сравнительных, процентных соотношениях, гораздо большее количество людей сталкивается с высокой, условно говоря, культурой сейчас, чем двести или триста лет тому назад.

Бродский: То есть количество культурной продукции на душу населения сильно возросло. Но это же технология, а не достоинство, не завоевание культуры как таковой.

Волков: Конечно, технология. Так ведь и изобретение книгопечатания можно рассматривать как сугубо технологическую новацию.

Бродский: Ну разумеется... Да нет! Я-то всей душой за то, чтобы все моментально узнавали обо всем. Но, с другой стороны, будучи ретроградом, я испытываю некоторые ностальгические эмоции. Потому что знаю по своему опыту, что чем меньше информации получает твой мозг, тем сильнее работает воображение.

Волков: Да, подобный подход, насколько мне известно, вы использовали в работе над переводами из английских и американских поэтов...

Бродский: Да и не только в этом случае. Возьмите эти знаменитые слова Мандельштама о том, что акмеизм — это тоска по мировой культуре. Подобные же идеи высказывал и Валери. И, на мой взгляд, тоска по мировой культуре — это явление совершенно замечательное. Потому что, когда вы тоскуете по мировой культуре, то спускаете свое воображение с поводка. И оно, что называется, несется вскачь. И иногда при этом оно наверстывает то, что происходит в западной культуре. Потому что мировая культура — это, естественно, культура Запада, да? По крайней мере, по тем временам. Да и по нашим временам тоже. Это как на стрельбище — иногда недолет, иногда точное попадание. А зачастую, как в случае с Мандельштамом, имеет место перелет. И, в отличие от настоящего стрельбища, в культуре такие перелеты — самое ценное.

Волков: Позволю себе с вами не согласиться, и вот по какой причине. Слова Мандельштама очень красивы, но как бы скрывают одну вещь. А именно: когда акмеисты провозглашали свою тоску по мировой культуре, у них была полная возможность эту тоску, что называется, залить — потоком культурной информации с Запада. Все эти люди — и Мандельштам, и Ахматова, и Цветаева, и Пастернак полностью сформировались...

Бродский: ...в старые времена.

Волков: А тогда, в предреволюционные годы, русские переводы парижских литературных новинок объявлялись чуть ли не мгновенно. То же происходило с музыкой, живописью. И, кстати, начинал формироваться и встречный поток — из Петербурга в Париж. И если бы все продолжалось нормальным образом, то сегодня новая русская культура была бы подлинно интегрированной частью мировой, а не какой-то ее экзотической провинцией. Весь наш знаменитый Серебряный век стал возможным благодаря подобному нормальному культурному кровообращению. С другой стороны, посмотрите, что случилось, когда это кровообращение нарушили. Какой постепенно обнаруживается гигантский спад и в мышлении, и в поэтической культуре людей, которые, быть может, обладали большими дарованиями. Но которые полностью не реализовались. Я в таких случаях вспоминаю того же

Свиридова. Или Твардовского, если вам угодно. Полагаю, что у Твардовского было огромное поэтическое дарование, незаурядный критический ум и эстетическое чутье. И все это не реализовалось полностью из-за того, что Твардовский искусственно был отрезан от современной западной культуры.

Бродский: Это вполне возможно, вполне возможно. Я про Твардовского ничего сказать не могу. Но, с другой стороны, возьмите Заболоцкого и обэриутов. Они сложились совершенно самостийным образом.

Волков: А немецкий экспрессионизм? В петроградских театрах ставились немецкие экспрессионистские пьесы. Между прочим, с танцами в постановке Баланчина. Приезжал Эрнст Толлер. Михаил Кузмин и прочие переводили новых немецких поэтов. Поступала информация о дадаистах. А вот когда действительно опустился железный занавес, тогда и началась эта анемия, результаты которой до сих пор сказываются. Посмотрите — поколение за поколением талантливых безграмотных людей.

Бродский: Ну, это так, Господи. Вообще-то этот железный занавес недолго висел. Какие-нибудь тридцать-сорок лет. И не надо все сваливать на Иосифа Виссарионыча, потому что подобная изоляционистская политика была чрезвычайно на руку всем отечественным бездарностям. С другой стороны, я помню свои ощущения, еще внутри России, когда я начал получать западные почтовые открытки. Смотришь на фотографию на такой открытке, и в первый момент не понимаешь, откуда это послано. То ли из Каракаса, Венесуэла, то ли из Хельсинки, Финляндия. То есть в некотором роде железный занавес, при всех его очевидных пороках, способствовал, до известной степени, сохранению чистоты национальной культуры.

Волков: Это будет как раз аргумент апологетов творчества Свиридова и Твардовского. Я все же думаю, что им, как и другим русским талантам, изоляция от Запада принесла больше вреда, чем пользы.

Бродский: А теперь, когда я смотрю на открытки, приходящие из Москвы, — особенно если фотографии изображают новые районы... Уже совершенно непонятно, где это происходит: Бронкс ли это или наоборот, столица нашей родины?

Волков: Если бы события развивались цивилизованным порядком, то этот московский Бронкс был бы отстроен значительно раньше, параллельно с нашим Бронксом, нью-йоркским. И сейчас в Москве возводили бы, вполне возможно, здания и качественные, и национально характерные. Вместо этого они там с запозданием начинают копировать худшие стороны западной культуры, самое внешнее, поверхностное в ней. И из-за этого в разных областях кучами нарождаются головастики и уродцы..

Бродский: С этим я совершенно согласен.

Волков: Забывают, что в двадцатые годы уже существовал живой — и в некоторых отношениях даже более устойчивый — культурный обмен с Западом. Люди приезжали, уезжали. А потом все это вымерло. Очень будет горько, если в какой-то момент и нынешний поток вдруг прервется, и мы окажемся в такой же изоляции, в какой себя ощущали Адамович, Георгий Иванов или Артур Лурье.

Бродский: Это, я думаю, уже невозможно. И прежде всего — благодаря этой самой технологии: радио, телевидению и так далее.

Волков: Когда стихи ваши стали появляться (или, может быть, точнее сказать — вновь публиковаться) в отечестве, то оттуда начали доноситься вместе с благожелательными также и недоброжелательные отклики. Их суть сводится, в общем, к одной фразе, которая мне запомнилась еще по одному давнему эмигрантскому отклику на ваше творчество. Тогда было заявлено, что Бродский — это человек, «по ступеням русского языка поднимающийся к славе».

Бродский: По-моему, замечательно. Что может быть лучше?

Волков: И одновременно во многих стихах, которые сейчас печатаются в советских журналах, особенно молодых поэтов, чувствуется влияние вашей поэтической манеры. Здесь, в Нью-Йорке, это влияние стало сказываться, как это ни парадоксально, еще раньше. Быть может, потому, что здесь вы уже давно преподаете. Я помню, как в литературном журнале Колумбийского университета было помещено интервью с вами, и один из вопросов был: что бы вы посоветовали читать молодым поэтам? И у меня, по вашему ответу, создалось впечатление, что вы были даже ошарашены...

Бродский: Да, потому что я в этой категории — «молодые поэты» — сам находился довольно долго. Думаю, если бы я остался в Советском Союзе, то пребывал бы в ней до сих пор. Там до недавнего времени и Вознесенский с Евтушенко все еще считались молодыми... Несколько ошеломительно... Что касается жизни здесь, то у меня было много поводов думать, особенно в последние годы, что все вообще уже кончилось. Или кончается. И хотя бы по одному этому я не считал себя молодым человеком довольно давно. Но когда тебе задают вопросы вроде вышеупомянутого, и смотрят на тебя как на гуру, то чувствуешь себя несколько диковато — в любом, я думаю, возрасте, тридцать ли тебе лет или шестьдесят. И для меня такие вещи продолжают оставаться удивительными. Хотя и следовало бы к ним привыкнуть, поскольку я, действительно, преподаю. И сам этот факт уже как бы указывает, что ты своих студентов старше, мудрее и так далее. И тем не менее, когда тебе задают такой вопрос — «что вы можете посоветовать молодым поэтам?» Да кто я такой, чтобы им советовать!

Волков: Вы сейчас сказали об ощущении, что все уже кончилось или кончается. С чем оно связано?

Бродский: Прежде всего со стишками. Потому что дописываешься до того, что в возрасте, в котором ты находишься, по идее и в голову приходить не должно. И уже по этому одному ощущаешь себя старше своих лет. И еще масса разных вещей, среди которых и наиболее очевидное обстоятельство — твое нездоровье. Я тут прибаливал несколько раз по-крупному. Бытие, конечно, не определяет сознание. Но иногда определяет, скажем, тональность стишка. Не столько содержание, сколько тональность.

Волков: Вам здесь делали операции на сердце. И я от разных людей слышу разное о вашем здоровье...

Бродский: На самом деле все очень просто. Был инфаркт, после чего я два года кое-как мыкался. Состояние нисколько не улучшалось, а даже ухудшалось. Я, правда, тоже хорош — курил и так далее. И тогда врачи решили меня разрезать, поскольку они сделали всякие там анализы и убедились, что из четырех артерий, три — «но пасаран», да? Совершенно забиты. И они решили приделать артерии в обход, в объезд. Вскрыли меня, как автомобиль. Все откачали — кровь, жидкость... В общем, операция была довольно-таки массивная. И, значит, они вставили три объездных, запасных пути. Развязки, если угодно. Но впоследствии выяснилось, что из трех путей только два действуют как следует, а третий — смотрит в лес. И операцию эту пришлось повторить. И от этого всего жизнь временами чрезвычайно неуютна, а временами все нормально, как будто бы ничего и не происходит. А когда болит, тогда, действительно, страшно. Чрезвычайно неприятно. И делать ты ничего не можешь. И не то чтобы это был действительно страх... Потому что ко всему этому привыкаешь, в конце концов. И возникает такое ощущений, что когда ты прибудешь *туда*, то там будет написано — «Коля и Маша были здесь». То есть ощущение, что ты там уже был, все это видел и знаешь. Но тем не менее болезнь эта несколько обескураживает. Выводит просто из строя.

Волков: А как вы себя чувствовали перед тем, как ложиться на первую операцию?

Бродский: Я довольно сильно боялся. Ну все-таки сердце! Мы с сердцем привыкли отождествлять себя, свои представления о себе. Это старая романтическая традиция. А в моем случае это усугублялось тем обстоятельством, что я вообще-то считаю: в крови у человека душа, как это написано в книге Левит. Помните? «Не ешьте крови ни из какого тела, потому что душа всякого тела есть кровь его». Меня всегда интересовало, где у человека душа. И когда я это прочел, мне все стало ясно. Поэтому я перед этой откачкой крови несколько нервничал. Так вот, некоторое время было очень страшно, пока мне в голову не пришла довольно простая мысль. Я даже помню, как это случилось, произошел чуть ли не диалог с самим собой. Я сказал себе: «Ну да, конечно, это сердце... Но все-таки ведь не мозг? Это же не мозг!» И как только я подумал это, мне сильно полегчало. Так что обошлось как-то.

Волков: И вы действительно ощущали после операции что-то новое в своей крови, в которой душа?

Бродский: Да нет, мне ведь и раньше, еще в Союзе, делали переливание крови. Это я так, ваньку валял. Ничего, обходится до сих пор.

Волков: Помню, в одном разговоре с вами меня резанули и запомнились ваши слова о том, что мы сюда приехали не жить, а доживать. И я эти слова часто про себя повторяю.

Бродский: В общем, это вполне возможная точка зрения на вещи, хотя и не единственная. Объективно ситуация довольно часто выглядит именно так. Ведь я не думаю, что проживу здесь тридцать два года, как в отечестве. В общем, это себе трудно представить. (Но ежели я проживу больше, то тогда это мое заявление чисто статистически не выдерживает критики, да?) Ведь и убеждения, и принципы наши уже сложились, в той или иной степени. Люди нашего возраста — это существа вольно или невольно уже сформировавшиеся. Фундамент, разгон — имели место в отечестве. Наше существование в России было причиной. Сегодня вы имеете следствие.

Волков: А разве не было у вас ощущения, когда вы приехали в Нью-Йорк, что этот переезд, напротив, дает возможность нового старта?

Бродский: Этого точно не было. У меня такого ощущения — старта — вообще не бывает.

Волков: А ощущение продолжения?

Бродский: Это — да, с определенного времени. Лет примерно с тридцати, я думаю.

Волков: Мы говорили о разных откликах на ваши стихи в России, как, впрочем, и здесь, в эмиграции. Примерно в том же роде писали и говорили о других людях — очень разных, по разным обстоятельствам покинувших Россию. Но в то же время что-то их объединяло. Это — Стравинский, Набоков и Баланчин. Они, кстати, все трое — бывшие петербуржцы. Представители того, что я называю «зарубежной ветвью» петербургского модернизма. И здесь, на Западе, они двигались от каких-то национальных вещей в сторону большей, что ли, универсальности. Они стали космополитами. (Слово это здесь, на Западе, употребляется без малейшего оттенка осуждения. В конце концов, оно обозначает всего-навсего «гражданин мира».) И на них за этот космополитизм ополчались в выражениях, весьма схожих с нападками на вас.

Бродский: Вы знаете, я об этом не думал. Честное слово. И то, чем я занимаюсь, я ни в коем случае не рассматриваю в этом свете или в этой плоскости. Я занимаюсь исключительно своей собственной — не то что даже жизнью, а своей внутренней историей. Что получилось, что не получилось, когда я ошибался, своей виной-не виной. В общем, сугубо внутренними делами. Остальное меня не очень интересует.

Волков: Я прочел некоторое время назад первую большую биографию Набокова, а также его переписку. И вижу, насколько этот процесс перехода, условно говоря, из национальной культуры в мировую — болезненный. И внешне, и внутренне.

Бродский: Если говорить о нападках, то я не думаю, что им стоит придавать феноменологическое значение. Это довольно противно, и все. Разумеется, тут имеет место быть некоторое количество уязвленных самолюбий. А более ничего во все это не вовлечено, по-моему. Но уж если на этом уровне говорить, то лучше вспомнить даже не про Стравинского, Набокова и Баланчина, а про Петра Первого, ему-то досталось больше других.

Волков: Ну, у Петра было также больше административных возможностей на эту критику отвечать.

Бродский: Но психологически для меня это — примерно то же самое.

Волков: Меня эта проблема занимает вот почему. Чем дальше, тем больше я убеждаюсь в том, что те же Стравинский, Набоков и Баланчин, в какой-то момент сознательно отказавшиеся от участия в русской культуре, в итоге все равно от нее не ушли. Выясняется, что уйти от своей культуры невозможно. Они от каких-то вещей отказались, но приобрели новые качества. И тем самым, в итоге, неимоверно раздвинули границы той же русской культуры. И сейчас в отечестве многие этот факт начинают просекать. Там сейчас разворачивается процесс ассимиляции завоеваний зарубежной ветви петербургской культуры — медленный, но неизбежный. И одновременно наблюдаются неизбежные попытки этот процесс остановить.

Бродский: Это все ужасно интересно, но лично я ничего не раздвигаю. Я свои собственные стишки сочиняю, исключительно. У меня других понятий на этот счет нет. Я даже, в отличие от упомянутых вами замечательных господ, не хотел уезжать из России. Меня к этому принудили. Я Брежневу Леониду Ильичу написал тогда, что лучше бы они позволили мне участвовать в литературном процессе в отечестве, хотя бы как переводчику. Ну, не позволили.

Волков: Кстати, в последнем «Нью-Йоркере» я увидел ваше стихотворение — оно что, написано по-английски?

Бродский: Да нет, это перевод. Просто не поставили имени переводчика. Переводчик я, между прочим.

Волков: Я-то решил, что вы все-таки начали писать стихи по-английски, хотя и утверждаете довольно решительно, что делать этого не хотите.

Бродский: А я почти и не делаю этого. Единственное, что я сочиняю по-английски с некоторой регулярностью, это эссе. И то в последнее время в этой области наблюдается некоторый затор. Просто потому, что от проклятой нью-йоркской жары башка не работает.

Волков: Хотелось бы увидеть эти эссе опубликованными — полностью — в Союзе, в переводе на русский язык. Не в последнюю очередь и потому, что они написаны как раз с этой точки зрения — сопричастности к мировой культуре. А это именно то, чего им там, в России, в данный момент не хватает.

Бродский: Это не совсем та постановка вопроса — «чего им там не хватает». Им хватает абсолютно всего. Вы знаете, география ведь существует недаром. Какие-то вещи просто не должны смешиваться, да? Конечно, тоска по мировой культуре наличествует. Но она ведь наличествует только в определенной культуре. Например, в английской культуре ее нет.

Волков: Потому что там мировая культура присутствует безо всякой тоски.

Бродский: Да, так или иначе. Но зато у англичан, например, есть тоска по непосредственности, которая имеет место на Востоке. У них есть тяга к ориентализму, ко всем этим индийским делам. Вообще всякой культуре, как правило, чего-то не хватает, она всегда к чему-то стремится. К полному охвату бытия, да? На то она и есть культура, и так о ней говорить — все равно, что кошке ловить свой собственный хвост. Но если пускаться в партикулярности, то англичане, к примеру, чрезвычайно рациональны. По крайней мере, внешне. То есть они очень часто упускают нюансировку, все эти «луз эндз», что называется. Всю эту бахрому... Предположим, ты разрезаешь яблоко и снимаешь кожуру. Теперь ты знаешь, что у яблока внутри, но таким образом теряешь из виду эти обе выпуклости, обе щеки яблока. Русская же культура как раз интересуется самим яблоком, восторгается его цветом, гладкостью кожуры и так далее. Что внутри яблока, она не всегда знает. Это, грубо говоря, разные типы отношения к миру: рациональный и синтетический.

Волков: Но когда человек, связанный с одним типом культуры, осваивает также и механизм работы другой культуры, то это открывает какие-то новые горизонты. Стравинский замечательный тому пример. Он очень рано вырвался за отечественные рамки. И, сделав этот рывок, дал потрясающий импульс всей мировой музыке. Но одновременно, как теперь выясняется, творчество Стравинского оказало сильнейшее влияние и на русскую музыку XX века. То есть Стравинский ушел из русской культуры, чтобы остаться в ней.

Бродский: Возможно. Дело в том, что эта принадлежность к двум культурам, или, проще говоря, это двуязычие, на которое то ли ты обречен, то ли наоборот, то ли это благословение, то ли наказание, да? Это, если угодно, совершенно замечательная ситуация психически. Потому что ты сидишь как бы на вершине горы и видишь оба ее склона. Я не знаю, так это или нет в моем случае, но, по крайней мере, когда я чем-то занимаюсь, то точка обзора у меня неплохая.

Волков: Житель двух миров...

Бродский: Пожалуй. Ну не то чтобы двух миров, это всегда твоя собственная точка, да? Но все-таки ты видишь оба склона, и это совершенно особое ощущение. Произойди чудо, и вернись я в Россию на постоянное жительство, я бы чрезвычайно нервничал, не имея возможности пользоваться еще одним языком...

Нью-Йорк. 1978.

Иосиф Бродский. Уличное кафе в Лукке. 1995. Фото Петра Вайля.

Глава 9

Италия и другие путешествия: зима 1979–зима 1992

Волков: Я давно хотел спросить: почему на обложке вашей книги «Часть речи» изображен лев св. Марка?

Бродский: Потому что я этого зверя очень люблю. Во-первых, это Евангелие от Марка. Оно меня интересует больше других Евангелий. Во-вторых, приятно: хищный зверь — и с крылышками. Не то чтобы я его с самим собой отождествлял, но все-таки... В-третьих — это лев грамотный, книжку читает. В-четвертых, этот лев, если уж на то пошло, просто замечательный вариант Пегаса, с моей точки зрения. В-пятых, этот зверь, ежели без крылышек, есть знак зодиака, знак одной чрезвычайно милой моему сердцу особы. Но поскольку ему приходится летать там, наверху, то крылышки определенно необходимы. И, наконец, просто уж больно хорош собой! Просто красивый зверь! Не говоря уж о том, что этот лев венецианский — явно другой вариант ленинградских сфинксов. Вот почему на обложке «Конца прекрасной эпохи» — ленинградский сфинкс, а на обложке «Части речи» — венецианский лев. Только ленинградский сфинкс куда более загадочный. Лев Венеции не такой уж загадочный, он просто говорит: «Pax tibi, Marce!»

Волков: Рим тоже приветлив.

Бродский: В Риме я жил четыре месяца как стипендиат Американской Академии. У меня был двухэтажный флигель, на отшибе, с огромным садом. Панорама оттуда открывалась совершенно замечательная: справа Рим дохристианский, языческий, то есть Колизей и прочее. Слева христианский — св. Петр, все эти купола. А в центре — Пантеон. В Риме, выходя в город — идешь домой. Город есть продолжение гостиной, спальни. То есть, выходя на улицу, ты опять оказываешься дома.

Волков: Почему же, по-вашему, у Ахматовой — после ее поездки в Италию в шестьдесят четвертом году — от Рима осталось впечатление как от города сатанинского? «Сатана строил Рим — до того как пал», — говорила она...

Бродский: У Ахматовой не могло быть иного впечатления: ведь ее при выездах за границу окружал бог знает кто. К тому же в таких городах надо жить, а не проезжать через них. Если на два-три дня очутишься в Питере, то и от него создается не менее сатанинское впечатление.

Волков: Но ведь ваш любимый итальянский город Венеция, а не Рим?

Бродский: Безусловно.

Волков: Лидия Чуковская вспоминает об одном разговоре с Ахматовой. Дело было в девятьсот пятьдесят пятом, и Анна Андреевна сказала: «Мы отвыкли от голубей, а в Царском они были повсюду. И в Венеции». И Чуковская добавляет, что Царское с голубями она еще могла вообразить, но Венецию — никак. Лидия Корнеевна подумала тогда: а существует ли на самом деле эта Венеция?

Бродский: Это старая русская мысль.

Волков: Сколько раз вы были в Венеции?

Бродский: Не знаю, не упомню. В первый раз я приехал туда на Рождество семьдесят третьего года. Дело в том, что попасть в Венецию было моей идеей фикс. Когда мне было лет двадцать, а может быть, немного больше, я прочел несколько романов Анри де Ренье. Это замечательный писатель, о котором никто ни сном ни духом не ведает — даже во Франции. Может быть, специалисты, но ни в коем случае не читатель. Полагаю, что по-русски он оказался тем более замечательным, что его переводил Михаил Кузмин. Меня-то как раз скорее привлекло имя переводчика, чем писателя. И так получилось, что из четырех романов де Ренье, которые я прочел, в двух — местом действия была Венеция зимой. Относительно де Ренье я хочу сказать еще вот что. Это уже чисто личные дела, но думаю, что если я научился у кого-нибудь конструкции стихотворения, то это был именно де Ренье. Хотя он и прозаик. По части конструкции главные учителя для меня — это де Ренье и Бах. До известной степени Моцарт. И если назвать последних двух — хвастовство, то с первым это не так. Потому что он менее известен.

Волков: Может быть, вы должны числить среди своих учителей также и Кузмина, потому что русский де Ренье — это в значительной степени Кузмин.

Бродский: Не думал об этом. Может быть, это и так. Хотя на творчестве самого Кузмина, как ни странно, конструктивное умение де Ренье никак не сказалось. Работа Кузмина с де Ренье — это конечно же перевод. Мы имеем дело с автором, самим де Ренье. Это удивительная комбинация плутовского романа с детективным, с психологическим. Самое потрясающее в том, как все это сделано, как эти составные части организованы. В художественном произведении это самый главный элемент — что за чем следует. Не что именно говорится, а что за чем следует. Возникает кумулятивный эффект, и становится важным, *что* говорится. Прочитавши у де Ренье про Венецию зимой, я очень сильно на этом заторчал. Прошло некоторое время, и кто-то принес мне журнал «Лайф». Там был фоторепортаж — Венеция зимой. Снег и вода. Когда я это увидел, то отключился. Потом одна из моих приятельниц подарила мне на день рождения такую гармошку из открыток, опять-таки с видами Венеции: они были выполнены в сепии. Наконец, последнее — четвертое по счету — несколько надавившее мне на мозги впечатление: «Смерть в Венеции», фильм Висконти с Дирком Богартом. В Ленинграде этот фильм показывали на каком-то полузакрытом просмотре в Институте театра, музыки и кино, на Исаакиевской площади. Причем прокручивали черно-белую пленку. То ли цветной пленки, как всегда, не хватало. То ли не хотели платить авторские. Фильм начинается с такой высокой ноты, что после нее все превращается в плато. Когда этот пароходик тащится по плоской воде, помните? После этого все прочее гораздо хуже. На музыку Малера я тогда, по правде говоря, и внимания не обратил. И вот — задолго до моего отъезда, до всего-до всего, возникла у меня идея фикс — отправиться в Венецию. Конечно, это была чистая фантазия, ни о какой Венеции не могло быть и речи, совершенно естественно. Поэтому когда я оказался и Штатах, в Анн Арборе, отпреподавав первый же семестр, на первые свободные деньги я сел в самолет и полетел и Италию. Это оказалось гораздо лучше, чем я воображал. То есть гораздо более интересно. Конечно, внешне у Венеции есть параллели с местами знакомыми. То есть можно сказать, что Венеция похожа на родной город. Но она совершенно не похожа на родной город, это совершенно другая опера. Абсолютно иной принцип организации пространства. Прежде всего, его меньше, этого пространства...

Волков: И краски другие, они гораздо более, я не скажу — яркие, но более свежие, что ли. Даже вода ярче...

Бродский: Нет, у воды в Венеции особая роль. Сначала о другом. О плотности, если угодно, искусства на квадратный сантиметр. Очень интересно сравнить венецианскую архитектуру с римской того же периода. В Риме между фигурами апостолов на фронтоне — километр, да? В Венеции эти же апостолы — плечо к плечу, тесными, сомкнутыми рядами. Как в армии. Эта невероятная плотность создает особый венецианский феномен: уже не барокко, а что-то совершенно другое, специфически венецианское. И все-таки самое потрясающее в Венеции — это именно водичка. Ведь вода, если угодно, это сгущенная форма времени. Ежели мы будем следовать Книге с большой буквы, то вспомним, что там сказано: «и Дух Божий носился над водою». Если Он носился над водою, то значит, отражался в ней. Он конечно же есть Время, да? Или Гений времени, или Дух его. И поскольку Он отражается в воде, рано или поздно H_2O им и становится. Доотражалось то есть. Вспомните все эти морщины на воде, складки, волны, их повторяемость...Особенно когда вода — серенького цвета, то есть того именно цвета, какого и должно быть, наверное, время. Если можно себе представить время, то скорее всего оно выглядит как вода. Отсюда идея появления Афродиты-Венеры из волн: она рождается из времени, то есть из воды.

Волков: И все это происходит в Венеции?

Бродский: Конечно, там же всего этого навалом, все во всем отражается. И отсюда — постоянные трансформации. Не знаю, как это объяснить... Скажем, птичка летит над водой. Слетает она вниз как голубь, а на другом берегу — смотришь — появляется уже в виде чайки. Полет над водой — особенный, это полет с налогом на отражение. Помимо всего прочего, это невероятно красиво. И красиво именно потому, что существует этот антитезис, эта возможность трансформации. Когда в Венеции садится солнце и закат отражается в окнах, то окна похожи на рыб с блестящей, сверкающей чешуей. Помните все эти квазиготические окна, вернее, романские, переходящие в готические? А позднее — вечером, когда в окнах зажигается свет, то они — словно рыбы, освещенные изнутри, с полузашторенной чешуей.

Волков: Имела ли для вас значение русская поэтическая традиция описания Венеции — Ахматова, Пастернак?

Бродский: В общем, нет. В данном конкретном случае Ахматова и Пастернак не так значительны; вот у Вяземского, кажется, около дюжины стихотворений про Венецию! То есть ахматовская «Венеция» — совершенно замечательное стихотворение, «золотая голубятня у воды» — это очень точно в некотором роде. «Венеция» Пастернака — хуже. Ахматова поэт очень емкий, иероглифический, если угодно. Она все в одну строчку запихивает. У Пастернака Венеция плывет «размокшей каменной баранкой». Это не совсем так. Эти два острова и мостики между ними скорее напоминают двух рыб на синей тарелке.

Волков: Когда вы рассказываете о Венеции, то говорите только о воде и об архитектуре. А люди?

Бродский: Люди, в общем-то, отсутствуют. Разумеется, итальянцы очаровательны — черные глазки, помесь трагедии и жульничества и все прочее, как полагается. Но на самом деле люди не так уж интересны. От них более или менее — известно чего ожидать. В конце концов люди, как бы это сказать, несравненно более синонимичны, нежели искусство. То есть у людей гораздо больше в знаменателе, чем в числителе, да? В то время как искусство — это постоянная перемена знаменателя. Люди, конечно, связаны с городом, но могут совершенно с ним не совпадать. С другой строны, на приезжих Венеция действует магнетически. Мне всякий раз интересно наблюдать, как в Венецию приезжает неофит.

Волков: Встречать Рождество в Венеции — это ваш ритуал?

Бродский: Никаких ритуалов у меня вообще нет. Просто всякий раз, когда бывал в Венеции, я ездил туда на Рождество. Каникулы потому что. На протяжении последних девяти лет, думаю, не пропустил случая, за исключением двух раз. Оба раза я оказался в больнице. Это не ритуал, конечно же. Просто я считаю, что так и должно быть. Это мой пункт, если угодно. Новый год. Перемена года, перемена времени; время выходит из воды. Об этом неохота говорить, потому что это уж чистая метафизика. Эти заскоки — насчет времени и воды — начались у меня еще с Крыма. Там я впервые что-то понял. Помню, я встречал Новый год в Гурзуфе у Томашевских. И ближе к полночи — то есть без четверти двенадцать — я вышел из дома. Смотрел на море, на залив. Из залива на сушу шло *облако*. Причем я высоко был на склоне, поэтому облако как бы ниже шло, я его хорошо видел. Оно двигалось — как те библейские облака, внутри которых Господь или я не знаю кто. Помню ощущение, что это облако — туман, поднявшийся с воды, превратившийся в огромный шар. Точнее, такой расхристанный шар. И ровно в двенадцать он коснулся суши. Да? Конечно, к этому можно по-всякому относиться. Все на свете химия. Но можно взглянуть на это и несколько иным образом. Думаешь о родном городе, который тоже на воде стоит. Хотя в Питере всегда зима, холодно. И там вообще уже ни о каком времени не вспоминаешь.

Волков: Там замерзаешь и думаешь, как бы...

Бродский: ...выпить, да?

Волков: В Венеции многие годы жил и умер там Эзра Паунд. Он похоронен на венецианском кладбище Сан Микеле, поблизости от могил Дягилева и Стравинского. Этот отсек Сан Микеле называют иногда «кладбищем изгнанников»...

Бродский: Мы с Паундом почти увиделись. Он участвовал в «Фестивале двух миров» в Сполето, куда и я был приглашен. Паунд вроде хотел меня видеть, мне об этом говорили. Вообще-то в Сполето меня приглашали дважды. Первый раз когда я был в Советском Союзе. Тогда устроителям сообщили — буквально, — что я где-то в Балтийском море, на подводной лодке. Вероятно, собираюсь вторгаться в территориальные воды Швеции. Во второй раз — я уже в Лондоне, билеты в Сполето куплены. Вдруг паника, телефонные звонки от Джан Карло Менотти, заправляющего фестивалем. Выясняется следующее: в Сполето приглашена балетная труппа из Перми, так сказать, с родины Дягилева. А советский посол в Италии пригрозил — если на фестивале появится моя милость, пермскую группу в Италию не выпустят. Менотти, как полагается, до чрезвычайности испугался и взывает: «Что делать?» Я, подумавши, говорю: «Господи, что тут волноваться! Я в Сполето буду не раз. А для балетных из Перми это единственный, может быть, случай увидеть Италию». И таким образом рандеву с Паундом не состоялось. Поскольку он умер в том же, семьдесят втором, году. В семьдесят седьмом в Венеции проходила Биеннале, на которую среди прочих пригласили меня и Сюзан Зонтаг. Раз она меня спрашивает: «Иосиф, что ты делаешь вечером?» Я говорю: «Вечером? Что я могу делать, ничего не делаю...» Сюзан: «Слушай, я тут столкнулась на улице с Ольгой Радж, знаменитой в некотором роде подругой Паунда. Она приглашает в гости, а идти одной ужасно не хочется; может, составишь компанию?» Мы заявились в дом, где жил Паунд, на уличке за Санта Мария делла Салюте. Этот сестьер в Венеции довольно замечателен во многих отношениях: там жили люди, чрезвычайно мною любимые — тот же Анри де Ренье, например. Дом Паунда небольшой, на двух уровнях: внизу гостиная, кухня; лестница наверх — там, кажется, две спальни, плюс выше — рабочий кабинет Паунда. Гостиная небольшая, похожая на пещеру тролля. Это впечатление — пещера горного короля — объясняется, видимо, тем, что первое, на что натыкаешься, входя в гостиную, — мраморный бюст Паунда работы Годье-Бржеска. Бюст здоровенный, стоит на полу. Налицо какое-то нарушение пропорций. Между прочим, не умри этот Годье-Бржеска в молодости, был бы у нас еще один замечательный монументалист-фашист. Бюст немногим меньше самой Ольги Радж, которая выставляет чай с пирожными. И вдруг — с места в карьер — начинает излагать следующее. Что, дескать, Эзра вовсе не был фашистом, как все считают. И как они боялись за то, что Эзру в наказание за его коллаборационизм посадят на электрический стул. Какой это был полный ужас. Эту песню Ольга Радж поет на протяжении часа. То есть даже не поет, а довольно толково и внятно, а также убедительно и энергично объясняет, что с Эзрой обошлись несправедливо. Потому что, дескать, Паунд во время войны жил в Рапалло, в Рим приезжал раза два в месяц, если не реже. Выдавал эти свои радиовоззвания, после чего возвращался домой. Что ж, может быть, с ее и Паунда точки зрения действительно ничего особенного и не происходило в этом самом Рапалло. Жизнь шла... Между прочим, я сегодня вышел на улицу — опустить какие-то письма. Солнечный день, все нормально. И пролетел вертолет. Военный, причем. И я подумал — а что если *это* уже началось? И как будет выглядеть день новой мировой войны? А так и будет выглядеть: солнышко будет светить, вертолеты летать, где-то будут стрелять пушки. И мир будет катиться к гибели. Да и происходит же этот ежедневный Апокалипсис где-то в Ливане....

Волков: В Афганистане...

Бродский: И вот постольку поскольку Паунд с Ольгой Радж в кино не ходили, весь этот ужас их не касался. Хотя она и привирает, я думаю. Были там немецкие войска, особенно в Тоскане. Думаю, что Паунд все видел и понимал. Но это неважно. Вы знаете, когда перед вами сидит живой человек... и когда он говорит что-то — даже если вы с ним совершенно не согласны.. но если этот человек не вызывает у вас определенного отвращения, чисто физического, то в конце концов вы понимаете — да, это правомерный взгляд на вещи. Вот я сижу у Ольги Радж — слабак не слабак, русское воспитание. И думаю — в конце концов никто не виноват. Все просто большие несчастные сукины дети, да? Всех нас надо простить скопом и отпустить душу на покаяние. Ну, думаю, Господи, конечно... чего там... И вдруг Сюзан говорит... Надо сказать, в

Сюзан есть это потрясающее качество — когда разговор уже кончается, все в порядке, все успокоились — вдруг! Тут-то все и начинается!

Волков: Это как у Достоевского — «вдруг»...

Бродский: И выкладывает Сюзан Зонтаг Ольге Радж следующее: «Вы же не думаете, Ольга, что американцы были так возмущены Паундом из-за его радиопередач. Если бы дело было только в радиопередачах, он был бы всего лишь навсего еще одной Токийской Розой...»

Волков: Это та дамочка, которая во время войны по радио увещевала американских солдат, сражавшихся против Японии?

Бродский: Я чуть не упал со стула! По-английски это звучало убийственно. Сравнить поэта, которого считают столь крупной величиной, с Токийской Розой! Я даже не знаю, какой эквивалент подобрать этому...

Волков: Все равно что сравнить Лоуренса Оливье со стриптиз-герл.

Бродский: Нет, со Смоктуновским. Или со Стриженовым-Кадочниковым, что-то вроде этого. Но Ольга Радж скушала все это совершенно замечательно. И спросила: «Так что же так отвратило американцев от Эзры?» Сюзан говорит: «Ну очень просто: это антисемитизм Эзры». Тут Ольга включилась на следующий час: Эзра не был антисемитом, среди его друзей была масса евреев. И даже Муссолини был не таким уж антисемитом. И на самом деле у него здесь, в Венеции, был адмирал еврей. Что само по себе довольно замечательно. Еврей — адмирал! Ну для Венеции это как раз естественно. Что касается Паунда, то мы выслушали рассказ Ольги о том, как Эзра приехал на похороны Элиота в Лондон. И я не помню — то ли Паунд с кем-то поздоровался, то ли не поздоровался. И мы откланялись. Для меня это было чрезвычайно интересным опытом. Невероятно интересным! Ибо впервые в жизни я увидел живого фашиста. Конечно, я видел и России немцев-военнопленных. Но, во-первых, сколько мне тогда лет было? А во-вторых, ну какой тут фашизм — просто немцы, солдаты бывшие. И вдруг в Венеции — из всех прочих мест — я вижу фашиста по убеждению, по идеологии. И этот фашист — американская дама с более или менее определенным достатком, большую часть своей жизни прожившая в Италии. То есть этот дом в Венеции ей принадлежал, кажется, с двадцать восьмого года. И единственное, что ее интересовало на свете — это как сохранить статус-кво. Мир сквозь призму своего класса, сквозь призму мелкого буржуа. Что, в общем, само по себе не так уж и плохо. И вовсе не надо кидаться из-за этого на мелкого буржуа с кулаками. Но когда ради сохранения статус-кво начинают массовым порядком уничтожать людей... Но до Ольги Радж это как бы не доходит. Что, в общем, вполне понятно — так просто удобней во многих отношениях. Не говоря уж о том, что ты обитаешь в Венеции и жизнь прекрасна.

Волков: Чем вы объясните поддержку Паунда такими разными людьми, как Оден (который голосовал за присуждение ему премии Боллингена) и Роберт Фрост (который добивался помилования для Паунда)?

Бродский: Ну, во-первых, к нему относились как к человеку, ушибленному судьбой. Тому, кто находится в беде, надо помогать, независимо ни от чего. Все-таки Паунда держали в сумасшедшем доме чуть ли не тринадцать лет. Держать поэта, каких бы убеждений он ни был, в сумасшедшем доме — это ни в какие ворота не лезет. Оден говорил, если великий поэт совершил преступление, поступать, видимо, следует так: сначала дать ему премию, а потом — повесить.

Волков: Недавно были опубликованы материалы, которые показывают, как привольно Паунду было в этой самой психиатрической лечебнице. Вся операция была провернута его поклонниками с тем, чтобы Паунд избежал суда.

Бродский: Чтобы его не посадили на электрический стул!

Волков: И хорошо, что не посадили. Европейцы приравняли бы это к Хиросиме, и американцы — вся нация — стояли бы на коленях, били бы себя в грудь и посыпали головы пеплом.

Бродский: Не вся нация... Дело не в этом. Все-таки Паунд — худо-бедно — поэт. Особенно это касается первой трети его творчества; «Hugh Selwyn Mauberley» — совершенно замечательные стихи, безотказные. Похоже на Заболоцкого, но с устервлением.

Волков: К стыду своему, я никогда не мог продраться сквозь «Cantos».

Бродский: И не надо сквозь них продираться. Их даже руками трогать не надо, потому что это совершенно бесполезно. Местами там есть потрясающие по элоквенции куски. Но на самом деле это фиктивная реальность. Эти стихи, кстати, так же фиктивны, как многое в европейской живописи XX века. Нечто, чего могло бы и не быть, существует. И без этого можно жить не то что счастливо, но даже и несчастливо. Нет, в общем с Паундом поступили по справедливости. Как поэт он был вознагражден. И как человек — получил то, что заслужил. С моей точки зрения, как поэт он получил даже больше того, что заслужил. Следовало бы издать полное собрание сочинений Паунда: все ранние стихи, полностью «Cantos». И разумеется, том его итальянских радиошпилей. И тогда все станет на свои места. И никто больше не будет психовать, что вот-де какая несправедливость совершена по отношению к поэту.

Волков: Ольга Радж, говорят, неплохо играла на скрипке. Сам Эзра Паунд живо интересовался музыкой и даже написал оперу на стихи Франсуа Вийона. Одним из любимых композиторов Паунда был Стравинский; он любил повторять, что у Стравинского он учится своему ремеслу поэта. Кроме того, оба они были поклонниками Муссолини.

Бродский: Я в этом не нахожу ничего удивительного.

Волков: Стравинский отзывался о Муссолини с большим восторгом, особенно после того, как дуче принял его в Palazzo Venezia. Известно, что в тридцать шестом году Стравинский открыл свой авторский вечер в Неаполе исполнением «Джовинеццы», фашистского гимна.

Бродский: С итальянским фашизмом все не так просто. Просто, конечно, но... Вы знаете, почему Муссолини зовут Бенито? Его папаша был человек весьма левых убеждений. И по одной версии окрестил сына в честь Бенджамина Франклина. А по другой — в честь Бенито Хуареса, которого называют, в свою очередь, мексиканским Линкольном. В фашистской Италии, в общем, не преследовали евреев. Антисемитизма там вообще нету. Конечно, при Муссолини итальянским евреям пришлось пережить много тяжелых дней. И, например, римское гетто — только недавно, лет тридцать спустя, стали в него евреи понемногу возвращаться. Но все-таки — ничего похожего на то, что творилось, скажем, во Франции. Желтых звезд в Италии просто не было. Я это не к тому говорю, чтобы защитить Стравинского. Наоборот, это была колоссальная глупость с его стороны. Но от музыканта не следует требовать слишком многого.

Волков: В общем, следует. Или курица не птица, музыкант не человек?

Бродский: Дело в том, что музыка — как и архитектура — это искусство, в сильной степени зависящее от финансов. Если вы композитор, для исполнения вашей симфонии нужен оркестр. А кто ж даст оркестр? И радио из кармана не вынешь. Наверное, поэтому черт знает что творится иногда в головах у этих людей! Самые лучшие архитекторы работали для самых чудовищных заказчиков. Поэт, литератор — это другое дело, с них и спрос другой.

Волков: Мережковский, по воспоминаниям писателя Василия Яновского, рассказывал о своей встрече с Муссолини так: «Как только я увидел его в огромном кабинете у письменного стола, я громко обратился к нему словами Фауста из Гете: «Кто ты такой? Wer bist du denn?» А Муссолини в ответ: «Пиано, пиано, пиано».

Бродский: Пиано, пиано... Да, все они хороши!

Волков: Возвращаясь к Венеции — можно ли сказать, что этот город стал одним из ваших миров?

Бродский: И да, и нет. Знаете, человек смотрит на себя — вольно или невольно — как на героя какого-то романа или кинофильма, где он — в кадре. И мой заскок — на заднем плане должна быть Венеция.

Волков: И голуби на Сан-Марко?

Бродский: Голуби необязательны. Просто Венеция — лучшее, что на земле создано. Если существует некая идея порядка, то Венеция — наиболее естественное, осмысленное к ней приближение. Из возможных вариантов. И постольку поскольку у меня есть шанс ко всему этому приблизиться, я стараюсь — ну, не знаю, покрутиться там хоть некоторое время, потому что все время — невозможно, да и не нужно это.

Волков: Из ваших стихов о Венеции мне больше всего нравятся два: «Венецианские строфы» (1) и «Венецианские строфы» (2). Первое из них посвящено Сюзан Зонтаг, а второе — Геннадию Шмакову, вашему приятелю еще по Питеру, умершему в 1988 году в Нью-Йорке. И, в связи с этим, я хотел спросить: как это получается, что вы то или иное стихотворение посвящаете тому или иному человеку? Относительно Зонтаг я могу догадаться, особенно в связи с тем, что вы мне рассказали. А почему второе стихотворение посвящено Шмакову?

Бродский: Я ему хотел посвятить много стихотворений. У меня даже была такая идея — выпустить книжку итальянских стихотворений, то есть стихов, написанных об Италии. И всю эту книжку посвятить ему. Просто потому, что наш с ним взгляд на Италию был абсолютно схожим. То есть два мальчика смотрели на эту страну одинаково. Мы видели одно и то же, любили одно и то же. Италия была для нас раем на земле, в некотором роде. Действительно.

Волков: Сейчас, может быть, и можно воспринимать Италию как рай на земле, потому что это для вас, в общем-то, музей. Но все эти прекрасные картины, церкви, весь этот мрамор и прочее — все это создавалось посреди бесчисленных войн, страданий, кровавых ужасов.

Бродский: Нет, это не для нас рай. И не сейчас. Почему я говорю про Италию, что это, действительно, единственное место, которое можно было бы назвать раем на земле? Да потому что, живя в Италии, я понимаю: это то, каким миропорядок должен быть, да? И каким он, видимо, был когда-то. Может быть, в Древнем Риме. И в этом смысле мы со Шмаковым были — я уж не знаю — римлянами, в некотором роде.

Волков: А какой из итальянских городов Шмаков любил больше всех? Наверное, тоже Венецию?

Бродский: Нет, Ассизи. Потому что так получилось, что первый итальянский город, который он увидел, был не Рим и не Венеция, а именно Ассизи. Шмаков мне рассказывал, что он, когда увидел Ассизи, разревелся как корова и совершенно не мог остановиться. И я его очень хорошо понял тогда. Потому что Шмаков, при всем его гедонизме, был на самом деле такой христианский мистик. Счастливый христианский мистик. Были такие. И когда Шмаков, со всем своим культурным багажом, увидел Ассизи, то для него все сошлось в фокус. И Ассизи стало для него воплощением идеи счастья. Я помню и свою реакцию на Ассизи, она была несколько иной. Мы со Шмаковым об этом довольно много и долго разговаривали. Это был счастливый человек, потому что он узнавал счастье, когда видел его воплощенным. Вот почему он любил искусство, и вот почему он любил Италию.

Волков: Вы ездили вместе с ним в Италию?

Бродский: Нет, хотя все время планировали такую поездку. Но так получалось, что он мог поехать осенью, а я не мог. Потому что я преподаю. Так мы никогда и не оказались в Италии одновременно. И для меня, чисто эгоистически, это совершенно гигантская потеря. Потому что я понимаю, что счастья открытия или узнавания Италии вместе со Шмаковым уже не будет. А я понимаю, знаю — чем это могло бы быть. Потому что те несколько мест, где мы оказывались вместе... Ну чего говорить об этом... Не повезло. И вы вот спросили относительно механизма посвящения стихов. Он работает по-разному. Со Шмаковым как раз все было просто. Ему некоторые мои стихотворения сильно нравились. И в этих случаях я понимал, что не сделал никакой ошибки. Так я чувствовал. Я хотел ему посвятить несколько стихотворений. Например, «Письма династии Минь», потому что он был первый кто, собственно, меня и убедил, что это — хорошее стихотворение. У меня-то на этот счет были всякие сомнения. И в отношении «Венецианских строф» я просто точно знал, что это стихотворение должно ему понравиться. Что и произошло.

Волков: Меня вопрос с посвящениями занимает потому, что я их воспринимаю как часть стихотворения. Меня к этому приучило чтение стихов Ахматовой, которая, насколько я понимаю, всегда чрезвычайно тщательно взвешивала, кому посвятить свое произведение. От посвящения во многом, как мне кажется, зависит аура стиха. Посвящение как бы задает всему стихотворению камертон. И в этом смысле меня несколько смущают ваши посвящения в «Венецианских строфах». Они как будто нарочно перепутаны. Во втором стихотворении идет речь о Сусанне, но посвящено оно Шмакову. А в первом, посвященном Сюзан Зонтаг, поминается Дягилев — с которым, казалось бы, естественнее было бы связать, по целому ряду причин, Шмакова: оба русские, страстные балетоманы, гомосексуалисты.

Бродский: Действительно, во втором стихотворении появляется образ «новой Сусанны», на которую смотрят «новые старцы», то есть японцы с кинокамерами. Но я просто решил, что Зонтаг будет приятней, если я ей посвящу первое стихотворение. Ведь посвящаешь стихотворение для того, чтобы кого-то порадовать. Вы знаете, когда-то — давным-давно — я услышал совершенно замечательную музыку. Это была пластинка Баха, а произведение называлось «Музыкальное приношение». Вы, конечно, знаете эту музыку...

Волков: Я даже догадываюсь, о какой именно пластинке речь идет — чешская, фирмы «Супрафон». Это была единственная запись «Музыкального приношения», которая продавалась в Ленинграде в шестидесятые годы...

Бродский: Так вот, я тогда подумал: хорошо бы и мне оказаться способным когда-нибудь написать такое! Сделать кому-нибудь такое приношение. В этой эмоции, мне кажется, кроется один из сильнейших побудительных мотивов к творчеству. Стихотворение пишешь для того, чтобы отблагодарить, да? Вот откуда все эти мои стихотворения, посвященные разным местам и странам. Какой-то критик написал, что это у меня получается травелог. Все это чушь! Пишешь потому что ты был где-то счастлив и хочешь поблагодарить за это. Той же монетой, если угодно. Потому что платишь искусством за искусство. Так что это — та же самая монета. Я помню один совершенно феноменальный эпизод в моей жизни. Вы ведь знаете мое стихотворение «Лагуна», написанное про Венецию. Оно мне всегда очень сильно нравилось, но это было давно. И вот, во время той самой Биеннале 1977 года, о которой мы говорил давеча, я выступал в Венеции — уж не помню в каком зале, где-то около театра Ла Фениче. Но сам этот зал я запомнил на всю жизнь. Весь он — стены, потолок, все — был залеплен фресками Гварди, по-моему. Представьте себе, этот зал, эта живопись, полумрак. И вдруг я, читая свою «Лагуну» почувствовал, что стою в некоем силовом поле. И даже добавляю нечто к этому полю. Это был конец света! И поскольку это все было в твоей жизни, можно совершенно спокойно умереть. Помните, как Барышников рассказывал о словах Шмакова перед смертью, когда тот лежал в больнице? «Какая у меня все-таки была счастливая жизнь...»

Волков: Вы об этом же говорите в последней строфе «Римских элегий»...

Бродский: Да, о том же самом. О том же самом.

Волков: И еще о посвящениях — в частности, о посвящениях женщинам. Скажем, у вас роман с женщиной — провоцирует ли это вас на стихотворение и, соответственно, посвящение? И какая, скажем, женщина провоцирует на стихотворение, а какая — нет?

Бродский: Ну на стихотворение-то провоцируют все, я думаю. Но зачастую это происходит — как бы это сказать — постфактум.

Волков: Возьмем, к примеру, те же самые «Римские элегии» ваши. Каждый раз, когда я их перечитываю, то натыкаюсь на посвящение — «Бенедетте Кравиери». И это имя стало для меня настолько частью всего цикла, что я стараюсь ее себе вообразить, поскольку никогда ее не видел, ничего о ней не знаю. Это что — у нее синие глаза, которые в «Римских элегиях» не раз поминаются?

Бродский: Да нет, синий зрачок — это мой! Уж не знаю там, какой он у меня — синий, серый? Женский зрачок там — коричневый! Но он принадлежит не Бенедетте Кравиери, а совершенно другой девице, Микелине. Ее имя тоже там появляется. А Бенедетте — она, кстати, внучка Бенедетто Кроче — я этот цикл посвятил потому, что она оказалась в Риме как бы моим Вергилием и познакомила с Микелиной. На самом же деле противопоставление синего глаза карему в данном случае есть противопоставление Севера — Югу. Потому что весь цикл — о реакциях северного человека на Юге.

Волков: В pendant «Римским элегиям» Гете?

Бродский: Да, здесь имеют место быть типичные гетевские дела, если хотите. Хотя эту параллель не следует особенно далеко заводить. Так что посвящены «Римские элегии» одной женщине, а подлинной героиней цикла является совершенно другая. Вот как бывает.

Волков: Еще немного о посвящениях. Мне ужасно по душе ваш «Новый Жюль Верн». Почему вы посвятили его Леше и Нине Лифшицам?

Бродский: А им понравилось, вот и посвятил!

Волков: Для меня это посвящение тоже стало частью «Нового Жюля Верна». И потому я был чрезвычайно огорчен, когда в первой российской публикации — в журнале «Новый мир» — это посвящение вдруг исчезло...

Бродский: Свиньи! Свиньи! Они там, в России, постоянно при публикациях снимают посвящения, снимают заголовки, коверкают тексты, не проставляют даты. Вот прошла огромная публикация моих стихов в журнале «Юность» — там все перепутано и исковеркано. Да что говорить!

Волков: Это напоминает мне схожую историю, случившуюся при публикации стихов Ахматовой в той же «Юности» двадцать пять с лишним лет назад. Ахматова предоставила им тогда большую подборку стихов и предисловие к ним. И говорила мне потом, что ей это предисловие редакторы «Юности» безжалостно сократили и исковеркали, оставив в неприкосновенности только одну, последнюю фразу: «Стихи выбирала я сама». Что тоже было в данном случае неправдой, потому что выбор Ахматовой «Юность» полностью проигнорировала, составив публикацию по своему усмотрению. Так что десятилетия проходят, а нравы российских редакторов не изменяются...

Бродский: Ну чего о них говорить! Их всех следует арестовать, а на их место посадить других людей, ха-ха-ха!

Волков: Как в «Борисе Годунове» Пушкина: «изловить и повесить»?

Бродский: Изловить — да, но повесить — нет. Просто посадить на их место других людей.

Волков: Вы знаете, Игорь Стравинский в свое время в приватных беседах любил подчеркивать, что он из России уехал на Запад не спасаясь от большевиков, а в знак протеста против засилья там консервативных музыкантов, которых он называл «мракобесами». Дирижер Николай Малько вспоминал, как Стравинский ему жаловался: «Я не жажду крови, но Сталин расстрелял столько инженеров, почему же эти мракобесы продолжают существовать?» А дело было в тридцатые годы...

Бродский: Тоже добрая душа!

Волков: Я понимаю, что к Италии у вас особое отношение. На то, как я догадываюсь, есть целый ряд причин. А как с другими странами? Расширился ли круг стран, которые вы регулярно посещаете в последнее время? Или это по-прежнему в основном Европа?

Бродский: Нет, особенно не расширился. Может быть, немного — за счет Польши, Югославии. Но в основном — все те же самые круги своя.

Волков: У меня такое ощущение, что вам дома не сидится, вы все время куда-то срываетесь. Вам нравится путешествовать?

Бродский: В общем да. То есть не столько путешествовать, сколько куда-то прибывать и там оседать. А просто так мотаться с места на место и глазеть по сторонам — нет, не очень нравится.

Волков: Значит, чисто туристского любопытства у вас нет? Я это спрашиваю потому, что у меня подобное любопытство отсутствует начисто. Я вообще в состоянии из дому неделями не выходить. Новые ландшафты меня пугают.

Бродский: Нет, агорафобией я не страдаю. Но и комплекса зеваки у меня нет. Что до боязни новых ландшафтов, то я думаю, что это чувство можно испытать где-нибудь вне пределов привычной для нас цивилизации — в Африке, или, до известной степени, на Востоке — в Китае, Японии. Может быть, в Южной Америке. Но не в Европе. С другой стороны, именно по странам с экзотической для нас цивилизацией стоит путешествовать, глазеть по сторонам, фотографироваться на фоне. В то время как в Европе — в той же Италии, к примеру, — я, когда там оказываюсь, пытаюсь жить, быть, а не дефилировать как турист.

И в итоге за все время моих путешествий по Италии видел я там довольно мало. Потому что на полное усвоение увиденного у меня действительно уходило довольно-таки много времени и энергии. И я, в итоге, не думаю, что увиденное я понял. Не думаю, что я это знаю. Потому что за любым явлением культуры, будь то фасадик или там картинка, стоит масса информации, которую нужно усвоить. На каждый собор, на каждую фреску смотришь довольно долго и пытаешься понять: что же тут произошло, что вызвало к жизни это чудо? Подобные чувства у меня особенно сильны в Италии, поскольку это колыбель нашей цивилизации. Все прочее — вариации, причем не всегда удачные. А итальянские впечатления ты впитываешь с особой остротой, поскольку они относятся непосредственно к тебе, к твоей культуре. И этим нужно заниматься серьезно, а не скользить по поверхности. И у меня ощущение постоянное, что я всей этой массы информации усвоить и осознать не в состоянии.

Волков: Тем не менее у вас много стихов, навеянных путешествиями. Об Италии я уж не говорю — ваши итальянские стихи, как вы сами заметили, могут, наверное, потянуть на отдельную книжку, но у вас есть обширный «Мексиканский дивертисмент», стихи об Англии, Голландии, Швеции. И повсюду разбросана масса выразительных локальных деталей, свидетельствующих о цепком глазе и памяти. И я слышал от нескольких людей, что вы помните мельчайшие подробности своих путешествий даже многолетней давности.

Бродский: Ну, это может быть, хотя я в этом отчета себе и не отдаю. Я просто говорю о том, что сколько ни путешествуй по той же Италии, стать частью этого ландшафта довольно трудно — именно потому, что это тот самый ландшафт, частью которого охота быть. Тут таится колоссальный соблазн — вполне естественный, если учесть, сколь многим русские и Россия обязаны Италии.

Волков: Вы упомянули, что вас иногда обвиняют в сочинении «травелогов». Мне-то как раз кажется, что вы, как правило, в своих стихах проецируете на локальный пейзаж очень давние эмоции и внутренние конфликты — может быть, еще питерского происхождения.

Бродский: Вы знаете, Соломон, об этом мне опять-таки довольно трудно говорить. Я не могу просто так сказать — «да» или «нет». И если это вам так представляется — то, наверное, так оно и есть. Я не знаю.

Волков: В итоге, стихов о Питере у вас, кажется, меньше, чем об Италии. Может быть, это потому, что вы, когда пишете об Италии или о других странах, все равно сравниваете их с Питером?

Бродский: Может быть. Но, скорее всего, я о родном городе написал меньше потому, что это для меня как бы данность: ну чего там все писать про Питер да про Питер? И идиоматику эту я уже, что называется, отработал. То же сегодня происходит у меня и с Нью-Йорком, который я тоже ощущаю своим городом. А Италию или там Голландию хочется еще впихнуть в себя и переварить.

Волков: В последнее время вы часто ездите в Швецию: видно, вам нравится эта страна. Я понимаю ваши эмоции. Любому петербуржцу Скандинавия должна прийтись по душе: климат, архитектура, белые ночи. И, коли мы уж заговорили о Швеции, я хотел спросить вас о моменте для всех нас, русских эмигрантов, чрезвычайно памятном: объявлении в октябре 1987 года о присуждении вам Нобелевской премии. Вы ведь были тогда в Лондоне, кажется?

Бродский: Да, и я этот момент очень хорошо помню. У меня был ланч в китайском ресторане с Джоном Ле Карре. То есть это его, как говорится, «пен-нейм», а зовут его Дэвид Корнуэлл. С нами была жена Дэвида. Дело было в Хэмпстеде, я там остановился в доме у своего приятеля Альфреда Бренделя, пианиста. Вдруг в это заведение — а ресторан этот был недалеко от дома Бренделя, буквально за углом — вбегает жена Альфреда и говорит: «Немедленно возвращайся домой!» Я спрашиваю: «В чем дело?» Она кратко объяснила. Мы все вместе вернулись домой, а там уж была толпа репортеров с камерами. И начался балаган. Помню, на Дэвида все это произвело довольно сильное впечатление. Я ему говорю: «Вообще-то я бы эту премию дал Найполу». На что Дэвид ответил: «Прекрати валять дурака! It's all about winning!». Брендель был в то время на гастролях. И слава Богу, потому что он плохо переносит шум, что и понятно — он ведь музыкант, да? И весь этот балаган и наваждение ему ни к чему были. А там началось именно это.

Волков: Церемонию вручения вам Нобелевской премии в Стокгольме я помню очень хорошо, потому что смотрел ее по телевидению. Какие вы эмоции тогда испытывали?

Бродский: Смешанные. С одной стороны, на сцене ведь сидишь не в первый и не в последний раз, да? С другой — думаешь, чтобы не совершить чего-нибудь глупого. Но могу сказать, что сильного восторга или радости я не испытал.

Волков: Почему?

Бродский: По двум или трем соображениям. В смысле признания самым большим переживанием для меня была не Нобелевская премия, а тот момент, когда я, еще в России, узнал, что книжка моих стихов выходит в издательстве «Пингвин» с предисловием Одена. Это было покрепче всего остального. И все, что происходило потом, было в некотором роде анти-климаксом. И, конечно, жалко, что отец с матерью этой вот церемонии вручения Нобельки не увидели. Жалко, что они не дожили. Вот и все, что можно сказать о сильных ощущениях в связи с Нобелькой. А в остальном... Была некоторая нервозность по поводу того, что воспоследует дальше. Потому что я понял, что жизнь переменится, что количество хаоса в ней увеличится. И останется меньше времени для себя. И это предчувствие оказалось верным. Хотя я и пытаюсь вести себя более или менее естественным образом и, по возможности, никуда не вылезать, но все же постоянно оказываюсь втянутым то в одно, то в другое, то в третье.

Волков: Я понимаю, что вам хотелось увидеть на церемонии вручения Нобелевской премии отца с матерью. А кого еще?

Бродский: Еще мне хотелось бы, чтобы там появился Женька Рейн, еще двое-трое приятелей из России. Но тогда это трудно было устроить, это ведь были еще советские времена. С другой стороны, все, кого я хотел и мог увидать во плоти на этом мероприятии, там и оказались.

Волков: А об Ахматовой вы там не вспоминали?

Бродский: Вспоминал, конечно. Без нее меня, быть может, там и не оказалось бы.

Волков: Насколько я знаю, вы приняли участие в съезде нобелевских лауреатов в Стокгольме по случаю девяностолетия учреждения этой премии?

Бродский: Да. Предполагалось, что съедутся все двести тридцать ныне живущих лауреатов. Но объявилось только сто восемьдесят. Это все было довольно забавно и приятно, похоже на экскурсию по каким-то дорогим твоей памяти местам. Там было несколько интересных разговоров с разными приятными моему сердцу людьми и было выпито немало шведской водки, которую я считаю лучшей в мире. Это совершенно феноменальная водка, она делается из wormwood — не знаю, как это переводится на русский. Она не прозрачная, а с привкусом каких-то трав, что-то вроде настойки. При этом местные жители ее не пьют почему-то.

Волков: Что же они пьют?

Бродский: Пиво, как все скандинавы. Скандинавов вообще ничего не интересует, кроме пива. То есть бабы их не интересуют, наркотики их не интересуют, автомобили —тоже не интересуют. Я даже думаю, что в Швеции такой высокий процент самоубийств именно потому, что они там вместо водки пьют пиво.

Волков: Иосиф, вы в последнее время много разъезжаете по Европе. Согласны ли вы с теми европейскими интеллектуалами, которые жалуются, что современная масскультура стирает национальные различия?

Бродский: Нет-нет! Посмотрите на Италию, на эту резко выраженную этническую среду — она яростно сопротивляется любой нивелировке. На самом деле, когда вы попадаете, скажем, во Францию, то видите, что французы — даже слишком французы. В Германии немцы — даже слишком немцы. Я уж не говорю об англичанах или шведах. Единственное место, где я думаю не о стране как таковой, а о континенте в целом — это Голландия. В Голландии, действительно, тобой овладевает ощущение Европы. Хотя и это, наверное, не совсем точно. Просто я провел недавно несколько дней в Лейдене и вдруг у меня возникло ощущение, что это совершенно другое пространство, совершенно другой мир. Ощущение такого, я бы сказал, интимного свойства. Вообще для того, чтоб понять по-настоящему, что есть та или иная страна или то или иное место, туда надо ехать зимой, конечно. Потому что зимой жизнь более реальна, больше диктуется необходимостью. Зимой контуры чужой жизни более отчетливы. Для путешественника это — бонус.

не пьет совсем, кроме пива, то есть бабы их не инг] ...уют, наркоман... ...не думаю,

Иосиф Бродский. Выступление в Галерее Нахамкина. 3 марта 1984 года.

На балконе ленинградской квартиры. Видна улица Пестеля. 1966.

Глава 10

Вспоминая Ахматову:
осень 1981–зима 1986

Волков: Я часто сталкиваюсь с тем, насколько хрупкая штука — человеческая память. Разговариваешь с людьми и видишь, как события сравнительно недавнего прошлого растворяются, очертания их становятся все более и более зыбкими. Мне хотелось бы в разговоре с вами попытаться восстановить какие-то детали, штрихи, связанные с Анной Андреевной Ахматовой. Попробовать вернуть эти детали из небытия.

Бродский: С удовольствием, если они не канули туда бесследно. Просто я знаю, что не на все вопросы я в состоянии ответить. Все, касающееся Ахматовой, — это часть жизни, а говорить о жизни — все равно что кошке ловить свой хвост. Невыносимо трудно. Одно скажу: всякая встреча с Ахматовой была для меня довольно-таки замечательным переживанием. Когда физически ощущаешь, что имеешь дело с человеком лучшим, нежели ты. Гораздо лучшим. С человеком, который одной интонацией своей тебя преображает. И Ахматова уже одним только тоном голоса или поворотом головы превращала вас в хомо сапиенс. Ничего подобного со мной ни раньше, ни, думаю, впоследствии не происходило. Может быть, еще и потому, что я тогда молодой был. Стадии развития не повторяются. В разговорах с ней, просто в питье с ней чая или, скажем, водки, ты быстрее становился христианином — человеком в христианском смысле этого слова, — нежели читая соответствующие тексты или ходя в церковь. Роль поэта в обществе сводится в немалой степени именно к этому.

Волков: Мы начали говорить о памяти. Оглядываясь назад, вы делите свою жизнь на какие-то периоды?

Бродский: Я думаю, нет.

Волков: Вы никогда не говорили себе: раз в три года или, может быть, в пять лет со мной случается то-то, такое-то время года для меня благоприятно?

Бродский: Вы знаете, я уже не помню, когда и что со мной произошло. Сбился со счета. Я не знаю точно: произошло нечто, скажем, в 1979 году или в 1969-ом? Все это уже настолько позади, да? Жизнь очень быстро превращается в какой-то Невский проспект. В перспективе которого все удаляется чрезвычайно стремительно. И теряется — уже навсегда.

Волков: Дело в том, что Ахматова цикличности в своей жизни, повторяемости каких-то дат придавала огромное значение. В частности, помню, что август считался зловещим месяцем: «Опять подошли «незабвенные даты», / И нет среди них ни одной не проклятой».

Бродский: У Анны Андреевны дела с памятью обстояли гораздо лучше. Качество памяти было у нее поразительное. О чем бы вы ее ни спросили, она всегда без большого напряжения называла год, месяц, дату. Она помнила, когда кто умер или родился. И действительно, определенные даты были для нее очень важны. Лично я таким вещам никогда не придавал какого бы то ни было значения. Помню, что два или три раза существенные неприятности в моей жизни начинались к концу января. Но это было чистое совпадение... В этом отношении к деталям, к подробностям, к датам сказывается, видимо, разница в воспитании — или в самовоспитании. Сколько я себя помню, я всегда стремился скорее отделываться от той или иной реальности, нежели пытаться удержать что-либо. В результате тенденция эта превратилась в инстинкт, жертвой коего оказываются не только обстоятельства твоей собственной жизни, но и чужой — даже дорогой тебе жизни. Разумеется, это продиктовано было инстинктом самосохранения. Но за все, самосохранение это включая, расплачиваешься. В общем, помнить я у Анны Андреевны не научился — если этому вообще научаются.

Волков: Когда и при каких обстоятельствах вы познакомились с Ахматовой?

Бродский: Это было, если я не ошибаюсь, в 1961 году, то есть мне шел тогда двадцать второй год. Евгений Рейн привел меня к ней на дачу. Самое интересное, что начало этих встреч я помню не очень отчетливо. До меня как-то не доходило, с кем я имею дело. Тем более, что Ахматова кое-какие из моих стихов похвалила. А меня похвалы не особенно интересовали. Так я побывал у нее на даче раза три-четыре, вместе с Рейном и Найманом. И только в один прекрасный день, возвращаясь от Ахматовой в набитой битком электричке, я вдруг понял — знаете, вдруг как бы спадает завеса — с кем или, вернее, с чем я имею дело. Я вспомнил то ли ее фразу, то ли поворот головы — и вдруг все стало на свои места. С тех пор я не то чтобы зачастил к Ахматовой, но, в общем, виделся с ней довольно регулярно. Я даже снимал дачу в Комарове в одну из зим. Тогда мы с ней виделись буквально каждый день. Дело было вовсе не в литературе, а в чисто человеческой и — смею сказать — обоюдной привязанности. Между прочим, как-то раз произошла замечательная сцена. Мы сидели у нее на веранде, где имели место все разговоры, а также завтраки, ужины и все прочее, как полагается. И Ахматова вдруг говорит: «Вообще, Иосиф, я не понимаю, что происходит; вам же не могут нравиться мои стихи». Я, конечно, взвился, заверещал, что ровно наоборот. Но до известной степени, задним числом, она была права. То есть в те первые разы, когда я к ней ездил, мне, в общем, было как-то не до ее стихов. Я даже и читал-то этого мало. В конце концов я был нормальный молодой советский человек. «Сероглазый король» был решительно не для меня, как и «перчатка с левой руки» — все эти дела не представлялись мне такими уж большими поэтическими достижениями. Я думал так, пока не наткнулся на другие ее стихи, более поздние.

Волков: Кого же вы к тому времени почитали из русских поэтов?

Бродский: Цветаеву, Мандельштама.

Волков: Вы говорите, что были об ту пору «нормальным молодым советским человеком». Но Цветаева и Мандельштам — это вовсе не стандартное меню тех лет. Когда вы прочитали Мандельштама впервые?

Бродский: Это был 1960 или 1961 год, один из самых счастливых периодов моей жизни. Я болтался без работы, после полевого сезона в геологической экспедиции. И меня взяли на кафедру кристаллографии Ленинградского университета. Первая коллегия, да? Институт земной коры. Вкалывал я там, между прочим, довольно прилично. Строил им вакуумные камеры и прочее, все как полагается. Своими руками. Интересная работа была. Но в целом все это носило несколько комический характер. Рабочий день в университете начинался в девять утра. Я туда приходил к десяти — потому что в десять открывалась библиотека. В эту библиотеку я записался на второй день по поступлении на работу. И поскольку я числился сотрудником, а не студентом, у меня было более выигрышное право доступа к книгам. Я их там массу брал. И, в частности, взял Мандельштама «Камень» (потому что слышал звон о книге с таким названием) и «Tristia». Ну и, конечно, тут же отключился. Особенно сильное впечатление на меня об ту пору произвели «Лютеранин», «Петербургские строфы»; несколько стихотворений тогда крепко засели. Вообще есть что-то совершенно потрясающее в первом чтении великого поэта. Ты сталкиваешься не просто с интересным содержанием, а прежде всего — с языковой неизбежностью. Вот что такое, наверное, великий поэт. Да? После этого ты уже говоришь другим языком. Вслед за «Камнем» и «Tristia» года два или три мне ничего другого из Мандельштама в руки не попадало. Даже после знакомства с Анной Андреевной. Начальники из КГБ подозревали Ахматову в том, что она разлагает молодых, давая им стихи запрещенных классиков. Но этого совершенно не было. Мне, например, даже не приходило в голову спрашивать у Анны Андреевны стихи Мандельштама. И когда я впоследствии читал новые для меня стихи Мандельштама, то происходило это на окольных путях. Какие-то полутемные люди, совершенно посторонние — как правило, девушки или дамы — вдруг извлекали из своих сумочек бог знает что. Да? Что было чрезвычайно интересно. И, конечно, было приятно и интересно дать эти стихи почитать кому-нибудь другому, если я знал, что он с ними еще не знаком. Я эти стихи перепечатывал, размножал. Нормальная психология.

Волков: А разве все эти «девушки и дамы» не должны были быть преимущественно поклонницами Ахматовой?

Бродский: Вполне возможно, что они и были. Но они, видимо, считали, что я и так хорошо знаком с сочинениями Анны Андреевны. Что совершенно не имело места, потому что я знал только довольно узкий набор ее стихотворений — двадцать или около того.

Волков: Любопытно поговорить о ленинградской субкультуре конца пятидесятых–начала шестидесятых годов. Вы собирались, читали стихи — того же Мандельштама — друг другу?

Бродский: Нет, этого совершенно не было. Помню, мы друг друга спрашивали: «Это ты читал? А это читал?» Время от времени собирались у кого-нибудь на квартире, но тогда читали только свои стихи. Это началось, когда мне было года двадцать два–двадцать три.

Волков: А у кого собирались?

Бродский: У самых разных людей. Поначалу даже и не собирались, а просто ты показывал свои стихи человеку, с чьим мнением считался, либо в чьей поддержке или одобрении был заинтересован. И тогда начинался довольно жесткий разговор. Не то чтобы начинался разбор твоих стихов. Ничего похожего. Просто собеседник откладывал твое стихотворение в сторону и корчил рожу. И если у тебя хватало пороху, ты спрашивал его, в чем дело. Он говорил: да ну, посмотри, ни в какие ворота. Моим главным учителем был Рейн. Это человек, чье мнение мне до сих пор важно и дорого. Он, на мой взгляд, обладает абсолютным слухом. Нас было четверо: Рейн, Найман, Бобышев и я. Анна Андреевна называла нас — «волшебный хор».

Волков: «Волшебный хор» — это цитата откуда-нибудь?

Бродский: Нет, думаю, что собственное изготовление. Ахматова, видите ли, считала, что происходит возрождение русской поэзии. И между прочим, была недалека от истины. Может быть, я немножечко хватаю через край, но я думаю, что именно мы, именно вот этот «волшебный хор» и дал толчок тому, что происходит в российской поэзии сегодня. Когда регулярно читаешь новые стихи, как это делаю я, то видишь, что в значительной степени (не знаю, может быть, я опять хватаю через край) это подражание нашей группе, эпигонство. И не то, чтобы у меня по поводу нашей группы существовали какие-то патриотические или ностальгические соображения. Но эти приемы, эта дикция впервые появились среди нас, в нашем кругу.

Анна Андреевна считала, что имеет место как бы второй Серебряный век. К этим ее высказываниям я всегда относился с некоторым подозрением. Но, вы знаете, вполне возможно, что я был и не прав. По одной простой причине: Ахматова имела дело с куда более обширным кругом поэтов или лиц, в поэзии заинтересованных. В Ленинграде к ней приходили не только мы. И молодые люди несли ей свои стихи не только в Ленинграде, но и в Москве. И это была чрезвычайно разнообразная публика (не хотелось бы сказать — разношерстная).

Волков: Правда ли, что Ахматова всех вас называла «аввакумовцами»?

Бродский: Из ее уст я этого не помню.

Волков: А сами себя вы как-нибудь называли?

Бродский: Нет. Нам это и в голову не приходило.

Волков: Даже шуточного самоназвания не было?

Бродский: Нет, никакого. Мы просто очень дружили. Были крепко друг с другом связаны, интеллектуально да и чисто человечески.

Волков: А теперь, оглядываясь назад, могли бы вы сказать, что это была определенная литературная группа, школа?

Бродский: Оглядываясь назад, безусловно. Мне вот что пришло не так давно в голову, в связи со стихами Лосева, которые я прочитал. Действительно, в свое время в Ленинграде возникла группа, по многим признакам похожая на пушкинскую «плеяду». То есть примерно то же число лиц: есть признанный глава, признанный ленивец, признанный остроумец. Каждый из нас повторял какую-то роль. Рейн был Пушкиным. Дельвигом, я думаю, скорее всего был Бобышев. Найман, с его едким остроумием, был Вяземским. Я, со своей меланхолией, видимо играл роль Баратынского. Эту параллель не надо особенно затягивать, как и вообще любую параллель. Но удобства ради ею можно время от времени пользоваться.

Волков: Действительно, налицо любопытное сходство темпераментов. За исключением, быть может, Рейна. О сопоставлении дарований говорить не приходится, но даже просто склад характера, темперамент...

Бродский: Чепуха, вы просто не знаете Рейна!

Волков: О стихах Рейна я, разумеется, не говорю. Но возьмем его журнальные статьи и заметки...

Бродский: Человек хлеб зарабатывает! Я представляю, чем бы занимался Александр Сергеевич при советской власти! Даже страшно об этом подумать!

Волков: Одно я могу сказать с точностью: к архивам его бы не подпустили. Так что он не смог бы написать ни «Историю пугачевского бунта», ни «Историю Петра Великого».

Бродский: Вообще с Петербургом происходит нечто странное. На мистику это не тянет, но очень уж к ней близко. Потому что в начале столетия ситуация там была довольно схожая: опять-таки возникла какая-то группа. Конечно, это было немного более разбросано по времени. Но все-таки: Блок, Мандельштам... Тут, правда, не знаешь, кто из них имеет больше прав на пушкинскую роль. Мандельштам, в общемто, не был вождем. Скорее эта роль принадлежала Гумилеву с его «Цехом поэтов». Они себя называли «Цехом поэтов»! Мы, надо нам отдать должное, до таких «высот» не подымались.

Волков: А что Ахматова вам рассказывала о «первом» Серебряном веке?

Бродский: Вы знаете, меня — как человека недостаточно образован-ного и недостаточно воспитанного — все это не очень-то интересова-ло, все эти авторы и обстоятельства. За исключением Мандельштама и впоследствии Ахматовой. Блока, к примеру, я не люблю, теперь пас-сивно, а раньше —активно.

Волков: За что?

Бродский: За дурновкусие. На мой взгляд, это человек и поэт во мно-гих своих проявлениях чрезвычайно пошлый. Человек, способный на-писать: «Я ломаю слоистые скалы / В час отлива на илистом дне...» Ну, дальше ехать некуда! Или еще: «Под насыпью, во рву некошенном, / Ле-жит и смотрит, как живая, / В цветном платке, на косы брошенном, / Кра-сивая и молодая». Ну что тут вообще можно сказать! «Красивая и молодая»!

Волков: За этим — Некрасов, целый пласт русской поэтической куль-туры. Потом еще синематограф, который Блок так любил.

Бродский: Ну да, Некрасов, синематограф, но все-таки уже имел ме-сто быть XX век, и говорить про женщину, особенно про мертвую — «красивая и молодая»... Я понимаю, что это эпоха, что это поэтический троп, но, тем не менее, меня всякий раз передергивает. Вот ведь у Пуш-кина нету «красивой и молодой».

Волков: У него есть «с догарессой молодой»...

Бродский: И у Мандельштама ничего подобного нет! Заметьте, кста-ти, как сильна в Мандельштаме «баратынская» струя. Он, как и Баратын-ский, поэт чрезвычайно функциональный. Скажем, у Пушкина были свои собственные «пушкинские» клише. Например, «на диком бреге». Знаете, откуда пришел «дикий брег»? Это, между прочим, ахматовское наблюдение, очень интересное. «Дикий брег» пришел из французской поэзии: это «риваж» и «соваж», стандартные рифмы. Или, скажем, про-ходная рифма Пушкина «радость — младость». Она встречается и у Ба-ратынского. Но у Баратынского, когда речь идет о радости, то это вполне конкретное эмоциональное переживание, младость у него — вполне определенный возрастной период. В то время как у Пушкина эта риф-ма просто играет роль мазка в картине. Баратынский — поэт более эко-номный; он и писал меньше. И потому что писал меньше — больше внимания уделял тому, что на бумаге. Как и Мандельштам.

Волков: Баратынский не был профессиональным литератором в пушкинском понимании этого слова. Он мог позволить себе жить в имении и не печататься годами.

Бродский: Ну, если бы обстоятельства сложились по-другому, то он, может быть, наоборот, позволил бы себе печататься. Но читательская масса, которая, по тем временам, была не такой уж массой...

Волков: Это нам сейчас так кажется. Пропорционально масса была вполне приличной. Альманах «Полярная звезда» (тот самый, бестужев-ский) за три недели купило полторы тысячи человек. А стоил он — две-надцать рублей книжка...

Бродский: Но вообще-то аудитория у поэта всегда в лучшем случае — один процент по отношению ко всему населению. Не более того.

Волков: Ранний Баратынский у современного ему русского читателя был так же популярен, как самые известные имена в наши дни.

Бродский: Но недолго, недолго он был популярен. Я хотел бы процитировать замечательное письмо Баратынского Александру Сергеевичу: «Я думаю, что у нас в России поэт только в первых незрелых своих опытах может надеяться на большой успех. За него все молодые люди, находящие в нем почти свои чувства, почти свои мысли, облеченные в блистательные краски. Поэт развивается, пишет с большою обдуманностью, с большим глубокомыслием: он скучен офицерам, а бригадиры с ним не мирятся, потому что стихи его все-таки не проза».

Волков: Баратынский был разочарован и уязвлен утратой своей популярности. Его «Сумерки» — очень горькая и желчная книга.

Бродский: Это не желчь и не горечь. Это трезвость.

Волков: Трезвость, которая пришла вслед за убийственным разочарованием.

Бродский: Что ж, для поэта разочарование — это довольно ценная вещь. Если разочарование его не убивает, оно делает его действительно крупным поэтом. На самом деле чем меньше у тебя иллюзий, тем с большей серьезностью ты относишься к словам.

Волков: На мой вкус, «Сумерки» Баратынского — лучшая книга русской поэзии. Особенно я люблю «Осень».

Бродский: Нет, в «Сумерках» «Бокал» будет получше все-таки. И, если уж мы говорим о Баратынском, то я бы сказал, что лучшее стихотворение русской поэзии — это «Запустение». В «Запустении» все гениально: поэтика, синтаксис, восприятие мира. Дикция совершенно невероятная. В конце, где Баратынский говорит о своем отце: «Давно кругом меня о нем умолкнул слух, / Прияла прах его далекая могила. / Мне память образа его не сохранила...» Это все очень точно, да? «Но здесь еще живет...» И вдруг — это потрясающее прилагательное: «...его доступный дух». И Баратынский продолжает: «Здесь, друг мечтанья и природы, / Я познаю его вполне...» Это Баратынский об отце... *«Он* вдохновением волнуется во мне. *Он* славить мне велит леса, долины, воды...» И слушайте дальше, какая потрясающая дикция: «Он убедительно пророчит мне страну, / Где я наследую несрочную весну, / Где разрушения следов я не примечу, / Где в сладостной тени невянущих дубров, / У нескудеющих ручьев...» Какая потрясающая трезвость по поводу того света! «...Я тень, священную мне, встречу». По-моему, это гениальные стихи. Лучше, чем пушкинские. Это моя старая идея. Тот свет, встреча с отцом — ну кто об этом так говорил? Религиозное сознание встречи с папашей не предполагает.

Волков: А «Гамлет» Шекспира?

Бродский: Ну Шекспир. Ну греческая классика. Ну Вергилий. Но не русская традиция. Для русской традиции это мышление совершенно уникальное, как и заметил о Баратынском Александр Сергеевич, помните? «Он у нас оригинален, ибо мыслит. Он был бы оригинален и везде, ибо мыслит по-своему, правильно и независимо, между тем как чувствует сильно и глубоко».

Волков: Говорила ли когда-нибудь о Баратынском Анна Андреевна?

Бродский: Нет, до него как-то дело не доходило. И в этом вина не столько Ахматовой, сколько всех вокруг нее. Потому что в советское время литературная жизнь проходила в сильной степени под знаком пушкинистики. Пушкинистика — это единственная процветающая отрасль литературоведения. Правда, сейчас эта ситуация начинает потихоньку меняться.

Волков: Мне также представляется странным отсутствие в разговорах Ахматовой другого поэта — Тютчева.

Бродский: Припоминаю, что о Тютчеве шел разговор в связи с выходом маленького томика его стихов с предисловием Берковского. Что ж, Тютчев, при всем расположении к нему, поэт не такой уж и замечательный. Мы с вами уже, кажется, касались этой темы. Мы повторяем: Тютчев, Тютчев, а на самом деле действительно хороших стихотворений набирается у него десять или двадцать (что уже конечно же, много). В остальном, более верноподданного автора у государя никогда не было. Я уж об этом говорил. Помните, Вяземский говорил о «шинельных поэтах»? Тютчев был весьма «шинелен».

Волков: Вы знали Берковского?

Бродский: Да, он жил за углом, я к нему заходил. Воспоминания мои о Берковском чрезвычайно приблизительны. В кругах ленинградской интеллигенции говорили: Берковский, Берковский. И у меня уже с порога было некоторое предубеждение: знаете, когда про кого-то очень долго говорят... Это был человек небольшого роста, с седыми волосами, склада апоплексического. Необычайно интересовался дамскими коленками. А по тем временам я обращал внимание на поведение человека, его манеры. Что же до предисловия Берковского к сборнику Тютчева, то оно мне в сильной степени не понравилось. Реакции Анны Андреевны ни на поэта, ни на редактора этого сборника не помню.

Волков: Что Ахматова говорила об отношении акмеистов к символизму?

Бродский: Ахматова любила повторять: «Что ни говорите, а символизм — это последнее великое течение в русской литературе». Думаю, между прочим, что не только в русской. Это действительно так: и по некоей цельности, и по масштабу, объему вклада в культуру. Но, на мой взгляд, это было действительно течение. Если позволено будет поиграть словами: великое, но течение.

Волков: А разве акмеизм она не выделяла как особое направление? В свое время акмеисты весьма отчетливо противопоставляли себя символизму.

Бродский: Совершенно верно. Но, вы знаете, в шестидесятых годах этого уже не было — ни в разговорах, ни в поведении, ни, тем более, в позициях. К тому времени уже невозможно было восстановить пафос этого противопоставления, этой полемики. Все это уже перестало существовать даже задним числом. К тому же Анна Андреевна была человеком в достаточной степени сдержанным и скромным.

Волков: Почему Анна Андреевна отзывалась о Михаиле Кузмине как о нехорошем человеке? Чем он был ей так неприятен?

Бродский: Да ничего подобного! Это неправда, миф. Она к Кузмину, к его стихам очень хорошо относилась. Я это знаю потому, что к поэзии Кузмина относился хуже, чем Анна Андреевна, — потому что не очень-то знал его — и в этом духе высказывался. И у Кузмина конечно же масса шлака. Ахматова встречала эти мои выпады крайне холодно. Если у Анны Андреевны и были какие-то трения с поэзией Кузмина, то они были связаны с ее «Поэмой без героя». Она чрезвычайно дорожила этим произведением. И, разумеется, находились люди, указывавшие на сходство строфы, которой написана «Поэма без героя», со строфой, которую Кузмин впервые использовал в своей книжке «Форель разбивает лед». И утверждавшие, что кузминская строфа куда более авангардна.

Волков: Но разве действительно ахматовская строфа не ведет свое происхождение от кузминской «Форели»?

Бродский: Вы знаете, трудно утверждать это с полной определенностью. Но, во всяком случае, музыка ахматовской строфы абсолютно самостоятельна: она обладает уникальной центробежной энергией. Эта музыка совершенно завораживает. В то время как строфа Кузмина в «Форели» в достаточной степени рационализирована.

Волков: На отношение Ахматовой к Кузмину могли повлиять мемуары, начавшие приходить из русского зарубежья: Георгий Иванов, Сергей Маковский. Там муссировалась роль Кузмина как учителя Ахматовой. Анну Андреевну это весьма раздражало.

Бродский: Мемуары Георгия Иванова ее сильно бесили, потому что там было чрезвычайно много вымысла. И это Ахматову действительно возмущало.

Волков: Я помню также ее возмущение «Парнасом Серебряного века» Маковского. Она говорила примерно следующее: Маковский был богатенький барин, который Мандельштама и Гумилева на порог, что называется, не пускал. Их он считал желторотыми гимназистами, босяками, а себя — большим поэтом и ценителем.

Бродский: Да, меценатом. Это я помню.

Волков: Ахматова говорила, что ее пытаются изобразить дамочкой-любительницей, которую Кузмин и Гумилев совместными усилиями произвели в поэтессы.

Бродский: Это, конечно, полный бред. И разговоров такого порядка с Ахматовой было немного — настолько подлинная картина самоочевидна. Было ясно, что это не предмет для серьезного обсуждения. Чего Анна Андреевна терпеть не могла, так это попыток запереть ее в десятых–двадцатых годах. Все эти разговоры, что она прекратила писать, что в тридцатые годы Ахматова молчала, — вот это бесило ее бесконечно. Это понятно. Меня, например, — когда я потом читал и читал

Анну Андреевну — куда больше интересовали именно ее поздние стихи. Которые, на мой взгляд, намного значительней ее ранней лирики.

Волков: Говорила ли Анна Андреевна о гомосексуальных наклонностях Кузмина?

Бродский: Ничего конкретного. В России даже интеллигентная среда все-таки была очень пуританской. Да и вообще, я не очень-то припоминаю разговоров с Анной Андреевной на уровне сплетни.

Волков: Мне кажется, Анна Андреевна иногда была совсем не прочь посплетничать. И делала это с большим смаком.

Бродский: Конечно, конечно. Вы знаете, это уже порок моей памяти.

Волков: Кузмину-человеку, как это ни странно, в разговорах «не для печати» доставалось меньше других. Его как бы щадили — быть может, именно потому, что он представлял собою сравнительно легкую мишень для злословия.

Бродский: Совершенно верно. И я помню, что в разговорах с Ахматовой — о ком бы то ни было — всегда наличествовала большая доля иронии. С ее стороны — ирония нажитая, с нашей — снобистская, то есть забегающая вперед.

Волков: А не присутствовала ли некая доля иронии в отношении Ахматовой к Пастернаку?

Бродский: Это было, это было. Ирония и — во многих случаях — нравственное осуждение, если угодно. Скажем так (это будет очень точно): Ахматова чрезвычайно не одобряла амбиций Бориса Леонидовича. Не одобряла его желания, жажды Нобелевки. Ахматова судила Пастернака довольно строго. Как, впрочем, поэт такого масштаба и заслуживает.

Волков: Ахматова любила читать свои стихи — не с эстрады, а близким людям. Спрашивала ли она у вас о впечатлении?

Бродский: Да, она и читала, и показывала написанное. И всегда весьма интересовалась нашим мнением. Мы сидели, вносили поправки: Толя Найман, Женя Рейн, Дима Бобышев и я. Говорили, что именно, по нашему мнению, не годится. Не часто, но это происходило.

Волков: И Ахматова соглашалась?

Бродский: Безусловно. Она к нашим соображениям прислушивалась чрезвычайно.

Волков: Вы можете указать на какой-нибудь конкретный случай?

Бродский: Я вспоминаю поправку, внесенную Рейном в ахматовскую «Царскосельскую оду». У нее было так:

> *Драли песнями глотку*
> *И клялись попадьей,*
> *Пили царскую водку,*
> *Заедали кутьей.*

Рейн сказал ей: «Анна Андреевна, вы ошибаетесь, царская водка — это окись», — я уж не помню, чего, в общем, это едкое химическое соединение. И для Рейна, инженера по образованию, это было совершенно очевидно. Ахматова-то имела в виду царскую водку другого порядка. И поэтому исправила так: «Пили допоздна водку». И я помню поправки даже в более существенных стихах.

Волков: «Поэму без героя» она ведь тоже вам читала?

Бродский: Да, множество раз. Особенно — новые куски. И все время спрашивала — годится это или нет. Она ее, «Поэму», постоянно дописывала и переписывала. Помню, как я прочел «Поэму без героя» в ее первом варианте. Я очень сильно возбудился. Впоследствии, когда «Поэма» разрослась, она мне стала представляться слишком громоздкой. Впечатление свое о «Поэме» я могу сформулировать довольно точно с помощью одной сентенции, даже не мной высказанной: «Самое замечательное в «Поэме», что она написана не «для кого», а «для себя» .

Волков: Но у меня создалось впечатление, что именно относительно «Поэмы без героя» Анна Андреевна чрезвычайно беспокоилась, как это произведение будет восприниматься другими.

Бродский: Может быть. Но на самом деле стихи пишутся в первую очередь именно «для себя». Конечно, Анне Андреевне было интересно, как на «Поэму» реагируют, насколько ее понимают. Но весь этот процесс дописывания и переписывания был в большей степени связан с нею самою, нежели со внешними реакциями. Во-первых, в данном случае Анна Андреевна находилась во власти этой самой строфы. Я помню, как она меня учила. Она говорила: «Иосиф, если вы захотите писать большую поэму, прежде всего придумайте свою строфу — вот как англичане это делают». У англичан это дело действительно поставлено на широкую ногу. Почти каждый поэт придумывает свою собственную строфу. Байрон, Спенсер и так далее. Ахматова говорила так: «Что погубило Блока в «Возмездии»? Поэма-то, может быть, замечательная, но строфа — не своя. И эта заемная строфа порождает эхо, которого быть не должно. Которое все затемняет». Это принцип чрезвычайно здравый. Дело в том, что стихи поэт пишет не каждый день. И когда стихи не пишутся, жить, по словам самой же Ахматовой, становится «чрезвычайно неуютно». И вполне естественно, что Анна Андреевна постоянно возвращалась к идиоматике собственной строфы. Верней, строфа эта к ней возвращалась. Как сон — или как дыхание. И тогда начинались все эти дописывания, вписывания и так далее. Во-вторых, исправление, составление, композиция, игра с более поздними кусками могут постепенно превратиться в «вещь в себе». Это занятие с ума сводящее, завораживающее. И, естественно, ее чрезвычайно интересовало, как к этому отнесутся те или иные читатели. Постепенно возникла ситуация, в которой мы — наиболее близкие из читателей «Поэмы» — и сама Ахматова оказались более или менее на равных. То есть мы все уже не в состоянии были оценить: на месте какой-нибудь новый кусок находится в «Поэме» или нет. Ты оказываешься в такой зависимости от этой музыки, что, в общем, уже не понимаешь пропорции целого. Теряешь способность относиться к этому целому критически. Будь Ахматова жива сегодня, она, я думаю, продолжала бы «Поэму» дописывать.

Волков: Вам не кажется, что с «Поэмой без героя» приключилась следующая парадоксальная вещь. Задумана она была действительно, быть может, «для себя». Для постороннего читателя ее сюжет и аллюзии довольно-таки энигматичны...

Бродский: Ну, все это легко расшифровать!

Волков: Все-таки «Поэма» требует от читателя определенной подготовки в большей степени, чем любая другая русская поэма...

Бродский: В русской поэзии существует тенденция — продиктованная размерами страны, количеством населения и т.п. — считать, что поэт работает для широкой аудитории. Этой иллюзии подвержены все без исключения. Все этому поддаются, по крайней мере, на каком-то определенном этапе своего развития. В той или иной степени всеми нами когда-то завладевает мысль, что «у меня огромная аудитория». От таковой иллюзии перемещение в пространстве, между прочим, зачастую избавляет. Вольно или невольно любой русский автор испытывает определенное давление писать для широкой аудитории. Но, с другой стороны, всякий более или менее состоявшийся поэт там, в глубине души, сознает, что работает он не для публики. Что он пишет потому, что ему язык, в просторечии называемый музой, диктует. И что это именно ради своего языка он и занимается этим делом — ради музыки языка, ради этих слов, суффиксов, я не знаю... Ради этой гармонии, да? А не ради аудитории. Так что в случае с «Поэмой без героя» я не вижу никакого противоречия. Конечно, Ахматовой было интересно узнать реакцию слушателей. Но если бы ее действительно больше всего на свете занимала доступность интерпретации «Поэмы», то она не написала бы всех этих штук. Конечно, Ахматова зашифровала некоторые вещи в «Поэме» сознательно. В эту игру играть чрезвычайно интересно, а в определенной исторической ситуации — просто необходимо.

Волков: Вы меня неверно поняли. Парадокс как раз заключается в том, что «Поэма без героя» превратилась в символ Серебряного века и эпохи перед Первой мировой войной. Эту эпоху мы сейчас рассматриваем, как это ни странно, именно сквозь призму зашифрованной «Поэмы».

Бродский: Ну я не знаю, кого вы имеете в виду, говоря «мы»...

Волков: Тех, кого Серебряный век интересует. Для всех нас какая-нибудь несчастная Ольга Афанасьевна Судейкина, кончившая свои дни во Франции полупомешанной старушкой, навсегда осталась такой, какой ее изобразила Ахматова:

> *Как копытца, топочут сапожки,*
> *Как бубенчик, звенят сережки,*
> *В бледных локонах злые рожки,*
> *Окаянной пляской пьяна, —*
> *Словно с вазы чернофигурной,*
> *Прибежала к волне лазурной,*
> *Так парадно обнажена.*

Бродский: Судейкина, Саломея Андроникова, Вера Стравинская — в моем сознании это те самые дамы, о которых Мандельштам говорил: «европеянки нежные».

Волков: Но в той же «Поэме без героя» Ахматова роняла о Судейкиной и другое, гораздо более жесткое: «Деревенскую девку-соседку/ Не узнает веселый скобарь».

Бродский: Совершенно верно. В конце концов, сама Анна Андреевна была, по выражению Цветаевой, «все-таки дамой». Нет, нет, я предпочитаю думать о них как об именно нежных европеянках. Но в самом этом определении Мандельштама есть ведь своя доля иронии, да? Дескать, стали «европеянками»...

Волков: В «Поэме без героя» Ахматова, когда описывает убранство спальни Судейкиной, замечает, как бы вскользь: «Полукрадено это добро...» Это, конечно, стихи, но когда речь идет о близкой знакомой, то звучит это достаточно сильно, почти как предъявление уголовного обвинения. О теневых сторонах этого праздничного мира я только сейчас начинаю догадываться.

Бродский: Да ничего особенного — это был нормальный русский мир, и строчки эти на меня столь сильного, как на вас, впечатления не производят. Кстати, вы знаете о замечании Пастернака по поводу «Поэмы без героя»? Он говорил, что она похожа на русский народный танец, когда идут вперед, закрываясь, а отступают, раскрываясь. Это высказывание Бориса Леонидовича Ахматова очень любила.

Волков: Ахматова говорит о русской пляске в исполнении Судейкиной в своих прозаических записях к «Поэме». Вообще она много лет думала о балетном либретто на материале «Поэмы». К сожалению, все это осталось в фрагментах.

Бродский: Анна Андреевна ведь еще и пьесу написала, судя по всему, замечательную вещь. По-видимому, она ее сожгла. Как-то раз она при мне вспоминала начало первой сцены: на сцене еще никого нет, но стоит стол для заседаний, накрытый красным сукном. Входит служитель, или я уж не знаю, кто, и вешает портрет Сталина, как Ахматова говорила, «на муху».

Волков: Для Анны Андреевны это совершенно неожиданный, почти сюрреалистический образ.

Бродский: Нет, отчего же, ровно наоборот. У нее этого полно в стихах — особенно в поздних, да и в быту сюрреалистическое это ощущение часто прорывалось. Помню, на даче в Комарове у нее стояла горка с фарфоровой посудой. В разговоре нашем возникла какая-то пауза, и я, поскольку мне уже нечего было хвалить в этом месте, сказал: «Какой замечательный шкаф». Ахматова отвечает: «Да какой это шкаф! Это гроб, поставленный на попа». Вообще чувство юмора у нее характеризовалось именно этим выходом в абсурд. Это она очень сильно чувствовала.

Волков: Вы упомянули о том, что Цветаева называла Анну Андреевну «дамой». Мне представляется, что вы, с вашим опытом — фабрика, работа в морге, геологические экспедиции — были в ее окружении скорее исключением. И вообще, для русского поэта ваша жизнь в отечестве была не вполне обычной: и тюрьма, и — если не сума, то батрачество...

Бродский: Да нет, жил как все. Русское общество, при всех его недостатках, все-таки в сословном смысле наиболее демократично.

Волков: Русский поэт обыкновенно оказывается более демократичным в своих стихах, чем в реальной жизни. Анна Андреевна в одном из ранних своих стихотворений говорит о себе: «На коленях в огороде / Лебеду полю». Лидия Гинзбург вспоминала, как гораздо позднее выяснилось, что Ахматова даже не знает, как эта самая лебеда выглядит. Вокруг Анны Андреевны всегда был тесный круг вполне интеллигентского персонала.

Бродский: Это далеко не так. Русский литератор никогда на самом деле от народа не отделяется. В литературной среде вообще всякой шпаны навалом. Но если говорить об Ахматовой, как быть с ее опытом тридцатых годов и более поздним: «Как трехсотая, с передачею, / Под Крестами будешь стоять...»? А все те люди, которые к ней приходили? Это были вовсе не обязательно поэты. И вовсе не обязательно инженеры, которые собирали ее стихи, или технари. Или зубные врачи. Да и вообще, что такое народ? Машинистки, нянечки, сестры, все эти старушки — какой вам еще народ нужен? Нет, это фиктивная категория. Литератор — он сам и есть народ. Возьмите вон Цветаеву: ее нищету, ее поездки с мешками в Гражданскую войну... Да нет, уж вот где-где, а в возлюбленном отечестве поэту оторваться от простого народа никогда не удавалось...

Волков: Ахматова в последние годы своей жизни стала более доступной...

Бродский: Да, к ней приходили почти ежедневно — и в Ленинграде, и в Комарове. Не говоря уж о том, что творилось в Москве, где все это столпотворение называлось «ахматовкой». В Москве Анна Андреевна останавливалась у разных людей: в Сокольниках, у Любови Давыдовны Большинцовой, вдовы Стенича, замечательного переводчика, и дамы самой по себе довольно замечательной; на Большой Мещанской, у вдовы и дочери поэта Шенгели; у профессора Западова, специалиста по русскому классицизму — Ломоносову, Державину и полководцу Суворову; у Лидии Корнеевны Чуковской. Но главным образом у Ардовых, на Ордынке.

Волков: Опишите «ахматовку» подробнее.

Бродский: Это, в первую очередь, непрерывный поток людей. А вечером — стол, за которым сидели царь-царевич, король-королевич. Сам Ардов, при всех его многих недостатках, был человек чрезвычайно остроумный. Таким же было все его семейство: жена Нина Антоновна и мальчики Боря и Миша. И их приятели. Это все были московские мальчики из хороших семей. Как правило, они были журналистами, работали в замечательных предприятиях типа АПН. Это были люди хорошо одетые, битые, тертые, циничные. И очень веселые. Удивительно остроумные, на мой взгляд. Более остроумных людей я в своей жизни не встречал. Не помню, чтобы я смеялся чаще, чем тогда, за ардовским столом. Это опять-таки одно из самых счастливых моих воспоминаний. Зачастую казалось, что острословие и остроумие составляют для этих людей единственное содержание их жизни. Я не думаю, чтобы их когда бы то ни было охватывало уныние. Но, может быть, я несправедлив в данном случае. Во всяком случае, Анну Андреевну они обожали. Приходили и другие люди: Кома Иванов, гениальный Симон Маркиш, редакторши, театроведы, инженеры, переводчики, критики, вдовы — всех не назвать. В семь или восемь часов вечера на столе появлялись бутылки.

Волков: Анна Андреевна любила выпить. Немного, но...

Бродский: Да, за вечер грамм двести водки. Вина она не пила по той простой причине, по которой я его уже не особенно пью: виноградные смолы сужают кровеносные сосуды. В то время как водка их расширяет и улучшает циркуляцию крови. Анна Андреевна была сердечница. К тому времени у нее уже было два инфаркта. Потом — третий. Анна Андреевна пила совершенно замечательно. Если кто умел пить — так это она и Оден. Я помню зиму, которую я провел в Комарове. Каждый вечер она отряжала то ли меня, то ли кого-нибудь еще за бутылкой водки. Конечно, были в ее окружении люди, которые этого не переносили. Например, Лидия Корнеевна Чуковская. При первых признаках ее появления водка пряталась и на лицах воцарялось партикулярное выражение. Вечер продолжался чрезвычайно приличным и интеллигентным образом. После ухода такого непьющего человека водка снова извлекалась из-под стола. Бутылка, как правило, стояла рядом с батареей. И Анна Андреевна произносила более или менее неизменную фразу: «Она согрелась». Помню наши бесконечные дискуссии по поводу бутылок, которые кончаются и не кончаются. Временами в наших разговорах возникали такие мучительные паузы: вы сидите перед великим человеком и не знаете, что сказать. Понимаете, что тратите его время. И тогда спрашиваете нечто просто для того, чтобы такую паузу заполнить. Я помню очень отчетливо, как я спросил ее нечто, касающееся Сологуба: в каком году произошло такое-то событие? Ахматова в это время уже поднесла рюмку с водкой ко рту и отпила. Услышав мой вопрос, она сделала глоток и ответила: «Семнадцатого августа тысяча девятьсот двадцать первого года». Или что-то в этом роде. И допила оставшееся.

Волков: Когда Ахматовой наливали, то всегда спрашивали — сколько налить? И Ахматова рукой показывала, что, дескать, хватит. И поскольку жест был — как все, что Анна Андреевна делала, — медленный и величественный, то рюмка успевала наполниться до краев. Против чего Ахматова не возражала... Вы говорили, что к Ахматовой приходили самые разные люди. Вероятно, многие — по русскому обычаю — искали не только поэтических советов, но и чисто житейских?

Бродский: Я вспоминаю один такой эпизод, вполне типичный. Дело было зимой, я сижу у Анны Андреевны в Комарове. Выпиваем, разговариваем. Появляется одна поэтесса, с этим замечательным дамским речением: «Ой, я не при волосах!». И моментально Анна Андреевна уводит ее в такой закут, который там существовал. И слышны какие-то всхлипывания. То есть явно эта поэтесса не стихи читать пришла. Проходит полчаса. Анна Андреевна и дама появляются из-за шторы. Когда дама эта удалилась, я спрашиваю: «Анна Андреевна, в чем дело?» Ахматова говорит: «Нормальная ситуация, Иосиф. Я оказываю первую помощь». То есть множество людей к Ахматовой приходило со своими горестями. Особенно дамы. И Анна Андреевна их утешала, успокаивала. Давала им практические советы. Я уж не знаю, каковы эти советы были. Но одно то, что эти люди были в состоянии изложить ей все свои проблемы, служило им достаточной терапией.

Волков: Я хотел спросить вас об одной частности: я никогда не видел фотографии, на которой вы и Анна Андреевна были бы вместе.

Бродский: Да, такого снимка нет. Это смешно...Как раз вчера я разговаривал с одной своей приятельницей, женой довольно замечательного поэта. И сказал ей: «Дай мне твою фотографию». А она мне отвечает: «У меня нет. В этом браке — я тот, кто фотографирует».

Волков: В книге об Ахматовой Аманды Хейт воспроизведен вот этот снимок: вы и Найман в глубокой задумчивости; у вас, Иосиф, на коленях «Спидола»...

Бродский: Наверняка слушаем Би-Би-Си. Не помню, кто это снимал. Либо Женя Рейн (потому что оба они приехали ко мне в Норенское). Либо я поставил камеру на автоспуск. На той же странице — портрет Ахматовой моей работы. Я ее снимал несколько раз. И вот эта фотография ахматовского рабочего стола в Комарове — тоже моя.

Волков: Когда вы жили в Комарове?

Бродский: Полагаю, это была осень и зима с шестьдесят второго года на шестьдесят третий. Я снимал дачу покойного академика Берга, у которого когда-то учился мой отец.

Волков: Существует ли «мистика» Комарова? Или же это место само по себе ничем не примечательно, а стало знаменитым лишь благодаря Ахматовой?

Бродский: В Комарове был просто-напросто Дом творчества писателей. Там жил Жирмунский Виктор Максимович, с которым мы виделись довольно часто. Рядом с Анной Андреевной поселился довольно милый человек и, на мой взгляд, довольно хороший переводчик, главным образом с восточных языков, поэт Александр Гитович. Приезжала масса народу, и летом на даче Анны Андреевны, в ее «будке», устраивались большие обеды. По хозяйству помогала замечательная женщина, жившая, как правило, в летние периоды при Ахматовой, Ханна

Вульфовна Горенко. Многие годы она считалась соломенной вдовой, если угодно, брата Анны Андреевны, который жил и умер здесь, в Соединенных Штатах. Однажды Анна Андреевна показала мне фотографию человека: широченные плечи, бабочка — сенатор, да? И говорит: «Хорош... — после этого пауза, — американец...» Совершенно невероятное у него было сходство с Ахматовой: те же седые волосы, тот же нос и лоб. Кстати, Лева Гумилев, сын ее, тоже больше на мать похож, а не на отца.

Волков: А как брат Ахматовой попал в Америку?

Бродский: Он был моряк, гардемарин последнего предреволюционного выпуска. В конце Гражданской войны он и Ханна Вульфовна, на которой он был тогда женат, оказались на Дальнем Востоке. Его фамилия, как и Анны Андреевны девичья, была Горенко. Он был такой Джозеф Конрад, но без литературных амбиций. Когда он расстался с Ханной, то довольно долго странствовал по Китаю и Японии — эти места он потом называл «андизайрбл плейсис». Плавал он там в торговом флоте, а когда после войны перебрался в Штаты, то стал здесь «секьюрити гард». Отсюда первую весточку о себе он послал Ахматовой не через кого иного, как через Шостаковича. Потому что так получилось, что Горенко охранял Шостаковича во время приезда того в Штаты. И таким образом Ахматова узнала о том, что ее брат жив. Потому что прежде контактов между ними, по-моему, вообще никаких не было. Вы можете себе представить, чем такие контакты могли бы обернуться. Только к концу ее жизни, когда времена стали снова, как бы это сказать, более или менее вегетарианскими, можно было опять думать о переписке, хотя бы и чрезвычайно нерегулярной. Горенко посылал Ханне и Анне Андреевне какие-то вещи — шали, платья, которыми Ханна чрезвычайно гордилась. Когда Анна Андреевна занедужила и с ней приключился третий инфаркт, ему послали телеграмму. Ну что он мог сделать? Приехать? Он был женат на американке, жил в Бруклине. Когда в свое время Ханна Вульфовна вернулась с Дальнего Востока в Россию — она была такая нормальная КВЖДинка — то, по-моему, села — и крепко. А может быть, и нет. Вы знаете, вот это не помнить — грех. Мы с ней очень любили друг друга, хорошо друг к другу относились; и я ей стихи какие-то посвятил. Но вот что происходит с памятью... Или это не столько память, сколько нагромождение событий?

Волков: Что Анна Андреевна рассказывала о своем отце?

Бродский: Андрей Антонович Горенко был морским офицером, преподавал математику в Морском корпусе. Он, кстати, был знаком с Достоевским. Этого никто не знал, между прочим. Но в 1964 году вышли два тома воспоминаний о Достоевском. И там были напечатаны воспоминания дочки Анны Павловны Философовой о том, как Горенко и Достоевский помогали ей решать арифметическую задачку о зайце и черепахе. Я тогда жил в деревне, эти воспоминания прочел и, умозаключив, что речь идет об отце Ахматовой, написал об этом Анне Андреевне. Она была чрезвычайно признательна. И потом, когда мы с ней встретились, уже после моего освобождения, она примерно так говорила: «Вот, Иосиф, раньше была только одна семейная легенда о Достоевском, что сестра моей матери, учившаяся в Смольном, однажды, начитавшись «Дневников писателя», заявилась к Достоевскому домой. Все как полагается: поднялась по лестнице, позвонила. Дверь открыла кухарка. Смолянка наша говорит: «Я хотела бы видеть барина». Кухарка, ответивши «сейчас я его позову», удаляется. Она стоит в темной прихожей и видит — постепенно приближается свет. Появляется держащий свечу барин. В халате, чрезвычайно угрюмый. То ли оторванный от сна, то ли от своих трудов праведных. И довольно резким голосом говорит: «Чего надобно?» Тогда она поворачивается на каблуках и стремглав бросается на улицу». И Анна Андреевна, помнится, добавляла: «До сих пор это была наша единственная семейная легенда о знакомстве с Достоевским. Теперь же я рассказываю всем, что моя матушка ревновала моего батюшку к той же самой даме, за которой ухаживал и Достоевский».

Волков: В этом ее комментарии есть определенная доля самоиронии. Потому что сотворять легенды было вполне в ее характере. Или я не прав?

Бродский: Нет, она, наоборот, любила выводить все на чистую воду. Хотя есть легенды — и легенды. Не все легенды были ей неприятны. И все же темнить Анна Андреевна не любила.

Волков: Против одной легенды — к сотворению которой, как мне теперь кажется, она приложила руку, — Ахматова протестовала всю свою жизнь...

Бродский: Да, против легенды о романе ее с Блоком. Ахматова говорила, что это «народные чаяния». Такая популярная мечта о том, чего никогда, как она утверждала, не было. И вы знаете, Ахматова — это тот человек, которому я верю во всем беспрекословно.

Волков: Вероятно, это был роман, что называется, «литературный». Во всяком случае, с его стороны. Достаточно перечитать ее стихи, обращенные к Блоку. В конце жизни Ахматова испытывала к Блоку чувства амбивалентные: в «Поэме без героя» она описывает его как человека «с мертвым сердцем и мертвым взором». В одном из стихотворений шестидесятых годов она называет Блока — «трагический тенор эпохи». И, если вдуматься, это вовсе не комплимент.

Бродский: А в баховских «Страстях по Матфею» Евангелист — это тенор. Партия Евангелиста — это партия тенора.

Волков: Мне такое даже и в голову никогда не приходило!

Бродский: И стихи эти написаны как раз в тот период, когда я приносил ей пластинки Баха...

Волков: В стихах Ахматовой, особенно поздних, музыка часто упоминается: и Бах, и Вивальди, и Шопен. Мне всегда казалось, что Анна Андреевна музыку тонко чувствует. Но от людей, хорошо ее знавших, хотя, вероятно, и не весьма к ней расположенных, я слышал, что Ахматова сама ничего в музыке не понимала, а только внимательно прислушивалась к мнению людей, ее окружавших. Они говорили примерно так: высказывания Ахматовой о Чайковском или Шостаковиче — это со слов Пунина, а о Бахе и Вивальди — со слов Бродского.

Бродский: Ну это чушь. Это глупость беспредельная и безначальная. Просто когда мы с Анной Андреевной познакомились, у нее ни проигрывателя, ни пластинок на даче не было: потому что никто этим не занимался. Руки не доходили, вот и все.

Волков: Анне Андреевне принадлежит удивительно тонкое замечание о музыке Одиннадцатой симфонии Шостаковича. Об Одиннадцатой симфонии приходится слышать вещи уничижительные, поскольку автор дал ей название «1905 год». А Ахматова сказала, что там «песни летят по черному страшному небу как ангелы, как птицы, как белые облака». Я не могу даже передать, насколько точно это услышано. И в то же время Анна Андреевна не восприняла прелести «еврейского» вокального цикла Шостаковича. Там она услышала только ужасные с поэтической точки зрения слова. В отношении слов она, конечно права, но...

Бродский: Ну это естественно, потому что она — поэт. В первую очередь она уделяет внимание стихам, содержанию.

Волков: Но ведь в случае с Одиннадцатой симфонией Ахматова услышала за чисто внешней программой подлинное, музыкальное содержание.

Бродский: Может быть, в «еврейском» цикле — это вина Шостаковича, что слова выплыли на поверхность. Вероятно, музыка их не поглотила, не скрыла должным образом.

Волков: Шостакович, который был с Ахматовой знаком, дал ее высокий музыкальный «портрет» в своем вокальном цикле «Шесть стихотворений Марины Цветаевой». Говорила ли Анна Андреевна с вами о Шостаковиче?

Бродский: Может быть, несколько раз упоминала. Мы чаще говорили с ней о Стравинском, слушали советскую «пиратскую» пластинку «Симфония Псалмов». Помню одно замечание Ахматовой о Стравинском. Дело было в 1962 году, во время приезда Стравинского в Советский Союз. Я был в тот момент в Москве. И из такси, по дороге к Анне Андреевне, увидел Стравинского, его жену Веру Артуровну и Роберта Крафта: они выходили из «Метрополя» и садились в машину. Я знал, что накануне Стравинские собирались нанести Анне Андреевне визит. И, приехав к ней, говорю: «Угадайте, Анна Андреевна, кого я сейчас на улице увидел — Стравинского!» И начал его описывать: маленький, сгорбленный, шляпа замечательная. И вообще, говорю, остался от Стравинского один только нос. «Да, — добавила Анна Андреевна, — и гений».

Волков: У меня была возможность убедиться в том, что суждения Анны Андреевны о музыке были веские и определенные: и о Вивальди, и о Бахе, и о Перселле...

Бродский: Перселла я таскал ей постоянно...

Волков: Как раз это я и имею в виду...

Бродский: Еще мы о Моцарте с ней много говорили.

Волков: И она даже — несмотря на свое пушкинианство — придерживалась научно прогрессивного взгляда, что Сальери к смерти Моцарта не имел никакого отношения.

Бродский: Ну конечно, что за разговор, что за разговор... Кстати, вы знаете, что она обожала Кусевицкого? Я имя этого дирижера впервые услышал именно от нее.

Волков: «Симфония Псалмов» написана по заказу Кусевицкого. Вы говорили с Анной Андреевной об этом сочинении Стравинского?

Бродский: Мы в тот период как раз обсуждали идею переложения Псалмов и вообще всей Библии на стихи. Возникла такая мысль, что хорошо бы все эти библейские истории переложить доступным широкому читателю стихом. И мы обсуждали — стоит это делать или же не стоит. И если стоит, то как именно это делать. И кто бы мог это сделать лучше всех, чтобы получилось не хуже, чем у Пастернака...

Волков: Анна Андреевна считала, что у Пастернака это получилось?

Бродский: Нам нравилось — и ей, и мне.

Волков: Кстати, в связи с идеей переложения Библии: как вы относитесь к гравюрам Фаворского, исполненным им для «Книги Руфи»?

Бродский: Они очень хороши. И вообще Фаворский — замечательный художник. Я его довольно долго обожал. Но в последний раз я смотрел на вещи Фаворского много лет тому назад. Фаворский принадлежит скорее к области воспоминаний, нежели к моей зрительной реальности.

Волков: Вам не кажется, что Фаворский и Ахматова — это люди схожие? И что есть какая-то связь между его гравюрами и, скажем, библейскими стихами Ахматовой?

Бродский: Да, есть какое-то сходство в приемах, но только постольку, поскольку вообще можно сближать изобразительное искусство и изящную словесность — чего делать, в общем-то, не следует. Есть определенный сближающий момент — не столько с Ахматовой, сколько с литературой вообще: Фаворский работает черным по белому, он график. Да и вообще, я бы сказал, что Фаворский — художник литературный, в том смысле, что условности, к которым он прибегал, в достаточной степени литературны.

Волков: А библейские стихи Ахматовой — изобразительны.

Бродский: Все, что Ахматова пишет, — изобразительно. Так же, как все, что изображает Фаворский, — дидактично.

Волков: «Библейская» Ахматова для меня более дидактична, чем «библейский» Пастернак.

Бродский: Нет, я с этим не согласен. Вообще-то мне стихи Пастернака из романа очень сильно нравятся. Замечательные стихи, особенно «Рождественская звезда». Я о них часто вспоминаю. Когда-то у меня была идея — каждое Рождество писать по стихотворению. И, как правило, когда приближается Рождество, я начинаю обо всем этом подумывать.

Волков: Стихи Ахматовой все чаще кладут на музыку. Одно из самых крупных сочинений такого·рода — «Реквием» английского композитора Джона Тавенера; его исполняли в Лондоне, а затем — на фестивале в Эдинбурге.

Бродский: Да, я знаю об этом. Видите ли, поэт — это последний человек, кто радуется тому, что его стихи перекладываются на музыку. Поскольку он-то сам в первую очередь озабочен содержанием, а содержание, как правило, читателем усваивается не полностью и не сразу. Даже когда стихотворение напечатано на бумаге, нет никакой гарантии, что читатель понимает содержание. Когда же на стих накладывается еще и музыка, то, с точки зрения поэта, происходит дополнительное затмение. Так что, с одной стороны, если ты фраер, то тебе лестно, что на твои стихи композитор музыку написал. Но если ты действительно озабочен реакцией публики на твой текст, — а это то, с чего твое творчество начинается и к чему оно, в конце концов, сводится, — то праздновать тут совершенно нечего. Даже если имеешь дело с самым лучшим композитором на свете. Музыка вообще выводит стихи в совершенно иное измерение.

Волков: Конечно, стихи в соприкосновении с музыкой в чем-то умаляются. Но то новое измерение, о котором вы говорите, как раз и придает этому взаимодействию особый интерес. Скажем, тот же «Реквием» — это текст примечательный, но довольно однозначный. Музыка может эту однозначность усугубить, а может неожиданно высветить в стихах какой-то новый пласт.

Бродский: Ну на самом-то деле текст «Реквиема» далеко не однозначен.

Волков: Конечно, там есть два плана: реальный и биографический — Ахматова и судьба ее арестованного сына; и символический — Мария и ее сын Иисус.

Бродский: Для меня самое главное в «Реквиеме» — это тема раздвоенности, тема неспособности автора к адекватной реакции. Понятно, что Ахматова описывает в «Реквиеме» все ужасы «большого террора». Но при этом она все время говорит о том, что близка к безумию. Помните?

*Уже безумие крылом
Души закрыло половину,
И поит огненным вином
И манит в черную долину.
И поняла я, что ему
Должна я уступить победу,
Прислушиваясь к своему
Уже как бы чужому бреду.*

Эта вторая строфа, быть может, лучшая во всем «Реквиеме». Здесь самая большая правда и сказана: «Прислушиваясь к своему, / Уже как бы чужому бреду». Ахматова описывает положение поэта, который на все, что с ним происходит, смотрит как бы со стороны.

Волков: Это как у Саши Черного: «У поэта умерла жена...»

Бродский: Отчасти. Потому что, когда поэт пишет, то это для него — не меньшее происшествие, чем событие, которое он описывает. Отсюда — попреки самого себя, особенно когда речь идет о таких вещах, как тюремное заключение сына или вообще какое бы то ни было горе. Начинается жуткий покрыв самого себя: да что же ты за монстр такой, если весь этот ужас и кошмар еще и со стороны видишь. Но ведь действительно, подобные ситуации — арест, смерть (а в «Реквиеме» все время пахнет смертью, люди все время на краю смерти) — так вот, подобные ситуации вообще исключают всякую возможность адекватной реакции. Когда человек плачет — это личное дело плачущего. Когда плачет человек пишущий, когда он страдает — то он как бы даже в некотором выигрыше от того, что страдает. Пишущий человек может переживать свое горе подлинным образом. Но описание этого горя — не есть подлинные слезы, не есть подлинные седые волосы. Это всего лишь приближение к подлинной реакции. И осознание этой отстраненности создает действительно безумную ситуацию. «Реквием» — произведение, постоянно балансирующее на грани безумия, которое привносится не самой катастрофой, не утратой сына, а вот этой нравственной шизофренией, этим расколом — не сознания, но совести. Расколом на страдающего и на пишущего. Тем и замечательно это произведение. Конечно, «Реквием» Ахматовой разворачивается как настоящая драма, как настоящее многоголосие. Мы все время слышим разные голоса — то простой бабы, то вдруг — поэтессы, то перед нами Мария. Это все сделано как полагается: в соответствии с законами жанра реквиема. Но на самом деле Ахматова не пыталась создать народную трагедию. «Реквием» — это все-таки автобиография поэта, потому что все описываемое — произошло с поэтом. Рациональность творческого процесса подразумевает и некоторую рациональность эмоций. Если угодно, известную холодность реакций. Вот это и сводит автора с ума.

Волков: Но разве в этом смысле «Реквием» не есть именно автобиографический слепок с ситуации, в которой, как я понимаю, присутствовало определенное равнодушие Ахматовой к судьбе собственного сына?

Бродский: Нет, равнодушия в жизни как раз не было. Равнодушие — если это слово вообще здесь применимо — приходило с творчеством. Анна Андреевна мучилась и страдала из-за судьбы сына невероятно. Но когда поэтесса Анна Ахматова начинала писать... Когда пишешь, то стараешься сделать это как можно лучше. То есть подчиняешься требованиям музы, языка, требованиям литературы. А лучше — это не всегда правда. Или: это правда бо́льшая, чем правда опыта. То есть ты стремишься создать трагический эффект тем или иным образом, той или иной строчкой и невольно как бы грешишь против истины: против собственной боли.

Волков: Лев Николаевич Гумилев, сын Ахматовой, не раз упрекал ее в том, что она о нем заботилась недостаточно — и в детстве, и в лагерные его годы. Помню, я разговаривал со старым латышским художником, попавшим в лагерь вместе со Львом Гумилевым. Когда я упомянул Ахматову, его лицо окаменело и он сказал: «От нее приходили самые маленькие посылки». Я как будто услышал укоряющий голос самого Гумилева.

Бродский: Это все, конечно, дела семейные, но что правда, то правда: он ее упрекал. И он сказал ей как-то фразу, которая Ахматову чрезвычайно мучила. Я думаю, эта фраза была едва ли не причиной ее инфаркта; уж во всяком случае, одной из причин. Это не точная цитата, но смысл слов Гумилева был таков: «Для тебя было бы даже лучше, если бы я умер в лагере». То есть имелось в виду — «для тебя как для поэта». Даже если это было бы правдой и это сказал бы старый друг, и то первая мысль была бы: «Ну и сволочь ты все-таки». Но ведь это сын говорит! Что называется — додумался. Лев Николаевич в заключении провел восемнадцать лет, и эти годы его изуродовали. Он, видите ли, решил, что после того, чего он там натерпелся, — все ему можно, все наперед прощено. Такое происходит иногда с побывавшими в лагерях. Но и отсидевшие, и никогда не сидевшие под тем же самым человеческим законом ходят: «не рань». В случае со Львом Николаевичем, вероятно, еще всякие психологические нюансы наслаиваются. Прежде всего он был — в отсутствие отца — мужчиной в семье. А она, хоть и мать, и поэтесса, и Ахматова, но тем не менее — женщина. И поэтому он как бы может сказать ей все, что ему заблагорассудится. Это все, конечно, Фрейд для бедных, но так он свое мужское начало, видать, проявлял. Я об этом довольно много думал в свое время, обо всей этой истории и о «Реквиеме». Не по себе мне от всех этих разговоров наших об этом — и Анна Андреевна первая мне бы не простила, что встреваю, — но сын тут не на высоте оказался. Этой фразой про «тебе лучше» он показал, что дал лагерям себя изуродовать, что система своего, в конце концов, добилась.

Волков: Я думаю, что попытки озвучить «Реквием» будут продолжаться.

Бродский: Музыка, боюсь, может сообщить этому тексту только аспект мелодрамы. Его, «Реквиема», драматизм не в том, какие ужасные события он описывает, а в том, во что эти события превращают твое индивидуальное сознание, твое представление о самом себе. Трагедийность «Реквиема» не в гибели людей, а в невозможности выжившего эту гибель осознать. Мы привыкли к идее о том, что искусство как-то реагирует на события реальной жизни. Но не только на Хиросиму, но и на более мелкие происшествия реакция исключена. Иногда удается создать какую-то формулу, которая выражает состояние шока перед ужасом действительности. Но это счастливое — и только для репутации автора — совпадение. Какая-нибудь «Герника», например.

Волков: В 1910 году в Париже молодая Анна Ахматова познакомилась с Амедео Модильяни. Она только начинала как поэтесса, он был уже зрелым художником. Но из воспоминаний Ахматовой об их романе явствует, что понимание того, что делал Модильяни, пришло к ней задним числом.

Бродский: Вы знаете, вполне возможно. Но так это и должно быть в любви. Это гораздо лучше, гораздо естественнее, чем наоборот. В воспоминаниях Ахматовой о Модильяни речи о живописи не идет. Это просто личные отношения двух людей.

Волков: Существует рисунок Модильяни (вероятно, 1911 года), изображающий Ахматову. По словам Ахматовой, этих рисунков было шестнадцать. В воспоминаниях Анны Андреевны о судьбе рисунков сказано не совсем понятно: «Они погибли в Царскосельском доме в первые годы революции». Анна Андреевна говорила об этом подробнее?

Бродский: Конечно, говорила. В доме этом стояли красногвардейцы и раскурили эти рисунки Модильяни. Они из них понаделали «козьи ножки».

Волков: В ахматовском описании этого эпизода чувствуется какая-то уклончивость, необычная даже для Анны Андреевны. Она понимала ценность этих рисунков? Может, она сама их по ветру пустила?

Бродский: Ну с какой стати! Бумаги у нее в доме, я думаю, всегда хватало — в конце концов, она стихи писала. Нет, видимо, это произошло в ее отсутствие.

Волков: Вам кажется, что отношения Ахматовой с Модильяни были для нее важны?

Бродский: Как счастливое воспоминание — безусловно. Анна Андреевна, после того, как дала мне прочесть свои записки о Модильяни, спросила: «Иосиф, что ты по этому поводу думаешь?». Я говорю: «Ну, Анна Андреевна... Это — «Ромео и Джульетта» в исполнении особ царствующего дома». Что ее чрезвычайно развеселило. Оценивать сейчас тогдашние отношения Ахматовой и Модильяни — дело сложное и, скорее всего, ненужное. Юная Ахматова, заграничная жизнь. В ту пору о себе она имела чрезвычайно смутные представления. Просто человек живет и мало ли чего представляет себе про будущее. В бытность Ахматовой в Париже за ней не только Модильяни ухаживал. Не кто иной, как знаменитый летчик Блерио... Вы знаете эту историю? Не помню уж, где они там в Париже обедают втроем: Гумилев, Анна Андреевна и Блерио. Анна Андреевна рассказывала: «В тот день я купила себе новые туфли, которые немного жали. И под столом сбросила их с ног. После обеда возвращаемся с Гумилевым домой, я снимаю туфли — и нахожу в одной туфле записку с адресом Блерио».

Волков: Что называется, не растерялся!

Бродский: Француз, летчик!

Волков: Вам не кажется, что в жизни Ахматовой сравнительно большое место занимали иноземные мужчины: Модильяни, Юзеф Чапский, Исайя Берлин? Для русской поэтессы это довольно-таки необычно.

Бродский: Ну какие же они иноземные! Сэр Исайя — родом из Риги (которая, кстати, много замечательных людей дала миру). Чапский — поляк, человек славянской культуры. Какой же он для русской поэтессы иностранец! Да и вообще отношения с Чапским могли быть только очень осторожными. Ведь он, насколько я знаю, занимался контрразведкой у генерала Андерса. О чем вообще могла идти речь, особенно по тем замечательным знойным временам! В Ташкенте, я думаю, за их каждым шагом следила целая орава. Большинство разговоров Ахматовой с сэром Исайей сводилось, как я понимаю, к тому — кто, что, где, как? Она пыталась — двадцать лет спустя —узнать о Борисе Анрепе, Артуре Лурье, Судейкиной и прочих своих друзьях юности. Обо всех, кто оказался на Западе. За двадцать почти лет он был первым человеком оттуда— и шесть лет из этих двадцати ушли на Вторую мировую войну.

Волков: Сэр Исайя напечатал свои воспоминания о встречах с Ахматовой в 1943–1946 годах. Об этих же встречах говорится во многих стихах Ахматовой. Если эти две версии сравнить, то создается впечатление, что речь идет о двух разных событиях. В трактовке Анны Андреевны их встреча послужила одной из причин начала «холодной войны». Да и в чисто эмоциональном плане, посудите сами: «Он не станет мне милым мужем, / Но мы с ним такое заслужим, / Что смутится Двадцатый Век». Ничего похожего у сэра Исайи вы не прочтете.

Бродский: Я думаю, что в оценке последствий ее встречи в 1945 году с сэром Исайей Ахматова была не так уж далека от истины. Во всяком случае, ближе к истине, чем многим кажется. Что до воспоминаний Берлина, то они тоже чрезвычайно красноречивы, но вы не можете писать по-английски, расплескивая эмоции по столу. Хотя, конечно, вы правы, что он не придавал встрече с Ахматовой столь уж глобального значения.

Волков: В своих воспоминаниях Берлин настаивает, что шпионом — в чем обвинил его Сталин — он никогда не был. Но его рапорты из британского посольства в Москве — а ранее из британского посольства в Вашингтоне — вполне соответствуют советским представлениям о шпионской деятельности.

Бродский: Советским, но не ахматовским. Хотя общение с дипломатом всегда опасно, и Ахматова, думаю, догадывалась о служебных обязанностях Берлина. Я думаю, его несколько скептическая оценка ахматовской версии вот еще на чем основана: как дипломат на службе Британской империи Берлин имел дело с людьми, чья государственная деятельность не подвержена капризам. В то время как поведение Иосифа Виссарионовича диктовалось иногда совершенно посторонними соображениями.

Волков: Тот взрыв бешенства, с которым Сталин встретил известие о встрече Ахматовой и Берлина, кажется сейчас совершенно иррациональным. По сведениям Ахматовой, он ругался последними словами. Впечатление такое, что она задела нечто очень личное в нем. Похоже, что Сталин ревновал Ахматову!

Бродский: Почему бы и нет? Но не столько к Берлину, сколько, думаю, к Рандольфу Черчиллю — сыну Уинстона и журналисту, сопутствовавшему Берлину в этой поездке. Вполне возможно, что Сталин считал, что Рандольф должен видеться с ним и только с ним, что в России — он главное шоу.

Волков: Вся эта история чрезвычайно напоминает романы Дюма-отца. В которых империи начинают трещать из-за неосторожного взгляда, брошенного королевой. Или из-за уроненной перчатки.

Бродский: Совершенно верно, так это и должно быть, так это и должно быть. Ведь что такое была Россия в 1945 году? Классическая империя. Да и вообще ситуация «поэт и царь» — это имперская ситуация. Сегодня все это понемногу меняется даже и в России. И все-таки там имперские замашки все еще сильны.

Волков: Ахматова описывала развитие событий примерно так. Ее встреча с Берлином, затянувшаяся до утра, взбесила Сталина. Сталин отомстил ей особым постановлением ЦК ВКП(б), которое, по твердому убеждению Анны Андреевны, самим же Сталиным было и написано (как замечает Лидия Чуковская, «из каждого абзаца торчат августейшие усы»). Это постановление, когда оно было опубликовано в 1946 году, произвело шоковое впечатление на интеллектуалов Запада. До этого вполне благодушно взиравших на Советский Союз. Атмосфера была испорчена — и надолго. Стартовала «холодная война». Вы согласны с такой интерпретацией событий?

Бродский: Очень похоже. Конечно, я не думаю, что «холодная война» возникла только из-за встречи Ахматовой с Берлиным. Но что гонения на Ахматову и Зощенко сильно отравили атмосферу — на этот счет у меня никакого сомнения нет.

Волков: Уже здесь, на Западе, я выяснил, что по крайней мере в одном отношении Анна Андреевна была абсолютно права: постановление 1946 года ошарашило интеллигенцию Запада, точно гром с ясного неба. Всем им хотелось дружить с Советским Союзом, а тут — нате... Кстати, вам цикл Ахматовой «Шиповник цветет», посвященный Берлину, нравится?

Бродский: Это замечательные стихи. В них тоже есть это — Ромео и Джульетта в исполнении особ царствующего дома. Хотя, конечно, это скорее «Дидона и Эней», чем «Ромео и Джульетта». По своему трагизму цикл этот в русской поэзии равных не имеет. Разве что «денисьевский» цикл Тютчева. Но в «Шиповнике» вы слышите нечто новое по своей чудовищности: вы слышите голос истории.

Волков: Существует любопытная история о том, как Анна Андреевна узнала о направленном против нее и Зощенко постановлении

1946 года. Она в тот день газет не читала, но встретила на улице Зощенко, который спросил ее: «Что же теперь делать, Анна Андреевна?» Ахматова, не понимая, что Зощенко имеет в виду конкретно, но полагая, что он задает метафизический вопрос, отвечала: «Терпеть». С тем они и разошлись. Это маленький город — Петербург.

Бродский: Она очень его любила, Зощенко. Довольно много о нем рассказывала. Он в последние годы не мог есть —боялся, что его отравят. Анна Андреевна считала, что Зощенко потерял рассудок. И объясняла гибель Зощенко его собственной, если угодно, неосторожностью. Им обоим устроили встречу с группой английских студентов, приехавших в Ленинград. И кто-то из студентов задал весьма нелепый вопрос о том, как Ахматова и Зощенко относятся к постановлению 1946 года. Ахматова встала и коротко ответила, что с этим постановлением согласна, и все тут. Зощенко же начал объясняться: «Сначала я постановления не понял, потом с чем-то согласился, а с чем-то нет». В итоге Ахматовой дали возможность существовать литературным трудом — переводами и так далее. А у Зощенко все отобрали окончательно.

Волков: Ахматова любила повторять, что она к постановлению 1946 года была готова хотя бы уж потому, что это была не первая касающаяся ее партийная резолюция: первая была в 1935 году. И это действительно так, только об этом все забыли. Еще она говорила, что Сталин обиделся на ее стихотворение «Клевета», не заметив даты — 1921 год. Он воспринял его как личное оскорбление. Лишнее свидетельство того, насколько Сталин «персонально» воспринимал свои отношения с поэтами. Они разочаровывали Сталина в его лучших ожиданиях.

Бродский: Да, я думаю, что Мандельштам, например, тоже сильно его разочаровал своей одой. Говорите что хотите, но я повторяю и настаиваю: его стихотворение о Сталине гениально. Быть может, эта ода Иосифу Виссарионовичу — самые потрясающие стихи, которые Мандельштамом написаны. Я думаю, что Сталин сообразил, в чем дело. Сталин вдруг сообразил, что это не Мандельштам — его тезка, а он, Сталин, — тезка Мандельштама.

Волков: Понял, кто чей современник.

Бродский: Да, думаю, именно это вдруг до Сталина дошло. И послужило причиной гибели Мандельштама. Иосиф Виссарионович, видимо, почувствовал, что кто-то подошел к нему слишком близко.

Волков: Чстверостишие Ахматовой «О своем я уже не заплачу...» посвящено вам?

Бродский: Не знаю. Говорят, но я никогда не интересовался.

Волков: К стихотворению Ахматовой «Последняя роза» эпиграфом поставлена ваша строка, обращенная к Ахматовой: «Вы напишете о нас наискосок». Вы помните историю появления «Последней розы»?

Бродский: Ахматова очень любила розы. И всякий раз, когда я шел или ехал к ней, я покупал цветы — почти всегда розы. В городе это было или не в городе. Когда деньги были, конечно; хотя это были не такие уж большие деньги.

Волков: А как вы узнали, что Ахматова выбрала эпиграфом вашу строку?

Бродский: Я не помню.

Волков: Что? Не помните вашей первой реакции?!

Бродский: Ей-богу, не помню! В этом смысле я, действительно, в сильной степени не профессионал. Ну конечно, когда о таком узнаешь, это приятно. Но и только. Строчка эта — «Вы напишете о нас наискосок» — взята из стихотворения, которое я написал Ахматовой на день рождения. (Там было два стихотворения— оба в общем довольно безнадежные, с моей точки зрения. По крайней мере, на сегодняшний день.) Единственное, что я про это стихотворение помню, так это то, что я его дописывал в спешке. Найман и я, мы ехали к Анне Андреевне в Комарово из Ленинграда. И нам надо было нестись на вокзал, чтобы успеть на электричку. Спешку эту я запомнил, не знаю почему. Не понимаю, почему такие вещи запоминаются.

Волков: А что Анна Андреевна сказала, когда прочла ваше стихотворение?

Бродский: Не помню. Думаю, что ей эта фраза понравилась. Начало у стихотворения беспомощное — не то чтобы беспомощное, но слишком там много экспрессионизма ненужного. А конец хороший. Более или менее подлинная метафизика.

Волков: Анна Андреевна рассказала мне, что при первой, журнальной публикации у нее спрашивали, не Иван ли Бунин автор эпиграфа, поскольку он был подписан инициалами «И. Б.». Ахматова отмалчивалась. Но уже ко времени издания «Бега времени» предположения о бунинском авторстве отпали. Эпиграф исчез.

Бродский: Ну, что ж «ноу хард филингс». Как говорится, я не в обиде.

Волков: Говорили ли вы с Ахматовой о расстреле Гумилева?

Бродский: Нет, специально об этом не было речи.

Волков: А вообще о Гумилеве?

Бродский: Мы говорили о нем как о поэте. Помню, последний наш разговор о Гумилеве был связан с тем, что кто-то принес Ахматовой стихи, которые якобы были написаны Николаем Степановичем в камере. И мы гадали — подлинные это стихи или нет.

Волков: Анна Андреевна всегда говорила, что материал против Гумилева был сфабрикован, что ни в каком заговоре он не участвовал. Она причисляла Гумилева к величайшим русским поэтам XX века. Вы согласны с ней в этом?

Бродский: Гумилев мне не нравится и никогда не нравился. И когда мы обсуждали его с Анной Андреевной, я — исключительно чтобы ее не огорчать — не высказывал своего подлинного мнения. Поскольку ее сентимент по отношению к Гумилеву определялся одним словом — любовь. Хотя я и не скрывал, что, с моей точки зрения, стихи Гумилева — это не бог весть что такое. Помню довольно длинный разговор с Ахматовой про микрокосм Гумилева, который к моменту его ареста и расстрела начал стабилизироваться, становиться его собственной мифологией. Совершенно очевидно, что уж кто был убит не вовремя — так это Гумилев. Что-то в этом роде я Ахматовой и сказал. Уже после смерти Анны Андреевны я прочел четырехтомник Гумилева, выпущенный в Соединенных Штатах. И не переменил своего мнения. Помню, я в те дни зашел к Жирмунскому. И говорю ему: «Вот, Виктор Максимович, я получил книжки, которые могут быть вам любопытны: полное собрание сочинений автора». Автора я не называю и продолжаю: «Мне он не очень интересен, но вам, быть может, понадобится для каких-нибудь академических разысканий. Так что я могу вам совершенно спокойно эти книжки отдать». Жирмунский говорит: «Это кто ж такой?» Я отвечаю: «Вы знаете, мне неловко, но это четыре тома Гумилева». На что Жирмунский мне: «Здрасьте! Я еще в 1914 году говорил, что Гумилев — посредственный поэт!»

Волков: Когда говорят о Гумилеве, то иногда забывают, что он был в числе нескольких русских поэтов, чья участь была решена непосредственно Лениным.

Бродский: Вы знаете, от того, как узурпатор обращается с поэтом — благородно или неблагородно — отношение у меня к нему не изменяется ни в коей мере. Человек, который погубил такое количество жизней... Ну о чем там можно говорить? Даже если бы он спас Гумилева от расстрела...

Волков: —...или выпустил больного Блока в Финляндию, как просил его об этом Горький...

Бродский: Это все равно ничего бы не изменило. Луковок для этого господина нет, к сожалению.

Волков: Гумилев проходил по делу так называемой «Петроградской боевой организации». Расследованием занимался Яков Агранов, впоследствии близкий друг Маяковского и Бриков. Лиля Брик вспоминала, что уже после смерти Маяковского Ахматова иногда заходила к Брикам на обед. Я помню, как я удивился, об этом услышав. Потому что Анна Андреевна о Бриках высказывалась довольно резко. Она говорила, что в конце двадцатых годов, когда искусство в России, по ее словам «отменили», власти оставили только салон Бриков «где были бильярд, карты и чекисты».

Бродский: Это точно. Это очень похоже. К Брикам у Ахматовой отношение было сугубо отрицательное Между нами на этот счет существовало определенное единодушие. Но Анна Андреевна говаривала, что зачастую имеет смысл иметь дело с явными негодяями, с профессиональными доносчиками в частности. Особенно если тебе нужно сообщить что-либо «наверх», властям. Ибо профессиональный доносчик донесет все ему сообщенное в точности, ничего не исказит — на что нельзя рассчитывать в случае с человеком просто пугливым или неврастеником.

Волков: Говорили ли вы с Анной Андреевной о Борисе Пильняке, которому посвящено ее стихотворение «Все это разгадаешь ты один...»?

Бродский: Был довольно короткий разговор — в связи с тем, что в Москве, в «Национале», я встретился с человеком, который оказался сыном Пильняка: такой восточного типа красавец. И, помню, я был несколько озадачен тем, что Анна Андреевна относится к Пильняку с большой симпатией. Я по тем временам был такой, знаете, злой мальчик. Все мы тогда утверждали вкусы за счет предшественников — знаете, как это всегда делается? На Западе я перечитал Пильняка и не нашел повода изменить свое к нему отношение. Единственный автор, представление о котором у меня здесь переменилось к лучшему, это Замятин. Я имею в виду не «Мы», а его короткие вещи.

Волков: Замятин был также и блестящий эссеист.

Бродский: Да, это я тоже здесь оценил.

Волков: Почему Анна Андреевна так уничтожающе отзывалась о поздних стихах Заболоцкого?

Бродский: Это не так. Ахматова говорила: «Заболоцкий меня не любит, но тем не менее...» И так далее.

Волков: Ахматова подозревала в Заболоцком закоренелого антифеминиста и, как выяснилось, была права. Заболоцкий, по воспоминаниям, высказывался в таком духе: «Бабе в искусстве делать нечего».

Бродский: Всем этим цитатам — грош цена. Когда человеку не дано полностью высказываться при жизни, то мы, потомки, неизбежно пользуемся какими-то обрывками, из которых конструировать ничего не следует. Заболоцкий сегодня мог сказать одно, послезавтра — другое. Судьба засовывала Заболоцкого в какой-то образ, в какую-то рамку. А он был больше этой рамки.

Волков: Каковы были отношения Ахматовой и Пастернака?

Бродский: Чрезвычайно близкие, чрезвычайно дружественные. Между прочим, Пастернак два раза предлагал Анне Андреевна брак.

Волков: И как Ахматова комментировала этот факт?

Бродский: Ну во-первых, — что это за предложение при живой-то жене. А во-вторых... Пастернак был все же ниже Ахматовой ростом, помимо всего прочего. И моложе. Так что из этого номера ничего не вышло. В общем, я думаю, Ахматова к лирической стороне своих отношений с Пастернаком всерьез никогда не относилась. Она знала, конечно, что Зинаида Николаевна, жена Пастернака, ее люто ненавидит. Анна Андреевна очень любила Пастернака. Хотя, как я уже говорил, и относилась с чрезвычайным предубеждением к его желанию заполучить Нобелевку. Она также не одобряла его отношений с Ольгой Ивинской. Вы ведь читали, поди, мемуары Ивинской?

Волков: Чуковская в своих записках рассказывает примечательную историю. Ахматова встретила в 1956 году Пастернака; тот только что написал пятнадцать новых стихотворений для сборника, который готовился к печати в Гослите. О своих новых стихах он сообщил Ахматовой так: «Я сказал в Гослите, что мне нужны параллельные деньги». На что Ахматова ему ответила: «Какое это счастье для русской культуры, Борис Леонидович, что вам понадобились параллельные деньги!» Речь шла, понятное дело, о деньгах для Ивинской.

Бродский: Надо сказать, всем им фатально не везло в личной жизни. Анне Андреевне не везло с ее мужьями — фатально. Цветаевой не везло — фатально. Пастернаку с его женами и возлюбленными — невероятным образом. Единственный человек, которому повезло с женой, — это Мандельштам. Но с другими женщинами в его жизни ему опять-таки фатально не везло.

Волков: Надежда Мандельштам в своих воспоминаниях пишет о «фантастическом наследстве», оставленном Ахматовой, и о раздорах вокруг этого наследства. На него претендовали ее сын Лев Гумилев — с одной стороны, и семья Пуниных, с которой она жила, с другой.

Бродский: Ну не знаю, что по представлениям Надежды Яковлевны являлось «фантастическим состоянием». Остались кое-какие вещи, картины. Добра как такового просто не было. Ахматова не из тех людей, у которых было добро. Все ее имущество разместилось бы в шестнадцатиметровой комнате, оставив при этом массу свободного места. Главное, что осталось, это ее литературный архив, который Пунины продали, заработав на этом огромные деньги.

Волков: Вы считаете, что в споре за ахматовский архив правда была на стороне Гумилева?

Бродский: Конечно. Пунины — одно из самых гнусных явлений, которые мне довелось наблюдать в своей жизни.

Волков: Почему же Ахматова оказалась так тесно с ними связанной?

Бродский: Она жила с ними, еще когда сам Пунин был жив. Затем, когда Пунин был арестован и погиб, Анна Андреевна считала, что она если и не виновата в этом, то, по крайней мере, накликала беду: «Я гибель накликала милым, / И гибли один за другим». Ахматова считала себя обязанной заботиться о дочке Пунина, Ирине. А впоследствии и о внучке Николая Николаевича — Аньке. Которая, как ни странно, в профиль была немножко похожа на Анну Андреевну — но не на молодую, а на старую. Лев все эти годы был в лагерях. Когда он освободился, ожидалось, что его вскоре реабилитируют, и тогда они с Анной Андреевной съедутся. А пока она продолжала жить у Пуниных. Ирина Пунина была в этом заинтересована, поскольку существовали они в значительной степени на заработки Ахматовой. И я Ахматову в этом понимаю: она исходила из нормальных практических соображений. После реабилитации Гумилеву могли бы дать большую квартиру. А так — на что они могли вдвоем рассчитывать? А Ирина ее подзуживала: «Перестань, Акума, подожди, пока Леву реабилитируют». (Она ее называла Акумой. Это слово вроде бы привез из Японии Пунин, оно означает «ведьма».) В общем, Ахматова послушалась Ирины. И сказала сыну, что пока им лучше не съезжаться, а следует подождать, пока ему дадут отдельную жилплощадь. Тут Лев Николаевич вышел из себя и вспылил. Он, на мой взгляд, замечательный человек, но с тем существенным недостатком, о котором я уже говорил: считает, что после лагеря ему почти все позволено. Вот тут он на нее и наорал, о чем я уже рассказывал. Последние годы перед смертью Ахматовой они не виделись. Пунины, которые тряслись за свое благополучие, систематически старались посеять между ними рознь. В чем чрезвычайно преуспели. Размолвку с сыном Ахматова пережила очень тяжело. И когда она уже лежала с третьим инфарктом в больнице, Гумилев поехал к ней в Москву. Потому что все-таки понятно, что такое третий инфаркт, да? Но тут Пунина подослала к нему Аню, которая передала ему якобы слова Анны Андреевны (которые на самом деле сказаны не были) — слова о том, что-де «теперь, когда я в больнице с третьим инфарктом, он ко мне на брюхе приползет». После чего Лева в больницу к Ахматовой не пошел. Когда Ахматова вышла из больницы, то поселилась у Ардовых, пожила там, по-моему, две недели или около того, поехала в Домодедово и там умерла. Найман передал мне ее последние слова, он был при этом: «Все-таки мне очень плохо». Она сказала это, когда ей начали колоть камфору. И грех говорить, но я, как сердечник, эти слова узнаю. Это именно те слова, которые вырываются, когда с сердцем плохо.

Волков: И какова же была судьба ахматовского архива?

Бродский: Весь он попал в лапы к Пуниным. Причем в этом отчасти я виноват — я и Надежда Яковлевна Мандельштам. После похорон Ахматовой мы вернулись в Ленинград. Кажется, разговор был в квартире Ахматовой на улице Ленина. Я говорю Надежде Яковлевне: «Вы помните, что произошло с архивом Пастернака, когда он умер? И с архивом Сологуба?»

Волков: Что же произошло с этими архивами?

Бродский: Они были немедленно арестованы властями. И никто их так никогда и не видел. Надежда Яковлевна мне ответила: «Я все понимаю, Иосиф, предоставьте это мне». После чего она ушла в комнату, где держала военный совет, на котором, кроме нее, присутствовали Пунины, Кома Иванов, Арсений Тарковский. Не помню кто еще. И тут-то Пунины сообразили, что архив Ахматовой надо срочно прибирать к рукам, покуда не поздно. Затем Пунины продали этот архив в три места в Москве: в ЦГАЛИ, а в Ленинграде в Пушкинскнй дом и Публичную библиотеку, получив в трех местах разные красные цены. Разумеется, разбивать архив на три части не следовало. Но они это сделали, полагаю, что не без консультаций с Госбезопасностью. Таково мое мнение, так же думал и Лев Гумилев. Он, как известно, затеял против Пуниных процесс, который, в конечном счете, проиграл. Хотя, на мой взгляд, продажа Пуниными архива была нелегальной. Они не могли бы сделать этого без поддержки государства при живом наследнике. Юридически они не могли обойти Гумилева. Те, кто приобретал архив, должны же были задавать какие-то вопросы. И, видимо, эта продажа была санкционирована свыше, в обход Левы. Никаких особенных идей у Пуниных в данном случае не было. Единственное, что их интересовало — это деньги.. Так оно было всегда, всю жизнь. И деньги эти Пуниным дали не столько за самый архив, сколько, я полагаю, за временные ограничения на пользование оным. Теперь архив закрыт, кажется, на семьдесят пять лет. Власти знали, что Лева не наложит запрет на пользование архивом. Ему и самому было бы интересно в нем разобраться. А Пуниным на все это было наплевать, за что они и были соответственным образом вознаграждены.

Волков: Как и в случае с Пастернаком, и наследные дела Ахматовой, и ее похороны превратились в событие политическое...

Бродский: Пунины совершенно не хотели заниматься похоронами Ахматовой. Они всучили мне свидетельство о смерти Анны Андреевны и сказали: «Иосиф, найдите кладбище». В конце концов я нашел место в Комарове. Надо сказать, я в связи с этим на многое насмотрелся. Ленинградские власти предоставлению места на одном из городских кладбищ противились, власти курортного района — в чьем ведении Комарово находится — тоже были решительно против. Никто не хотел давать разрешение, все упирались; начались бесконечные переговоры. Сильно помогла мне З. Б. Томашевская — она знала людей, которые могли в этом деле поспособствовать — архитекторов и так далее. Тело Ахматовой было уже в соборе св. Николы, ее уже отпевали, а я еще стоял на комаровском кладбище, не зная — будут ее хоронить тут или нет. Про это и вспоминать даже тяжело. Как только сказали, что разрешение получено и землекопы получили по бутылке, мы прыгнули в машину и помчались в Ленинград. Мы еще застали отпевание. Вокруг были кордоны милиции, а в соборе Лева метался и выдергивал пленку из фотоаппаратов у снимающих. Потом Ахматову повезли в Союз писателей, на гражданскую панихиду, а оттуда в Комарово. Надо сказать, я слышал разговоры, что вот, дескать, Комарово — не русская земля, а финская. Но, во-первых, я не думаю, что Советский Союз отдаст когда-либо Комарово Финляндии, а, во-вторых, могла же Ахматова *ходить* по этой земле... В общем, похороны — да и все последующие события — были во всех отношениях мрачной историей. И, конечно, грех оспаривать Божью волю, но я думаю, что к смерти Ахматовой не она привела, а просто недогляд.

Волков: С чьей стороны?

Бродский: Со стороны знакомых, друзей. В Москве после больницы ее поселили в тесной каморке: духота, рядом кухня. Потом внезапный перевоз в Домодедово. И представьте себе, после третьего инфаркта на вас обрушивается весна. Впрочем, я не знаю. Анна Андреевна была, говоря коротко, бездомна и — воспользуюсь ее собственным выражением — бесспастушна. Близкие знакомые называли ее «королева-бродяга», и действительно в ее облике — особенно когда она вставала вам навстречу посреди чьей-нибудь квартиры — было нечто от странствующей, бесприютной государыни. Примерно четыре раза в год она меняла место жительства: Москва, Ленинград, Комарово, опять Ленинград, опять Москва, и т. д. Вакуум, созданный несуществующей семьей, заполнялся друзьями и знакомыми, которые заботились о ней и опекали ее по мере сил. Она была чрезвычайно нетребовательна, и я не раз, навещая ее в гостях и особенно у Пуниных, заставал ее голодной — хотя именно там, у Пуниных, она «ежеминутно все оплачивала». Существование это было не слишком комфортабельное, но тем не менее все-таки счастливое в том смысле, что все ее сильно любили. И она любила многих. То есть каким-то невольным образом вокруг нее всегда возникало некое поле, в которое не было доступа дряни. И принадлежность к этому полю, к этому кругу на многие годы вперед определила характер, поведение, отношение к жизни многих — почти всех — его обитателей. На всех нас, как некий душевный загар, что ли, лежит отсвет этого сердца, этого ума, этой нравственной силы и этой необычайной щедрости, от нее исходивших. Мы не за похвалой к ней шли, не за литературным признанием или там за одобрением наших опусов. Не все из нас, по крайней мере. Мы шли к ней, потому что она наши души приводила в движение, потому что в ее присутствии ты как бы отказывался от себя, от того душевного, духовного — да не знаю уж как это там называется — уровня, на котором находился, — от «языка», которым ты говорил с действительностью, в пользу «языка», которым пользовалась она. Конечно же мы толковали о литературе, конечно же мы сплетничали, конечно же мы бегали за водкой, слушали Моцарта и смеялись над правительством. Но, оглядываясь назад, я слышу и вижу не это; в моем сознании всплывает одна строчка из того самого «Шиповника»: «Ты не знаешь, что тебе простили...». Она, эта строчка, не столько вырывается из, сколько отрывается от контекста, потому что это сказано именно голосом души — ибо прощающий всегда больше самой обиды и того, кто обиду причиняет. Ибо строка эта, адресованная человеку, на самом деле адресована всему миру, она — ответ души на существование. Примерно этому — а не навыкам стихосложения — мы у нее и учились. «Иосиф, мы с вами знаем все рифмы русского языка», — говорила она. С другой стороны, стихосложение и есть отрыв от контекста. И нам, знакомым с ней, я думаю, колоссально повезло — больше, я полагаю, чем окажись мы знакомы, скажем, с Пастернаком. Чему-чему, а прощать мы у нее научились. Впрочем, может быть, я должен быть осторожней с этим местоимением — «мы»... Хотя я помню, что когда Арсений Тарковский начал свою надгробную речь словами «С уходом Ахматовой кончилось...» — все во мне воспротивилось: ничто не кончилось, ничто не могло и не может кончиться, пока существуем мы. «Волшебный» мы хор или не «волшебный». Не потому, что мы стихи ее помним или сами пишем, а потому, что она стала частью нас, частью наших душ, если угодно. Я бы еще прибавил, что, не слишком-то веря в существование того света и вечной жизни, я тем не менее часто оказываюсь во власти ощущения, будто она следит откуда-то извне за нами, наблюдает как бы свыше, как это она и делала при жизни... Не столько наблюдает, сколько хранит.

Иосиф Бродский у себя дома на Мортон-стрит. Нью-Йорк. 1980.

Нью-Йорк. 1980.

Глава 11

Перечитывая ахматовские письма: осень 1991

Волков: Иосиф, я хотел бы поговорить с вами о трех письмах Ахматовой, адресованных вам в ссылку и некоторое время тому назад опубликованных...

Бродский: Я их не перечитывал...

Волков: Первое из них — от 20 октября 1964 года...

Бродский: Боже!

Волков: ...и Ахматова говорит там, что ведет с вами днем и ночью бесконечные беседы, из которых вы должны знать обо всем, что случилось и что не случилось. Это что, намек на ее прославленное умение вести разговоры, так сказать, «поверх барьеров»?

Бродский: До известной степени. По-моему, это даже не намек, а просто констатация всем нам известного факта.

Волков: Ахматова, кстати, об этом же говорила в своих воспоминаниях о Модильяни: «...его больше всего поразило во мне свойство угадывать мысли, видеть чужие сны и прочие мелочи, к которым знающие меня давно привыкли». И в письме к вам она делает вас своим как бы медиумом: вы «должны знать», что она о вас думает. Это правильная интерпретация данного текста?

Бродский: Более или менее — да.

Волков: То есть Ахматова считает, что для поэтов чтение чужих мыслей и прочие психологические «трюки» — дело обычное, так?

Бродский: Да. Ведь мы, поэты, все про все знаем.

Волков: И дальше в этом письме Ахматова цитирует два стихотворных отрывка из своих же произведений. Причем первый из «Путем всея земли», ее так называемой «маленькой поэмы». Это для меня — одно из самых загадочных ахматовских произведений. Оно ведь сначала называлось «Китежанка», то есть обитательница легендарного града Китежа, ушедшего под воду и тем спасшегося от разрушения татарами. Я сейчас, как вы знаете, пишу историю культуры Петербурга. И мне кажется, что для Ахматовой Петербург и был в каком-то смысле этим легендарным Китежем. То есть культура Петербурга была провидением «спрятана под воду» и таким образом спасена от уничтожения.

Бродский: Да, это один из возможных вариантов истолкования.

Волков: В письме к вам Ахматова из «Путем всея земли» приводит, в частности, две строчки: «И вот уже славы / высокий порог...» И добавляет, что это уже «случилось». Имеется в виду ваш суд, ваша известность на Западе?

Бродский: Да, это одна из тем, которые обсуждались в наших беседах. Ведь в то время планировалась поездка Ахматовой в Италию, где ей должны были вручить литературную премию. А затем последовала поездка в Англию, в Оксфорд. Ахматова к этим поездкам относилась чрезвычайно серьезно. Либо это цитата может быть связана с тем, что мы — как бы это сказать? — стали знамениты, да? То есть это уже «случилось», произошло, обрело реальность. Вот эти две, в общем-то, разные вещи Ахматова, вероятно, и имеет в виду.

Волков: Когда Ахматова обсуждала суд над вами с близкими людьми, то любила повторять, что власти своими руками «нашему рыжему создают биографию». То есть она смотрела на эти вещи трезво, понимая, что гонения создают поэту славу, что это — обратная сторона медали.

Бродский: Да-да! И еще она любила цитировать — ну просто всем и вся — две строчки: «Молитесь на ночь, чтобы вам / Вдруг не проснуться знаменитым». Не знаю, это ее стихи или чьи-то чужие?

Волков: Если не ошибаюсь, ее... Но в том же письме к вам Ахматова говорит и о том, что «не случилось», цитируя из стихотворного отрывка под названием «Из Дневника путешествия». А в этом отрывке, кстати, есть слова о «мертвой славе». И еще такие слова — «твои живые руки». Это что, намек на те же обстоятельства? Ведь Ахматова, насколько я понимаю, ни одного слова ни в одном письме к кому бы то ни было просто так, не обдумавши, не писала. А тут — письмо к опальному поэту, в ссылку. И стихотворный этот отрывок сочинен в том же 1964 году. Он тоже связан с вашим процессом?

Бродский: Вы знаете, Соломон, за давностью лет мне трудно фантазировать по этому поводу, но надо надеяться, что «твои живые руки» — это не ко мне обращение. Хотя, может быть... Единственное соображение, которое мне приходит в голову в связи с этим отрывком: его писал все-таки сильно больной человек, да? Сердце... И, может быть, она радуется, что не умерла. Что это «не случилось»...

Волков: В этом же письме к вам Ахматова приводит свою строчку: «Светает — это Страшный суд». И дальше она пишет о присущем вам «божественном слиянии с природой». Это что — утешение по поводу вашей ссылки? Или нечто более философское? Помнится, она в конце пятидесятых годов записала, что природа давно напоминает ей только о смерти...

Бродский: Нет, я не думаю, что аллюзии в данном случае идут так далеко. И не думаю, что Ахматова здесь замыкается на свои собственные стихи. Мне кажется, что ее слова о Страшном суде — это комментарий по поводу реальности. Это, увы, реальность.

Волков: В следующем послании к вам — туда же, в Норенское... Кстати, как правильно — Норенская или Норенское?

Бродский: Норенская...*

Волков: ...так вот, в этом письме, от 15 февраля 1965 года, Ахматова сообщает, что послала вам свечи из Сиракуз...

Бродский: Да, я помню! Это были две свечи, которые то ли ко мне приехали сами по почте, то ли их кто-то привез — я уж не помню. Из Сиракуз, совершенно замечательной красоты — знаете, как их делают на Западе: прозрачные свечи. Архимедовские, понятно.

Волков: И там же она пишет, что вспоминает «нашу последнюю осень с музыкой, колодцем и Вашим циклом стихов»...

Бродский: О каком цикле стихов речь идет — ей-богу, не помню. Колодец — это, вероятно, колодец в Комарове, из которого я таскал ей воду. А музыка — это о пластинках, которые я ей в Комарово привозил. Их была масса — Гайдн, Гендель, Вивальди, Бах, Моцарт, «Стабат Матер» Перголези, и особенно ею любимые две оперы: «Коронация Поппеи» Монтеверди и «Дидона и Эней» Перселла. Меня, кстати, не то чтобы озадачило, но несколько смутило то место в воспоминаниях Наймана об Ахматовой, где он описывает ее музыкальные увлечения в шестидесятые годы. Там получается, что он, Найман, имел к этому какое-то отношение. Но здесь Толяй явно напутал, потому что, насколько мне помнится, все эти пластинки к Ахматовой возил один только я. И в диком количестве, между прочим.

Волков: Это, кстати, подтверждается самой Ахматовой в ее третьем письме к вам, от 10 июля 1965 года, все в ту же Норенскую: «Слушаю привезенного по Вашему совету Перселла («Дидона и Эней»). Это нечто столь могущественное, что говорить о нем нельзя»... Но я хотел спросить вас вот о чем. В двух из трех писем к вам Ахматова цитирует ваш афоризм: «главное — это величие замысла». Это ваше высказывание стало, между прочим, весьма популярным в творческих кругах; на него ссылаются кстати и некстати, иногда — в ироническом смысле. Вы не помните, в связи с чем оно возникло?

Бродский: Это как раз я очень хорошо помню. Мы сидели как-то с Ахматовой и она говорит: «Иосиф, что делать человеку (имелось в виду, конечно, поэту, но мы слово «поэт» почти не употребляли, потому что Ахматова этого не одобряла, приговаривая: не понимаю я этих больших

---

* На самом деле село называется Норенское *(примеч. ред.)*.

слов — «поэт», «бильярд») — так вот, что делать человеку, если он знает себя наизусть, все свои любимые приемы и так далее. Какой у него выход из этого положения?» И я с бухты-барахты ответил: «Анна Андреевна, главное — это величие замысла!» Я тогда, помнится, подумал, что если ты ставишь перед собой большую задачу, то она выводит тебя на новые технические приемы. И эта мысль Ахматовой очень понравилась. Потому что она, вероятно, думала о себе, когда задавалась этим вот вопросом о творческой инерции. Думала о своей работе над «Поэмой без героя». И мой ответ пришелся ей очень кстати. Ну а потом в беседах с ней я эту мысль развивал — говорил ей, что даже если большой замысел в итоге проваливается, то игра все равно стоила свеч. И я думаю, что здесь я прав.

Волков: В одном из писем к вам Ахматова хвалит ваши стихи на смерть Элиота. Говорит, что ей светло от мысли, что эти стихи существуют. Письмо написано в феврале 1965 года, а вы это стихотворение сочинили в январе. Я вижу, что стихи ваши довольно быстро добирались из ссылки в Ленинград...

Бродский: Да, об этом друзья заботились.

Волков: В другом письме Ахматова сообщает вам о том, что вместе с Найманом заканчивает перевод стихов Джакомо Леопарди. Книжку этих переводов, вышедших в 1967 году, мне в свое время подарил Найман. Там часть стихов значится как переведенная Ахматовой, а часть идет за подписью Наймана. Но в своей книге об Ахматовой Найман настаивает, что распределение этих переводов под той или другой фамилией очень условно, поскольку делались они совместно. Более того, Найман пишет, что в том, что касается переводов Ахматовой, вообще нельзя ручаться за ее авторство в том или ином конкретном случае. Поскольку Ахматова часто пользовалась помощью тех или иных литературных сотрудников. И, дескать лучше вообще в собрания сочинений Ахматовой ее переводов не включать. А вы как считаете?

Бродский: Думаю, это вопрос сложный. Начать с того, что когда имеет место сотрудничество и вы делаете это в четыре руки, то, действительно, уже не помнишь, кто сделал что. Что касается переводов из Леопарди, то полагаю, что Толька, наверное, отнесся к этому делу с бо́льшим воодушевлением, чем Ахматова. Подумайте сами — на дворе, с Божьей помощью, 1965 год! Помимо всего прочего, для Наймана это еще было и приобщение к культуре. То есть ему наверняка переводить Леопарди было интересней, чем Ахматовой. И поэтому, может быть, он в этом сборничке сделал больше. А может быть, он немножечко преувеличивает. Хотя, в конце концов, это неважно — кто именно перевел то или иное стихотворение. Главное, что Ахматова этим занималась серьезно. И эту серьезность следовало бы уважать.

Волков: Вы ведь в молодости тоже довольно много переводили: стихи поляков — Галчинского, Норвида, Милоша; итальянцев — Умберто Саба, Сальваторе Квазимодо. Переводили из Джона Донна. И даже перевели пьесу Томаса Стоппарда «Розенкранц и Гильденстерн мертвы»...

Бродский: Хорошая пьеса! И перевод, по-моему, тоже ничего...

Волков: Я об этом переводе потому вспомнил, что на днях в Нью-Йорк приезжает русскоязычный театр из Израиля и они будут показывать эту пьесу Стоппарда именно в вашем переводе. Вы пойдете на спектакль?

Бродский: Ни в коем случае! Могу себе представить, что они там наворотят!

Волков: Ахматова в письме к вам хвалит ваши рисунки, даже сравнивает их с известными иллюстрациями Пикассо к «Метаморфозам» Овидия. Должен сказать, что я тоже поклонник ваших рисунков. Двойной портрет, который вы сделали с меня и Марианны, висит у нас на стене, обрамленный, и я хотел спросить — вам никогда не приходило в голову собрать свои рисунки и, быть может, издать их?

Бродский: Но ведь этих рисунков у меня нет. И если, скажем, говорить о портретах, то я уж не помню, кого и когда я рисовал. Единственный человек, кто, как я знаю, пытался собирать мои рисунки, это Эра Коробова, бывшая жена Наймана. Она даже статью об этих рисунках напечатала в «Русской мысли». Кстати, недавно я увидел где-то воспроизведенным мой портрет Сережи Довлатова. И мне этот рисунок ужасно понравился! По-моему, ужасно похож!

Волков: Вероятно, вы увидели его на обложке книги Довлатова, изданной в Москве. Об этом портрете Довлатов, кстати, любил рассказывать такую историю. Он показал его своему знакомому американцу, который заметил, что нос нарисован не совсем точно. На что Довлатов заявил: «Значит, придется мне сделать пластическую операцию носа»... Я еще видел ваш портрет Лосева, тоже очень похожий. Он воспроизведен в его книге стихов.

Бродский: Новая карьера!

Волков: Но вернемся к разговору о письмах Ахматовой к вам... В одном из них она цитирует следующее свое четверостишие:

> *Глаза безумные твои*
> *И ледяные речи,*
> *И объяснение в любви*
> *Еще до первой встречи.*

Опять-таки, вы хорошо знаете, что Ахматова просто так, по наитию или прихоти, своих стихов в письмах приводить не могла. Это всему ее облику противоречило бы, всем ее привычкам. Она, как известно, посвящения на своих книгах шлифовала подолгу, а потом получалось: «такому-то — от Ахматовой». И она, конечно, превосходно понимала, что все ее сохранившиеся письма когда-нибудь будут опубликованы и тщательнейшим образом исследованы и прокомментированы. Мне иногда даже кажется, что некоторые из своих писем Ахматова сочиняла в расчете именно на такие — тщательные, под лупой — исследования будущих «ахматоведов». Почему же это четверостишие появилось в письме к вам?

Бродский: Нет, мне как-то ничего в голову не приходит... Может быть, имеются в виду ее отношения с Исайей Берлином? Но у него совсем не безумные глаза. У кого же из ее друзей были безумные глаза? Может быть, у Недоброво? По-моему, безумные глаза были отчасти у Гумилева, а отчасти у Пунина. И еще, вероятно, у Шилейко.

Волков: А уж совсем безумные они были у Владимира Гаршина, не так ли? Тот просто рехнулся!

Бродский: Вот видите, еще лучше. Да? Но более существенно здесь другое. Я уж не знаю, почему Ахматова именно это четверостишие процитировала в письме именно ко мне. Но лично я все эти ее «речи-встречи» и «речи-невстречи» воспринимаю как проходные рифмы, вроде как «радость-младость» у Пушкина. И потому я эти ахматовские «речи-встречи-невстречи» одно от другого не отличаю.

Волков: Найман пишет, что некоторые свои стихи Ахматова «как будто находила». И приводит в пример то самое четверостишие, которое Ахматова цитировала в письме к вам. В этом же письме Ахматова объясняет, что эти стихи были ею забыты и потеряны, а теперь вдруг «вынырнули» из ее бумаг. Я в связи с этим вспоминаю историю, которую где-то прочел — об одном русском аристократе. Он, когда у него было много денег, расшвыривал золотые монеты по своему кабинету. А потом, когда наступали худые времена, ползал по полу и выковыривал из разных щелей закатившиеся туда золотые. Вам не кажется, что и Ахматова создала себе немножко похожий ритуал — я имею в виду, в творческом плане?

Бродский: Нет-нет! На самом деле это просто, если хотите, хаос в бумагах, да? При том, что у Ахматовой особенного хаоса в этих делах не наблюдалось, она, тем не менее, всегда куда-то что-то закладывала. В Комарове она, помнится, сидела за своим столиком — у нее был такой высокий столик, который был ей по грудь или, может быть, чуть-чуть пониже. У этого столика была такая полка внизу, где лежали всякие папки, бумажки и тому подобное. И у Ахматовой было обыкновение как бы вслепую шарить по этой полке. И вытаскивать время от времени ту или иную бумажку, на которой вполне могло оказаться какое-то позабытое стихотворение. И еще у нее были тетради, в которые она записывала всякую всячину; стихи, прозу, черновики писем, выписки всякого рода, адреса... И вполне возможно, что, перелистывая такую тетрадь, она могла наткнуться на какой-то свой стих сравнительно давнего времени. И тогда она говорила, что вот это стихотворение «вынырнуло».

Волков: Ну, Ахматова с этими «вынырнувшими» своими стихотворениями и более сложные игры затевала. Она в свои тетради в пятидесятые и шестидесятые годы вписывала стихи, под которыми ставила даты «1909» и «1910». И так их и печатала как свои ранние стихи. Кстати, в XX веке, когда в искусстве стал важным приоритет в области художественных приемов, такие номера многие откалывали. Малевич, например, приехавший в Берлин в конце двадцатых годов, написал там целый цикл картин, датированных предреволюционными годами...

Бродский: Это вполне может быть! Прежде всего, за этим может стоять нормальное кокетство. Затем — соперничество с кем-нибудь, с какой-нибудь идиоматикой или с какими-нибудь мыслями, которые в свое время были высказаны современниками. И когда Ахматова делала подобное, то она, я думаю, даже имела право на это. Потому что она, может быть, говорила себе: да ведь я про это раньше думала, чем икс или игрек, я раньше это нашла. Не говоря о том, что то или иное стихотворение могло быть просто дописано позже. Скажем, две-три строфы существовали еще тогда, а вот сейчас еще две добавились. Чего же я буду датировать более поздним временем, когда я могу датировать более ранним? Это еще и приятнее, да? И это ни в коей мере не ложь, потому что никто никого здесь не обманывает. И еще одно, последнее обстоятельство. Был период, когда Ахматова стихов писала довольно мало. Или даже почти ничего не писала. Но ей не хотелось, чтобы про нее так думали. По крайней мере, самой ей не хотелось тогда, чтобы так это было. Нужно сказать, что вообще датировка стихов Ахматовой — это хронологический бред. Юная Ахматова начала с удивительно зрелой ноты. И чисто стилистически хронологию многих ее стихов установить чрезвычайно трудно. Что можно проследить — так это сентиментальную хронологию, то есть диалектику и развитие сентиментов. Тут она достигала все большей глубины. Но во многих случаях ей с самого порога приходили в голову вещи, которые по духу принадлежат к гораздо более позднему времени. Возьмите что угодно, скажем, вот это:

Чем хуже этот век предшествующих? Разве
Тем, что в чаду печали и тревог
Он к самой черной прикоснулся язве,
Но исцелить ее не мог.

Конечно, под этим стихотворением стоит дата — 1919 год. Но на самом деле невозможно сказать — когда это написано. Это тот язык и стиль, который, в общем-то, не претерпевает существенного развития. Это на все времена.

Волков: Но ведь Ахматова всегда говорила, что хронология в ее стихах очень важна. И, я помню, сердилась на иностранные издания своих стихов, в которых даты под стихами опускались: «Они хотят все это выдать за недавно написанное».

Бродский: Конечно, сердилась! Но она, как вы справедливо заметили, еще играла и во всякие дополнительные игры. Когда к ней, к примеру, приходила какая-нибудь девушка-исследователь и начинался спор. Потому что Ахматова какое-нибудь свое стихотворение относила к более раннему времени. Так что исследователь при составлении академического свода стихов Ахматовой столкнется с дополнительным трудом. Ему придется критически проверить даты, проставленные автором.

Волков: А вы сами, Иосиф, не собираетесь ли разобраться когда-нибудь в своих ранних стихах? И решить твердо — что из них следует печатать, а что — нет?

Бродский: Вы знаете, Соломон, наверное, это надо сделать... Но руки не доходят. Или, вернее, голова. И вообще, все эти ранние стихи — они находятся в Париже. Здесь, в Нью-Йорке, у меня их просто нет.

Волков: Ахматова говорила, что проза всегда казалась ей «и тайной и соблазном». Она повторяла: «Я с самого начала все знала про стихи — я никогда ничего не знала о прозе». А вы что думаете о прозе Ахматовой? Замечу, кстати, что в одном из писем к вам она изумительно описывает путешествие по Франции в 1965 году: какой она увидела ее из окон вагона...

Бродский: Прозу Ахматовой я обожаю! Ей я это сказал первой, но потом продолжал утверждать всю жизнь: лучшая русская проза в XX веке написана поэтами. Ну, за исключением, быть может, Платонова. Но это другие дела. И при том, что прозы у Ахматовой написано мало, то, что существует — это совершенно замечательно: пушкинские штудии, воспоминания о Модильяни и Мандельштаме, мемуарные записи. И помимо содержания, их интерес — в совершенно замечательной стилистике. По ясности — это образцовая русская проза, настоящий кларизм. У нее просто нет лишних слов.

Волков: Но Ахматова также очень мучилась, работая над своей прозой. Она писала: «В приближении к ней чудилось кощунство, или это означало редкое для меня душевное равновесие». Ахматова добавляла, что она прозу «боялась или ненавидела». И помню, в разговорах с ней все время проскальзывала какая-то безумная амбивалентность к собственным прозаическим опытам.

Бродский: Амбивалентность в связи с чем?

Волков: Мне кажется, Ахматова боялась собственной идеи: написать большую автобиографическую книгу. И она никак не могла нащупать для этой планируемой книги нужную форму. Похожее приключилось с Юрием Олешей, который долго искал форму для своей последней книги автобиографической прозы. Искал в невероятных мучениях, подходил к этому то с одной стороны, то с другой. А кончилось тем, что после его смерти нашли груду разрозненных фрагментов. Эту груду другие люди попытались собрать в единое целое. И я помню, как в середине шестидесятых годов появилась книга Олеши, изданная посмертно, под названием «Ни дня без строчки». В предисловии к ней Виктор Шкловский попытался объявить эту книгу большой творческой удачей Олеши. Но книги-то не было; все это так и осталось грудой фрагментов, хоть и блистательных. Производивших на самом деле довольно грустное впечатление. Не кажется ли вам, что нечто похожее произошло с Ахматовой? Книги-то нет, есть собрание замечательных отрывков, которые можно тасовать как угодно. Что уже и происходит, кстати. Скажем, исследователи собирают в одно целое те или иные варианты воспоминаний Ахматовой о Мандельштаме. И ругаются по этому поводу между собой... Разве не так?

Бродский: До известной степени так, если оценивать ситуацию постфактум. Но на самом деле фрагментарность — это совершенно естественный принцип, присутствующий в сознании любого поэта. Это принцип коллажа или монтажа, если угодно. Протяженная форма — это то, чего поэт просто по своему темпераменту не выносит. Поэту с протяженной формой совладать труднее всего. И это не потому, что мы люди короткого дыхания, а потому, что в поэтическом бизнесе принцип конденсации — чрезвычайно важный. И если ты начинаешь писать подобной конденсированной фразой, то все равно, как ни крути, получается коротко.

Волков: А как же «Доктор Живаго» Пастернака?

Бродский: Можно только удивляться Борису Леонидовичу! Ну что это за идея для поэта — писать именно роман: с введением, первой частью, второй, всеми этими описаниями, колоссальными абзацами... Ахматовой же, напротив, вовсе не хотелось становиться романистом. Она все-таки была именно поэт, причем старой школы. Настоящий поэт прозу пишет по обязанности, по необходимости. И единственное, что Ахматова писала по внутреннему побуждению — это пушкинские штудии.

Волков: Но ведь и эти отрывки и фрагменты, которые должны были составить мемуарную книгу, разве они не вырывались из Ахматовой именно по внутреннему побуждению?

Бродский: Ну понятно. Но вы должны учесть, Соломон, насколько этим было опасно заниматься. Заниматься воспоминаниями любого рода было в Советском Союзе опасно, а для Ахматовой — вдвойне. Власти очень боялись того, что она могла бы вспомнить. А помнила Ахматова абсолютно все. И это была та поразительная черта, которая Ахматову во многом характеризовала. Потому что она не только помнила — кто, когда и с кем, скажем, встретился. Но она помнила дни недели, время дня. Сколько раз я на это нарывался, и это всегда меня ошеломляло. Потому что это не воспитание другое, а просто другая биология. Которая другим даже могла показаться патологией. Здесь, на Западе, я знаю только одного человека, который в этом смысле похож на Ахматову: это Исайя Берлин. Вот только, может быть, с датами у него не очень, да? А так — все совпадает.

Волков: Да, Ахматова в разговоре всегда протягивала параллели — что случилось пятьдесят лет назад, двадцать лет, десять. Разговаривая с ней, ты и сам вовлекался в эту игру — переклички событий, бесконечные круглые даты...

Бродский: Ну да! И это то, чего ни один исследователь ее творчества просечь не может, потому что мы — люди уже другой культуры, у нас этой способности к соединению событий во времени и пространстве уже нет. Потому что подобный настрой возможен при определенной степени — не то чтобы покоя, но другого жизненного ритма. Это не та насыщенность событиями, явлениями и прочим, которая обрушилась на нас. И я думаю, что в России дореволюционной, и даже после всей этой замечательной революции, этот другой ритм все же до известной степени определял бытие человека. Потому что подобный ритм закладывается другой эпохой — концом XIX века, началом двадцатого.

Волков: Когда Ахматова говорила о своей будущей мемуарной книге, то называла ее двоюродной сестрой «Охранной грамоты» Пастернака и «Шума времени» Мандельштама. То есть она в какой-то степени ориентировалась на эти две книги, к тому времени уже классические — если не по официальной шкале, то среди интеллигенции. А как бы вы сравнили мемуарную прозу Ахматовой с «Охранной грамотой» или «Шумом времени»?

Бродский: Обе эти книжки — и Пастернака, и Мандельштама — совершенно замечательные. Просто мне «Шум времени» дороже, да? Но если взглянуть на них издали — а издали мы и смотрим — то между этими двумя книгами есть даже нечто общее в фактуре, в том, как используются детали, как строится фраза. И я думаю, что если Ахматова называла свою планируемую книгу «двоюродной сестрой» этих двух, то она на самом-то деле указывала на истинное положение вещей. На то, что происходило в ее авторском сознании. Потому что я думаю, что таким образом она писать прозу была не в состоянии. Ее проза ни в коей мере не могла быть подобной ни мандельштамовской, ни пастернаковской. И она осознавала это. Она осознавала преимущество их прозы и, видимо, до известной степени ее гипнотизировала эта перспектива — что *так* она не напишет.

Волков: Да, Ахматова так и писала о своей книге: «Боюсь, что по сравнению со своими роскошными кузинами она будет казаться замарашкой, простушкой, золушкой...»

Бродский: И вот эта боязнь ее до известной степени и останавливала. Тормозила ее работу. Потому что Ахматова совершенно феноменально работала с деталями, но опять-таки, она была прежде всего поэт — в том смысле, что каждую деталь она подавала бы в одной фразе. В то время как Пастернак или Мандельштам, когда они натыкаются на деталь или на метафору, то ее, как правило, разворачивают. Как розу. В их творчестве ты все время ощущаешь центробежную силу. Которая присутствует в стихотворении, когда оно как бы само себя разгоняет.

Волков: А Ахматова, наоборот, жаловалась, что когда она пишет, то видит за своими словами гораздо больше, чем выливается на страницу. И она боится, что читатель всех тех запахов и шумов, которые ей представляются, когда она записывает свои воспоминания, не почувствует.

Бродский: Совершенно верно. Потому что главная феня Ахматовой — это афористичность. Она поэт в высшей степени афористический. Об этом сама длина ее стихотворений свидетельствует. Ахматова никогда не вылезает на третью страницу. Поэтому и к истории у нее отношение афористическое. А когда она обращается к современности, то здесь ее интересует не столько она сама, сколько выразительность современного языка, современных выражений. Люди, мало с ней знакомые, привыкли думать об Ахматовой как о царственной даме, которая говорила на языке Смольного института. В то время как Ахматова обожала все эти, как говорится, «выражансы»: «вас тут не стояло», «маразм крепчал»...

Волков: Но ведь Ахматова обладала грандиозным даром составить из небольших фрагментов нечто гораздо большее, чем их простая сумма. Взять ту же самую поэму «Путем всея земли» — она составлена из шести вроде бы не стыкующихся фрагментов, а в целом получилась действительно поэма, хоть и «маленькая», как Ахматова ее сама называла. Хотя по-настоящему она производит впечатление поэмы эпической.

Бродский: Соломон, Соломон, но на этом факте ничего строить нельзя! Я бы вам даже так сказал: именно будучи поэтом этих малых форм, этих якобы фрагментов, которые в конечном счете являлись законченными произведениями — ведь в любой из них втиснуто содержание ничуть не меньшее, чем в роман, да? — конечно же Ахматова испытывала чисто профессиональный соблазн. В конце концов, все мы окружены людьми, которые пишут длинные стихи, поэмы, романы. И лирик, разумеется, начинает рассматривать себя, вольно или невольно, как аномалию. То есть он, может быть, и успокаивается, пока он пишет свое стихотворение. Но это только на полдня, да? Потому что, написавши его, он опять начинает относиться к себе даже и с пренебрежением, до известной степени. Потому что понимает, что другие-то пишут значительно больше. Возникает такой количественный искус, да? Для тех, кто существовал в рамках дворянской культуры, ситуация не была столь напряженной. Но как только вы попадаете в разночинную среду, чисто количественный аспект начинает сбивать вас с толку. И это очень болезненная ситуация.

Волков: Если бы вы хотели объяснить, что есть Ахматова в терминах англоязычной поэтической культуры, с кем бы вы ее сравнили?

Бродский: У нее есть параллель в американской литературе — Луис Боган. Сходство необычайно сильное. Впервые я подумал о сходстве между ними, когда увидел фотографию Боган. На этом снимке Боган была чрезвычайно похожа на Анну Андреевну. Невероятно похожа! Помню, это меня просто поразило. Но вообще-то с параллелями всегда следует быть чрезвычайно осторожными. Надо помнить и о множестве различий. И о том, что американцы относятся к своим замечательным людям с несколько большей сдержанностью, нежели мы — к своим.

Волков: Иногда мне кажется, что мы относимся с большим энтузиазмом даже и к их собственным поэтам. Я всегда вспоминаю «Песнь о Гайавате» Генри Лонгфелло, невероятно популярную в России, за что спасибо ее переводчику Ивану Бунину. Здесь о Лонгфелло редко вспоминают.

Бродский: Ну, это нормальная опечатка, которая происходит при любой транскрипции. Ахматова, как мы знаем, любила говорить, что в России знамениты английские или американские авторы, о которых ни в Англии, ни в Америке слыхом не слыхивали. И она — несколько несправедливо — включала в этот список Байрона. Еще, помню, Джека Лондона.

Волков: В чем же сходство Ахматовой и Боган — в тематике или в технике?

Бродский: И в том, и в другом, причем необычайно сильное. Прежде всего, обе начинают стихотворение с самого начала. Никакой машинерии. Заметьте, наибольшее впечатление в стихотворении обычно производит последняя строфа, потому что она подготовлена раскачкой всего метра. Когда вы начинаете читать стихотворение, то довольно часто вы еще не слышите музыки, а слышите лишь подготовку к ней. Это как в опере, да? Певцы разогреваются, скрипки что-то пиликают. И только потом подымается занавес. У Ахматовой и Боган занавес подымается сразу. Затем следует сказать о тематике. Обе, если говорить об этом с некоторой мужской прямолинейностью, отнеслись чересчур всерьез к своим первым романтическим увлечениям. У Ахматовой это — Гумилев. У Боган на протяжении многих лет был роман с замечательным американским поэтом Теодором Ретке. Жизнь Боган тоже повернулась весьма несчастливо — я бы сказал, жутким образом. Но, по крайней мере, это была внутренняя драма, а не внешние обстоятельства, как в случае с Ахматовой. Боган не так уж и много написала. Впрочем, и Ахматова тоже.

Волков: Есть ли у Боган параллель ахматовской прозе, ее воспоминаниям, пушкинским штудиям?

Бродский: У Боган литературоведческих изысканий нет. Но она оставила потрясающий дневник. Это — замечательная проза. Вообще в англоязычной прозе последних десятилетий, за исключением Фолкнера, мне лично наиболее интересны именно женщины. Когда я читаю прозу, меня интересует не сюжет, не новеллистика, а просто литература, писание. Всегда следует разграничивать, с кем вы имеете дело — с автором романа или с писателем. В счастливых случаях имеет место совпадение. Но слишком часто роман становится целью писателя. В то время как целью писателя должно быть нечто иное: выражение мироощущения посредством языка. А вовсе не посредством сюжета. И с этой точки зрения меня приводит в восторг проза Джин Стаффорд, Джанет Фланнер, Джин Рис. Это все замечательные авторы, по-русски пока что совершенно неизвестные. Их английский язык удивителен. Почитайте, придете в полный восторг!

Волков: Вам не кажется, что писания об Ахматовой ее современников, в общем, разочаровывают? Я имею в виду теоретические исследования. Работы Эйхенбаума и Виноградова, при всем их блеске, посвящены частным вопросам. Изданная в 1977 году книга Жирмунского, охватывающая весь путь Ахматовой, довольно-таки поверхностна.

Бродский: С Жирмунским это не совсем так. Я высоко ценю его статью 1916 года «Преодолевшие символизм». Эта статья, кстати, нравилась и Ахматовой. Там содержится одна чрезвычайно существенная мысль. Жирмунский говорит о Гумилеве, Мандельштаме и Ахматовой и приходит к выводу, что Гумилев и Мандельштам так и остались символистами. В конечном счете, Мандельштам — это гиперсимволист. С точки зрения Жирмунского единственным подлинным акмеистом являлась именно Ахматова. И я думаю, что это справедливый тезис.

Волков: Как это ни удивительно, но Ахматова с настойчивостью причисляла себя к акмеистской школе, причем до последних дней. Обыкновенно бывает наоборот: большой поэт открещивается от породившей его школы. Ахматова же очень огорчалась, скажем, когда люди, читавшие «Поэму без героя», чего-то в ней не понимали. Она говорила: «Я акмеистка. У меня все должно быть понятно». С другой же стороны, она гневалась, когда ее пытались, как она говорила, «замуровать» в десятых годах. Ахматовой казалось, что на этот счет существует какой-то специальный заговор. Особенно подозревала она в этом иностранцев и русских эмигрантов. И поэтому, в частности, так нападала на некоторых эмигрантов.

Бродский: Я понимаю, что вы имеете в виду. Но к наиболее крупным из русских эмигрантов Ахматова относилась чрезвычайно уважительно. Стравинского, например, она обожала. И я помню несколько разговоров с Ахматовой о Набокове, которого она высоко ценила как прозаика.

Волков: Мне кажется, я не пропустил ничего из того, что вы здесь, на Западе, публиковали о русских поэтах. И скажу откровенно, поначалу мне казалось, что вы чуть ли не сознательно дистанцируетесь от Ахматовой.

Бродский: Ничего подобного, ничего подобного. Просто дело в том, что Ахматова известна здесь чрезвычайно широко. В то время как Цветаева была почти совсем неизвестна. Я старался привлечь к ней внимание. Мандельштам тоже известен здесь менее, чем Ахматова. Сейчас ситуация с Мандельштамом меняется. Правда, я не знаю, за что местные люди хватаются...

Волков: Они хватаются за две книги воспоминаний Надежды Мандельштам. Насколько я могу судить, проза вдовы здесь далеко превосходит по популярности все, что было написано самим Мандельштамом.

Бродский: Нет, это происходит совершенно независимо от воспоминаний Надежды Яковлевны. Ведь Мандельштам переведен на английский из рук вон плохо, да? Но тем не менее его образность цепляет поэтов здесь довольно сильно.

Волков: Ахматова в переводе теряет гораздо больше, чем Мандельштам. Ее любовные стихи в переложении на английский выглядят безумно сентиментальными. Чего в подлиннике нет и в помине.

Бродский: Для перевода нужен конгениальный талант, да? Или, по крайней мере, конгениальное отношение к английскому языку. А это, как правило, в среде переводчиков встречается чрезвычайно редко.

Волков: А каково ваше мнение о вышедшем в США полном собрании стихов Ахматовой в английском переводе Judith Hemschemeyer?

Бродский: По-моему, это полный кретинизм.

Волков: Между тем редакторы «Нью-Йорк Таймс Бук Ревью» включили это издание в число лучших книг года. Я понимаю, что вряд ли они прочли все стихи, туда включенные — все-таки два толстенных тома! Но как жест со стороны американского литературного истеблишмента это, мне кажется, свидетельствует о пиетете по отношению к Ахматовой. И, я думаю, самой Ахматовой узнать о таком было бы приятно.

Бродский: А я думаю, что нет. Потому что Ахматова знала английский, да? И ей от этих текстов было бы очень нехорошо. Я просто знаю, как Ахматова на такие вещи смотрела. И на подобные номенклатурные жесты ей было глубоко наплевать.

Волков: А вы видели недавний американский фильм об Ахматовой?

Бродский: Да, видел. Мне прислали пленочку. Это — полный кошмар.

Волков: Мне тоже показалось, что материал подан совсем уж примитивным, упрощенным образом. И когда они в этом фильме дают кусок разговора с вами, то получается сильный перепад. Поскольку вы по поводу Ахматовой высказываете вполне эзотерические соображения, которые вряд ли дойдут до того зрителя, на которого этот фильм, по-видимому, рассчитан.

Бродский: Я уж не помню своих соображений в этом фильме, но помню только, что снимали они меня довольно долго, а в фильме из этого оказалось всего две-три минуты.

Волков: А как вам понравился американский документальный фильм о вас? Его недавно показывали по телевидению.

Бродский: Да вы знаете, понравиться такое все равно ведь не может. Потому что ты смотришь на себя, да? Разве ты можешь сам себе понравиться? Но несколько моментов в этом фильме для меня оказались чуть-чуть душераздирающими. Все, связанное с родителями. И особенно, когда показывают фотографию Ленинграда, сделанную моим отцом. Уж не знаю, как они ее разыскали.

Волков: Очень интересно наблюдать за тем, что происходит с поэзией Ахматовой в современной России. Ее творчество и в Советском Союзе было достаточно популярно. Но все-таки на пути к широким читательским массам оставались какие-то барьеры, воздвигнутые властями. Сейчас об этом многие уже забыли. А я еще помню то время, когда мои сверстники, студенты Ленинградской консерватории, об Ахматовой мало что знали. А ведь это были не сталинские времена, а середина шестидесятых годов. Теперь же, когда власти в России уже не регулируют общение читателя с литературой, Ахматова по степени популярности выходит, пожалуй, на третье место — после Пушкина и Блока.

Бродский: Когда вы называете Пушкина и Блока, то я не знаю, как дело обстоит в этой, так сказать, области с Блоком. Да и вообще современную российскую реальность я в этом плане не так уж ясно себе представляю. Но мне кажется, что подобный свободный доступ читателя к литературе в России уже существовал давным-давно — до 1917 года, не так ли?

Волков: Что касается Ахматовой, то в ее творчестве чудесным образом совместилось как бы несовместимое, что и определяет, в конечном счете, ее продолжающуюся популярность. С одной стороны, ее любовная лирика сохранила всю свою свежесть, и молодые современные люди могут декламировать эти стихи своим девушкам, когда хотят их соблазнить...

Бродский: Вы знаете, Соломон, эту реальность я тоже уже себе не представляю...

Волков: А с другой стороны, эти стихи не стыдно произносить вслух, не стыдно декламировать даже самым строгим ценителям поэзии. В то время как в том же Блоке или, скажем, в Есенине, который традиционно был чрезвычайно популярен в России, наличествует сильный элемент китча. Иногда начнешь читать их стихи вслух и думаешь: «О Боже!»

Бродский: Относительно Ахматовой интересно вот что: насколько ее творчество оказалось живучим или, вернее, выживающим и применимым ко времени именно потому, что она — поэт малых форм. То есть можно сказать, что суть изящной словесности — это и есть короткое стихотворение. Все мы знаем, что у современного человека то, что называется attention span, чрезвычайно узок.

Волков: Как говорят американцы — мушиный...

Бродский: Да, как у мухи. И поэзия, до известной степени, как раз и рассчитывает на это. То есть не то что рассчитывает на это — поэзия точно знает, что это так, да?

Волков: Но с другой стороны, существует же эпическая поэзия. И даже если говорить только о современных фигурах — скажем, вы и Дерек Уолкот — разве вы не растягиваете совершенно сознательно этот читательский attention span?

Бродский: Ну, может быть, мы в конечном счете совершаем крупную ошибку, да? Хотя я, конечно, так не думаю. Но в общем, то, что выживает — это действительно искусство малых форм, искусство конденсации. Тем более что... Погодите, Соломон, я возьму сигарету. Одну секундочку! Потому что бессмысленно этот разговор продолжать без сигареты... Так вот, я все это говорю еще и потому, что за последние несколько дней просмотрел двадцать или тридцать выпусков газеты, которая называется «Гуманитарный фонд». Издается она в Москве. И вам, Соломон, было бы полезно свести с этим знакомство, потому что там довольно много замечательного. Их авторы — это такие полупанки, молодые люди от двадцати пяти до тридцати пяти лет. Это — теперешний авангард. Когда читаешь эту газету, то видишь, чем сейчас увлечены молодые люди в литературе, живописи или музыке. Ну про музыку тут говорить, правда, бессмысленно, потому что это рок. Но что касается поэзии, то картина здесь весьма примечательная, потому что ни про Ахматову, ни про Пастернака, ни про Блока нет вообще никакой речи. Причем стихи приходят к ним со всей страны, так что это — представительный срез.

Волков: Чьи же стихи им служат примером — Бориса Гребенщикова, что ли?

Бродский: Да, Гребенщикова. Но и Гребенщиков уже сходит, с их точки зрения, со сцены. В этой газете заняты исключительно тем, что им близко или, в худшем случае, современно. И они печатают много вздорного. Но иногда прочитываешь совершенно замечательные стишки. Все довольно интересно именно в том аспекте, о котором мы говорили: что в культуре выживает, а что — умирает.

Волков: Бьюсь об заклад, что поэзия Ахматовой переживет и этих панков, и их творчество. В частности и потому, что она говорила о любви современным языком, как городская женщина, со всеми ее неврозами. Кстати, обсуждали ли вы с Ахматовой Фрейда?

Бродский: Да, несколько раз. И я даже помню цитату: «Фрейд — враг творчества номер один». Ахматова говорила так: «Конечно же творчество — это сублимация. Но я надеюсь, Иосиф, что вы понимаете — не только сублимация. Ибо существует еще влияние и вторжение сил если не серафических, то, по крайней мере, чисто лингвистических». Я с Ахматовой в этом пункте согласен. И я даже не знаю, что вообще является сублимацией чего: творчество ли является сублимацией сексуального начала или наоборот — сексуальная деятельность является сублимацией творческого, созидательного элемента в человеке.

Волков: Будучи врагом фрейдизма, Ахматова, тем не менее, вписывала себя в модернистскую культуру. Она внимательно читала и Джойса, и Кафку, и Валери, и Пруста, и Элиота. Эти фигуры были для нее близкими.

Бродский: Безусловно! С моей точки зрения Ахматова — настоящий модернист. Под модернизмом ее я подразумеваю ощущение, ранее в русской литературе не зарегистрированное, уникальное. Это было трагическое мироощущение, но куда более сдержанное и сфокусированное, чем у большинства русских модернистов. То есть когда происходит самый большой раздрай, а ты все-таки соблюдаешь определенные эстетические требования, накладывающие на тебя некоторые узы. Когда поэт не может позволить себе кричать, бесноваться — независимо от того, что с ним происходит. Но это именно сдержанность, а не бедность, как иногда думают. Ахматова куда более сдержанна, на мой взгляд, чем Мандельштам. У нее есть то же, что наличествует у Кавафиса: маска.

Волков: В ранних стихах у Ахматовой довольно много вскрикиваний. Но даже если говорить о более поздних вещах... Недавно я в который раз поразился ее всхлипу 1921 года: «Любит, любит кровушку / Русская земля». Ведь это причитание, тональность тут совершенно определенно женская, почти истерическая.

Бродский: На мой взгляд, никакой истерики здесь нет. Это выдох. Большинство стихотворений Ахматовой написано именно на таком выдохе. То есть на этой невозможности выговорить фразу до конца. Помните у Баратынского:

> *И юных граций ты прелестней!*
> *И твой закат пышней, чем день!*
> *Ты сладострастней, ты телесней*
> *Живых, блистательная тень!*

Теперь сравните у Ахматовой:

> *О тень! Прости меня, но ясная погода,*
> *Флобер, бессонница и поздняя сирень*
> *Тебя — красавицу тринадцатого года —*
> *И твой безоблачный и равнодушный день*
> *Напомнили... А мне такого рода*
> *Воспоминанья не к лицу. О тень!*

Баратынский о своей тени все досказывает до конца. Не то у Ахматовой: «О тень!» У нее как бы обрывается дыхание. И это, действительно, берет за горло.

Волков: С Ахматовой вот что еще интересно. В молодые годы она создала этот феноменальный пласт любовных стихотворений, который, как я убежден, и через сто лет будут читать друг другу вслух влюбленные русские юноши и девушки. Уже этого одного было бы достаточно, чтобы навсегда остаться в истории русской культуры. Но Ахматова делает новый невероятный рывок: в связи с Первой мировой войной и революцией она сочиняет серию потрясающих гражданских стихов. Это были произведения, которые, можно сказать, предсказали и описали все ужасы XX века. То есть она первая из русских поэтов испугалась XX века — если не считать «Голос из хора» Блока, который мне кажется самым сильным его пророческим произведением. Стихи Ахматовой, написанные в 1914 году, потрясают этим абсолютно неожиданным прорывом в государственную сферу, в область государственных забот. Когда поэт становится голосом всей нации.

Бродский: Это абсолютно правильно! Помните, мы говорили об этом ее стихотворении «Чем хуже этот век предшествующих?..» Это одно из самых потрясающих ее произведений. Там о XX веке все сказано.

Волков: Ахматова одной из первых поняла, каким кошмаром может обернуться тоталитаризм, на какие ужасы может обречь личность, индивидуальность тоталитарное государство. Да и вообще государство. В этом смысле она как бы стала первым советским поэтом еще до советской власти.

Бродский: Я понимаю, что вы имеете в виду, но терминологией этой — «советская — несоветская» — я бы, на вашем месте, не пользовался.

Волков: Это ведь не качественное определение — «советский». Я просто обозначаю им определенный исторический период существования российского государства.

Бродский: Во-во! Я знаю, что я сейчас услышу! Я думаю, что пройдет еще несколько лет, и весь этот так называемый советский период в академических кругах будет рассматриваться именно таким образом — как высокий классицизм, да? Разве не это у вас звучит?

Волков: Хорошо, давайте сформулируем вопрос другим образом: существует или не существует ленинградский период петербургской литературы? И является Ахматова участником и частью этого периода? Как по-вашему?

Бродский: Ну, наверное надо ответить на этот вопрос утвердительно.

Волков: В истории русской поэзии XX века существует, особенно с западной точки зрения, некая неофициальная «большая четверка»: Мандельштам, Цветаева, Пастернак и Ахматова. И взять, скажем, Цветаеву — из этой четверки она представляется мне самым сильным, с чисто физической точки зрения (если таковая здесь уместна), поэтическим дарованием...

Бродский: Безусловно!

Волков: У Пастернака — во всяком случае, молодого — самый нервный, уникальный, ни на что не похожий голос. У Мандельштама самый качественный, если можно так выразиться, итоговый продукт. То есть он самый крепкий из всей четверки поэт, так?

Бродский: Да.

Волков: У Ахматовой не такое сильное дарование, как у Цветаевой, не такой своеобразный голос, как у Пастернака, и стихи ее не всегда так мощно слеплены, как это делал Мандельштам. А в сумме творчество ее оказалось, как мне кажется, самым живучим и свежим.

Бродский: Вы знаете, Соломон, у меня на этот счет есть другая теория. Это очень странная и, может быть, фантастическая идея. И если она вам покажется бредовой, то просто выбросьте ее. А если нет — то присвойте. Дело в том, что все, что имеет место в культуре, сводится, в конечном счете — или это можно попробовать свести — к четырем известным нам темпераментам: меланхолик, сангвиник, флегматик и холерик. Так я думаю. И мне кажется, что нашу «большую четверку» тоже можно поделить в зависимости от этих темпераментов. Поскольку в этой группе все эти темпераменты как раз очень отчетливо представлены: скажем, Цветаева — безусловно холерический автор. Пастернак — сангвиник. Осип Эмильевич — меланхолик. А Ахматова — флегматична.

Волков: Это невероятно остроумная догадка! У меня в связи с этим только один вопрос. Ведь в поэзии самым любимым должен быть как раз меланхолик. То есть в данном случае — Мандельштам. Между тем этого не произошло.

Бродский: Ну я не знаю, как на этот вопрос ответить, Соломон. Дальше разбирайтесь сами.

Дома. Ленинград. 1971.

Ленинград. 1970.

Во-вторых, с___ба Шмакова и п___ ___ ___ вышел ему ту___
тра___

Глава 12

Санкт-Петербург.
Воспоминание о будущем:
осень 1988–зима 1992

Волков: Давайте поговорим о Геннадии Шмакове. Я хотел бы это сделать по нескольким причинам. Во-первых, вы были с ним много лет дружны — и в Питере в годы вашей молодости, и здесь, в Нью-Йорке. Во-вторых, судьба Шмакова в чем-то схожа с вашей; ему тоже стало трудно жить в Ленинграде и он перебрался в Нью-Йорк, с отрывом от вас всего в несколько лет: вы оказались в Америке в 1972 году, а Шмаков — в 1975-м. Еще один аспект биографии Шмакова представляется мне важным: он был причастен к интеллектуальной элите в Ленинграде, но и переехав на Запад, не потерялся — выпустил несколько книг о балете, в том числе биографию своего друга Михаила Барышникова, писал рецензии, переводил. В Нью-Йорке он был привычной фигурой на театральных премьерах, вернисажах. И вдруг — трагический конец: в 1988 году Шмаков умер от СПИДа. Ему было 48 лет... Для начала я хотел бы спросить вас: когда и как вы познакомились со Шмаковым? И как это знакомство развивалось?

Бродский: Думаю, что я познакомился со Шмаковым, когда мне было лет восемнадцать. Я пришел на филологический факультет Ленинградского университета, где у меня были какие-то знакомые девицы, чтобы почитать свои стихи. И я, может быть, этого события и не помнил бы, но Шмаков мне о нем впоследствии не раз рассказывал. Он говорил, что мое чтение произвело на него довольно сильное впечатление. Видимо, и он был тогда более восприимчив, и я был более энергичен. То есть мы оба были в достаточной степени молоды. Мы ведь со Шмаковым почти ровесники, он старше меня всего на три месяца. Поэтому между нами и существовало такое физическое взаимопонимание. У меня масса всяких знакомых была и есть. Но они либо старше меня, либо — увы! — моложе. А это уже не совсем то. А Шмаков — это человек, который действительно был — ну, не хочу сказать, что альтер эго, но в некотором роде у меня было оснований доверять ему больше чем кому бы то ни было. Не только потому, что он был одним из самых образованных людей своего времени. Что само по себе создавало колоссальный — если не пиетет, то, по крайней мере, колоссальные основания для доверия. То есть это происходило не только потому, что он читал все, знал все. Но именно потому, что мы с ним действительно были, как говорится, одного поля ягоды. То есть просто одинаковые животные, да? Потому что в общем не все люди — люди. Это моя старая идея: если, скажем, генеральный секретарь компартии — человек, то я — не человек. То есть понятие человеческого существа обладает, на мой взгляд, совершенно невероятной амплитудой, которая мне лично представляется бредовой.

Волков: И часто вы со Шмаковым виделись в Ленинграде?

Бродский: Часто, гораздо чаще, чем здесь. У нас с ним была масса общих знакомых, в том числе иностранцев, поскольку Шмаков с ними довольно много возился. Масса одновременно прочитанных книжек. Это так важно, что книжки, которые мы читали, попадали в поле нашего зрения более или менее одновременно. И когда мне какая-то из книг оказывалась нужна, когда я слышал краем уха звон, что что-то такое интересное вышло на Западе, а в книжном магазине ленинградском я этого найти не мог, то, конечно, я знал — куда пойти.

Волков: К Шмакову?

Бродский: Да конечно же к нему! Кроме того, мы более или менее одновременно — он чуть раньше, я чуть позже — начали заниматься переводами. И очень часто мы участвовали в переводах тех же самых авторов или оказывались в тех же самых переводческих конкурсах. С той лишь разницей, что Шмаков действительно знал языки, с которых он переводил, а я — нет.

Волков: И вы советовались со Шмаковым по поводу вашей переводческой работы?

Бродский: Да, если мне что-то было непонятно в тексте — я конечно же звонил ему, спрашивал. Ему скорее чем кому бы то ни было. Потому что естественнее брать у своего. Ну, не естественнее, а меньше посторонних, чисто политесных соображений вставало поперек дороги. То есть я его знал примерно как свое подсознание. И наоборот, да? Вот так мы с ним и общались.

Волков: А говорили ли вы с ним о теоретических проблемах перевода? Ведь вы в то время переводами занимались довольно серьезно.

Бродский: Нет, на теоретическом уровне разговор не шел, но мы постоянно обсуждали степень эффективности нашей работы: что получилось, что не получилось и почему. Но вы должны понять, что переводы были далеко не самой главной сферой нашего общения. Хотя мы этим зарабатывали себе на хлеб — и он, и я. Впрочем, у Шмакова были и другие источники заработка. Но с ним мы говорили обо всем на свете, включая кино, театр и так далее. Мы вместе охотились на девушек — в ту пору, по крайней мере. И даже очень часто объекты нашего преследования совпадали.

Волков: Вы ведь вместе со Шмаковым работали над переводами стихов Константина Кавафиса. Как это получилось?

Бродский: Дело в том, что мы Кавафиса начали переводить еще в России. Причем начали более или менее одновременно, но каждый самостийно, не перекрещиваясь. Хотя я, помнится, в этом своем предыдущем — питерском — воплощении показал Шмакову два или три своих перевода из Кавафиса. Теперь, задним числом, я понимаю, что переводы эти ни в какие ворота не лезли. Впоследствии, уже в Соединенных Штатах, я написал о Кавафисе эссе. А Шмаков продолжал переводить его все эти годы, но года за три или четыре до своей смерти засел за него вплотную. И, действительно, перевел всего Кавафиса — все то, что вошло в греческий двухтомник Кавафиса, за исключением двух или трех стихотворений. И в эти последние годы он мне эти переводы показывал, а я их немедленно, при нем же, правил. Во время этих встреч, кстати, Шмаков сидел именно там, где вы сейчас сидите, Соломон. Вас это не тревожит, надеюсь?

Волков: Нисколько.

Бродский: Но все-таки мы настоящую совместную работу над этими переводами откладывали на будущее: вот, сядем когда-нибудь на досуге и займемся Кавафисом в свое удовольствие. Но будущее — это, по определению, такая вещь, которая все время отодвигается, да? Надо зарабатывать деньги, надо выживать. В связи с чем у Шмакова была масса всяких других насущных проектов. Много времени у него уходило на тесное общение с Либерманами — Алексом и особенно его женой Татьяной, весьма, как вам известно, примечательной женщиной. Он ведь стал у них как бы членом семьи. И потому мы совместную работу над Кавафисом забросили. Но когда он заболел, я ему сказал: «Дай мне эти твои переводики Кавафиса, мы посмотрим, что с ними можно сделать». Я решил сделать это, чтобы Шмакова не столько развлечь, сколько отвлечь хотя бы немного. И в итоге двадцать стихотворений отредактировал. То, что Шмаков по отношению к Кавафису предпринял — это огромная работа. Невероятно, что один человек все это сделал. И сделал в ситуации, когда никакой перспективы увидеть это напечатанным у него не было. Вообще это диковатая история.

Волков: А какого вы мнения о вышедшей в Москве книжечке переводов из Кавафиса работы российских поэтов?

Бродский: Чрезвычайно посредственное издание. Это при том, что не хотелось бы говорить ничего дурного о людях, которые в этом предприятии участвовали. Редактировала эту книжку Кавафиса довольно профессиональная женщина — Софья Ильинская, которая первой представила этого поэта русскоязычной публике. И редактура ее, и вступительная статья довольно хороши. И там есть несколько приличных переводов, но также масса чудовищных неряшливостей. Многие поэты, видимо, считают, что в переводах сойдет то, чего нельзя допустить в собственных стихах.

Волков: Значит, вы все-таки считаете, что Кавафиса русской аудитории следует представить в переводах Шмакова?

Бродский: Вне всякого сомненья. Прежде всего потому, что Шмаков знал новогреческий. А в том издании, которое вы упомянули, только его редактор знал этот язык. Но даже ее переводы, включенные в эту книжечку, представляются мне не вполне удовлетворительными. То есть человек знает, с чем он имеет дело, но воспроизвести не может. Все-таки для этого нужна поэтическая интуиция или, по крайней мере, какая-то техническая сноровка. И хотя для переводов этой книжки Кавафиса были привлечены высокопрофессиональные люди, именно с технической стороной дела у них обстояли весьма мрачно. А это недопустимо.

Волков: Меня в связи со Шмаковым вот какая вещь интересует. Он ходил по Ленинграду эдаким павлином, распускал хвост (кстати, это его собственное выражение, он сам о себе часто говорил с некоторой иронией). Знание иностранных языков, подчеркнуто светские манеры — все это делало его фигурой экзотической. Вдобавок известный гомосексуалист и балетоман — обстоятельства, еще более эту экзотичность обострявшие. При этом он воспринимался, как настоящий петербуржец — в традиции Михаила Кузмина, что ли. Американцы таких называют quintessential Petersburger. И вдруг уже здесь, в Нью-Йорке, скульптор Эрнст Неизвестный рассказал мне, что Шмаков — родом с Урала, все его рассказы о боннах, которые якобы в детстве учили его иностранным языкам — это фантазии... И так далее. Как, по-вашему, человек делает себя вот таким «настоящим петербуржцем»?

Бродский: Как делает... Соломон, давайте поговорим об этом медленно. Потому что у меня от этого включенного магнитофона вдруг появляется такое ощущение, что мне надо торопиться. Давайте помедленнее, хорошо?

Волков: Конечно, конечно...

Бродский: Видите ли, я вообще считаю, что настоящим снобом человек может стать, только если он из провинции. Когда я говорю о снобизме, то употребляю это слово вовсе не в негативном смысле. Ровно наоборот. Снобизм — это форма отчаяния; уж не помню, кто это сказал, может быть, даже я сам. Но это неважно... Человек из провинции — у него уже просто по определению аппетит к культуре покрепче, чем у человека, который в этой культуре, в этой среде вырос. И в результате со Шмаковым произошла совершенно феноменальная история. Потому что если рассматривать его не как конкретного человека, а как некий символ, то он прошел все стадии культурного развития. Он родился в провинции и вначале смотрел на культуру чрезвычайно издалека. И постепенно приближался к ней огромными скачками, пока не оказался просто-напросто в Италии. И я даже сказал бы больше. Когда ты совершаешь следующий шаг, следующий прыжок, то есть когда ты перемещаешься в Соединенные Штаты, то возникает такая парадоксальная ситуация: ты как бы пробурил культуру насквозь — знаете, как крот — и вышел с другой ее стороны, и уже смотришь на культуру с другой стороны, то есть — из другой провинции. Не знаю, внятно ли я все это вам объясняю. Возьмем схожий пример: одним из самых, я бы даже сказал, изысканно-извращенных существ в английской литературе был Ди Эйч Лоуренс. А он как раз был родом из шахтерской семьи, откуда-то с севера Англии. И полюбуйтесь, во что он превратился.

Волков: Вы знаете, я разговаривал на эту тему с Андреем Битовым, и он считает, что в Петербурге все воспитывает человека — и проспекты, и здания, и даже просто камни. И вода тоже. То есть ты просто ходишь по городу и получаешь литературное образование. Потому что в общении с петербургскими камнями ты сразу попадаешь в какой-то литературный контекст. И таким образом становишься петербуржцем, даже если ты приехал туда из другого места. Мне эти рассуждения Битова показались очень убедительными.

Бродский: Вы знаете, Соломон, мы ведь все проецировали себя на старый Петербург. Это естественно. У каждой эпохи, каждой культуры есть своя версия прошлого. Например, существует немецкая Древняя Греция XVIII века. Существует английская Древняя Греция. Есть французская Древняя Греция. Хуже того — есть греческая Древняя Греция, и так далее. А внутри каждого такого большого пласта существует еще разбивка по поколениям. И у каждого последующего поколения взгляд на прошлую культуру меняется и, разумеется, становится все более и более расплывчатым. Что для меня во всем этом интересно, так это то, на *что* именно каждое поколение наводит увеличительное или уменьшительное стекло. То есть *что* оно в прошлой культуре выделяет, а *что* — игнорирует. И мне интересен вот этот механизм выживания культуры посредством того или иного поколения; что именно выживает, а что погибает.

Волков: То есть вы считаете, что это мы одухотворяем камни, а не камни — нас?

Бродский: Камни или не камни, объясняйте это как хотите, но в Петербурге есть эта загадка — он действительно влияет на твою душу, формирует ее. Человека, там выросшего или, по крайней мере, проведшего там свою молодость — его с другими людьми, как мне кажется, трудно спутать. То есть для начала нас трудно спутать, скажем, с москвичами уже хотя бы по той причине, что мы говорим по-русски иначе, да? Мы произносим «что», а не «што». Хотя можем и «што» произнести...

Волков: И не поморщиться...

Бродский: ... да, не поморщиться и даже испытать от этого некоторое удовольствие. Но при этом, произнося «што», в подкорке мы помним, что нужно-то сказать «что». Вот такой примерно расклад.

Волков: Если я не ошибаюсь, Блок был первым великим русским поэтом, родившимся в Петербурге. Для нас Пушкин так тесно связан с Петербургом, что мы забываем: родился-то он в Москве. И Достоевский родился в Москве. Это учиться они приехали в Петербург. Или вот другой пример, уже из советской эпохи. Для меня поэты группы ОБЭРИУ — настоящие петербуржцы. И действительно, Хармс и Введенский родились в Петербурге. Но Заболоцкий, к примеру, родился под Казанью, а вырос в Вятке и Уржуме. Олейников — вообще казак, откуда-то с Кубани. А стихи они оба писали в высшей степени петербургские.

Бродский: Вы знаете, Соломон, а у меня подобного ощущения от всей этой группы нет. И даже от Заболоцкого, которого я очень люблю. Хотя Заболоцкий и писал замечательные стихи об Обводном канале, об этой знаменитой пивной — «Красная Бавария». Это совершенно другая стезя, не петербургская. Не будем сейчас говорить обо всей петербургской культуре, потому что это нечто необъятное, хотя, конечно, можно было бы засесть и вычислить: кто к ней принадлежит, а кто — нет. Но если говорить только об изящной словесности в Петербурге, то ей свойственен совершенно определенный тон. Кажется, это Мандельштам сказал об «эллинистической бледности» Пушкина, да? Существует такое понятие — гений или дух места, genius loci. Кстати, потому мы и говорим о гении места, что место-то само уже другое, оно изменилось. Но тем не менее, если говорить о genius loci Петербурга, то он действительно сообщает литературе этого города некоторую «бледность лица».

Волков: Я понимаю, «бледность» не в смысле цвета лица, а как understatement. Мандельштам, мне помнится, говорил о «бледных молодых побегах нашей жизни»...

Бродский: Если уж говорить о бледности петербургского лица в плане метафорическом, то оно представляется мне незагорелым и, если можно так сказать, изголодавшимся — по культуре, свету...

Волков: Это как в стихах у Слуцкого: «Его кормили. Но кормили — плохо». Тоже, кстати, о поэте написано!

Бродский: Дело в том, что на петербургской изящной словесности есть налет того сознания, что все это пишется с края света. Откуда-то от воды. При этом я не имею в виду какого-то слияния со средой, с элементами. Это не является чем-то утробным. Но если можно говорить о каком-то пафосе, или тональности, или камертоне петербургской изящной словесности, так это — камертон отстранения. Даже если вы там какой-нибудь Блок и собираетесь или принимаетесь говорить о судьбе всей державы и о будущем нации. Даже и в Блоке, даже в нем присутствует ощущение этой сдержанности, которая берется в некотором роде от сырости. То, что мы можем назвать «петербургской гнилью» — это, может быть, единственный воздух, который достоин того, чтобы попадать в человеческие легкие.

Волков: С этим я соглашусь, но возражу по поводу группы ОБЭРИУ. Почему-то сложилась странная ситуация, когда типично московский по установке и приемам роман Андрея Белого «Петербург» стал считаться чуть ли не образцовым петербургским произведением, а тексты ОБЭРИУ выводятся за пределы петербургской традиции. Я здесь могу сослаться на авторитет Ахматовой. Она всегда говорила, что в романе Белого ничего петербургского нет. В то же время прозу Хармса и близкие к ней, в каком-то смысле, произведения Зощенко она ценила чрезвычайно высоко.

Бродский: Одну секунду, одну секунду! Зощенко — замечательный писатель, о чем речь. Что касается Хармса, то я помню слова Ахматовой о том, что он мог описать, как человек вышел на улицу, идет-идет и вдруг — полетел. И добавляла: «Такое только у Хармса могло получиться, больше ни у кого». И если считать, что задачей прозы является описание таких вот экстраординарных ситуаций, то тогда и Хармса можно считать замечательным автором. Но вместе с тем — это не петербургская проза, а поэзия группы ОБЭРИУ — не петербургская поэзия. По крайней мере я их произведений с идеей Петербурга не увязываю. Хотя все эти люди и писали в двадцатые–тридцатые годы нынешнего столетия в этом городе. А о Белом я скажу сейчас ужасную вещь: он — плохой писатель. Все.

Волков: И главное, типичный москвич! Потому что существует достаточное количество и петербургских плохих писателей, но Белый к ним не относится. Что же касается ОБЭРИУ, то как вы объясните такое совпадение: расцвет этой группы сюрреалистов и дадаистов в Ленинграде, который об ту пору был, может быть, самым сюрреальным городом на земле? Разве это случайность?

Бродский: Но в этом же городе об ту же самую пору существовал, простите меня, и Константин Вагинов — совершенно феноменальный автор и настоящий, на мой взгляд, петербуржец. Или в несколько меньшей степени — Леонид Добычин.

Волков: Я разделяю с вами восторженное отношение к Вагинову. Но он, между прочим, тянулся к той же самой группе ОБЭРИУ, некоторые исследователи его к ней и причисляют. А Добычин всегда стоял особняком — его в Ленинграде сравнивали с Джойсом и Прустом, хотя писал он микроскопические рассказы. Помните, была такая литературная шутка — «выученик хедера имени Марселя Пруста»? На самом деле у всей ленинградской прозы двадцатых–тридцатых годов можно найти общие черты: у Хармса, у Вагинова, у Добычина, у Александра Грина и у Зощенко, которого все мы, слава Богу, обожаем.

Бродский: Ну, Зощенко замечателен прежде всего как «вокс попули» в литературе. Нечто в этом роде.

Волков: Ну а его поздняя проза — эти короткие отточенные новеллы, разве это не типично петербургская литература? Разве в них нет той «бледности», о которой вы говорили?

Бродский: Подождите, вы что имеете в виду — «Перед восходом солнца»? Никакой отточенности я в этой книге Зощенко не заметил. Там, по-моему, все заслоняет доморощенный фрейдизм.

Волков: Бог с ним, с фрейдизмом. Зато какие нагие, простые слова!

Бродский: К сожалению, заслоняет.

Волков: А как же с доморощенным бахтинизмом Вагинова? Ведь Вагинов был членом кружка Бахтина в Петербурге. Разве философские отступления Вагинова вас не раздражают?

Бродский: Этого господина я обожаю.

Волков: Я всегда ощущаю ткань романов и стихов Вагинова как типично петербургскую. А вы?

Бродский: Правильно, именно о ткани в данном случае и нужно говорить. Потому что ткань произведений Вагинова — это такая старая, уже посыпавшаяся гардина, да? В текстах Вагинова меня особенно привлекает это ощущение как бы ненапряженного мускула — не то чтобы даже обмякшего, а дряблого мускула. Это постоянно чувствуется и в его композиции, и в интонации.

Волков: А куда бы вы причислили Владислава Ходасевича — к московской литературной школе или к петербургской?

Бродский: Внутренне я отношу Ходасевича к Петербургу, хотя в его произведениях много и других веяний. Но его интонация, особенно в белых стихах, — для меня это, безусловно, Петербург. Я очень отчетливо помню, как впервые познакомился со стихами Ходасевича. Его сборник «Путем зерна» я прочел, когда мне было, наверное, двадцать один или двадцать два года — в той же самой библиотеке Ленинградского университета, где я тогда разыскал и «Камень» Мандельштама. О Мандельштаме и говорить нечего, но стихи Ходасевича я тоже многие помню до сих пор наизусть, как это ни странно.

Волков: А Набоков?

Бродский: Его «Камеру обскуру» я прочел, когда мне было, думаю, года двадцать два—двадцать три. Это было первое произведение Набокова, с которым я познакомился. А года через два-три я уж прочел все, что только можно было из Набокова об ту пору в Советском Союзе получить. Все-таки Набоков, как и Ходасевич, был эмигрантом. С эмигрантской литературой в Советском Союзе всегда было немного сложнее.

Волков: А «Другие берега» Набокова вы тоже прочли еще в Ленинграде?

Бродский: «Другие берега», как и англоязычный вариант этой книги — «Speak, Memory» — я прочел, как это ни странно, только на Западе. И на меня это не произвело того впечатления, которое эта книжка производит на большинство читателей.

Волков: Неужели чтение Набокова не вызвало в вас никаких ностальгических эмоций?

Бродский: Точно — нет. Для меня Набоков — как это, опять же, ни странно — вообще писатель не из Петербурга, а из какого-то другого места. Я его воспринимаю скорее как какого-то московско-берлинского писателя. Не знаю, как это вам объяснить. Думаю, что меня до известной степени отпугивает аппетит Набокова к реальности. Этот господин весьма повязан материальным миром. И именно в этом смысле он для меня слишком «современный», что ли. Хотя я понимаю, что это мое ощущение может быть чисто субъективным.

Волков: Помните, вы как-то говорили мне, что воспринимаете всю жизнь и творчество Набокова как некую гигантскую рифму. То есть внутренне рифмуются две его «Лолиты» — русская и англоязычная, два варианта его мемуарной книги, еще шире — его русские и англоязычные романы, и даже то, что Набоков писал и прозу, и стихи. И объясняли вы это тем, что Набоков всю жизнь хотел быть именно поэтом, хотя стихи у него, как мы знаем, не очень-то, с прозой не сравнить. Вот он бессознательно и зарифмовал все свое существование. И отсюда же — столь любимая Набоковым литературная фигура двойника.

Бродский: Да, принцип рифмы пронизывает все творчество Набокова. И тут, противореча себе, я мог бы сказать, что в этом нетрудно усмотреть влияние Петербурга, поскольку именно в родном городе идея отражения всегда была, натуральным образом, чрезвычайно сильна.

Волков: Ну конечно — вспомним Достоевского! Недаром существовало такое понятие — «петербургская гофманиада». Невозможно себе представить «московскую гофманиаду». И еще одно соображение. Я ведь не зря спрашиваю о ваших юношеских реакциях на Ходасевича или Набокова. Помните, мы в свое время говорили о том, что я называю «зарубежной ветвью» петербургского модернизма, — а точнее, о Стравинском, Набокове и Баланчине? Последние годы я работал над историей культуры Петербурга. И для меня со все большей ясностью вырисовывается следующая картина. Стравинский, Набоков и Баланчин — не только они, но главным образом эти трое — поддерживали на Западе легенду о Петербурге в то время, когда в Советском Союзе эта легенда всячески искоренялась и загонялась в подполье. И, на мой взгляд, произошла такая любопытная вещь: этот сохраненный на Западе имидж Петербурга с помощью западного радио, нелегально поступавших в Советский Союз книг, а также гастролей Стравинского и танцевальной труппы Баланчина, вновь вернулся в Россию и помог там выжить этой самой петербургской легенде. Так мне сейчас кажется. Совпадают ли наши ощущения?

Бродский: Вы знаете, Соломон, мне трудно рассуждать в столь общих категориях. Но я думаю что конечно же что-то в этом роде имело место. Хотя, как мне кажется, этот возврат, о котором.вы говорите, начался несколько раньше гастролей Стравинского и театра Баланчина. Правда, здесь я могу говорить только о самом себе. В возрасте между двадцатью и тридцатью годами я прочел довольно много произведений будущих эмигрантов — и того же Ходасевича, и Георгия Адамовича, и Георгия Иванова — изданных или до революции, или же в первые послереволюционные годы. Вы же помните, какие у нас в Ленинграде были замечательные букинистические магазины.

Волков: Еще бы! За трешку можно было купить и Ходасевича, и Кузмина.

Бродский: Да, все что угодно! И, конечно, огромную роль играло западное радио на русском языке — вдруг услышишь, не знаю уж, какого-нибудь Владимира Вейдле, с его велеречивостью, вещающего о Серебряном веке... С другой стороны, меня берет сомненье, когда вы говорите про Баланчина или про того же Стравинского. Потому что для меня Баланчин — это явление, во-первых, чисто визуальное (может быть, потому, что балет для меня никогда не был большой реальностью), а во-вторых, — до известной степени заграничное, а не петербургское. То же самое и Стравинский. Это не та музыка, которая в моем сознании ассоциируется с родным городом. Правда, и Шостакович для меня с родным городом не ассоциируется. Об этом немножко неловко говорить, потому что тут возникает элемент снобизма, и не того снобизма, о котором я говорил в связи со Шмаковым. С другой стороны, почему бы и нет? В конце концов, если нас обвинят в снобизме, пусть их. Все равно нас в чем-нибудь обвинят. Мне вот самому захотелось попробовать определить, что есть «петербургское» в данном контексте. Это — ясность мысли и чувство ответственности за содержание и благородство формы. Вот так. Нет, я попробую снова... Поскольку «благородство формы» — это как-то не очень убедительно звучит... Если попробовать точнее, то это — трезвость формы. Трезвость сознания и трезвость формы, если угодно. Это не стремление к свободе ради свободы, а идея — вызванная духом места, архитектурой места — идея порядка, сколько бы он ни был скомпрометирован. Это стремление к жанровому порядку, в противовес размыванию границ жанра, размыванию формы. Если угодно, это то, что греки называли «космос», то есть порядок. Ведь когда греки говорили о космосе, то имелся в виду не только космос небесных тел, но и космос военных построений, и космос мысли. И тут петербургское в культуре смыкается, по Мандельштаму, с эллинизмом. Это идея о том, что порядок важнее, чем беспорядок, сколько бы последний ни был конгениален нашему ощущению мира. Эстетический эквивалент стоицизма — вот что такое Петербург и его культура.

Волков: А что вы скажете об имперской идее в петербургской культуре?

Бродский: Какая такая имперская идея?

Волков: Ведь Петербург с самого начала замысливался как имперская столица. Отсюда и легенды эти — о том, что сам Петр Великий выкопал на месте основания города первый ров, о том, что над ним при этом парил орел...

Бродский: Какие уж орлы в этой местности? Скорее уж над головой Петра парили вороны...

Волков: Помните, испокон веку говорили: «Москва — третий Рим»? Поскольку вторым Римом почитался Константинополь... Так вот, Петр Великий эту идею «третьего Рима» начал проецировать на основанный им Петербург.

Бродский: Петр? Идею «третьего Рима»? На Петербург? Да вы что, Соломон? Вот чего у Петра в мыслях не было, того не было!

Волков: Ну ведь не зря Петр из русского царя превратился в русского императора — в чем, кстати, старообрядцы усмотрели лишнее доказательство того, что Петр — Антихрист, поскольку Рим ими понимался как царство Антихриста. В гербе Петербурга, как считают специалисты, содержатся трансформированные мотивы герба города Рима. И таких символических деталей и намеков можно насчитать множество...

Бродский: Лично мне чем Петр приятен? Чем он и хорош и ужасен? Тем, что он действительно перенес столицу империи на край света. Какие у него для этого были рациональные основания, я уж не знаю. Но он начисто отказался от этой утробной московской идеи. То есть это был человек, по праву ощутивший себя...

Волков: Демиургом?

Бродский: Каким демиургом? Государем! В сознании Петра Великого существовало два направления — Север и Запад. Больше никаких. Восток его не интересовал. Его даже Юг особо не интересовал — может быть, исключительно как географическая категория. Это был человек, который добрую половину своей жизни провел в общении — то ли путешествуя, то ли воюя — именно с Западом и Севером. Вот в этих направлениях он и двигался. И если взглянуть на жизнь и деятельность Петра Великого из какого-то такого диковатого извне, то можно увидеть, что в своем сознании (сам того, видимо, не понимая — хотя я уж не знаю, что там творилось в его воображении) он двигался именно в сторону абсолюта. Именно потому что был в первую очередь Государем, то есть политическим существом прежде всего. А вовсе не неким демиургом или там наследователем римской идеи в каком бы то ни было виде. Вот вы говорили об идее «третьего Рима» в России. Это ведь в первую очередь православная идея. Я же думаю, что православие Петра Великого мало занимало. Этого у него в голове, по-моему, начисто не было. Таким, по крайней мере, Петр Великий мне представляется. Или таким я хотел бы, чтобы он был.

Волков: В свете вышесказанного — как вы относитесь к возвращению этому городу его исторического имени Санкт-Петербург? Какие у вас были эмоции, когда вы об этом узнали?

Бродский: Я был этому чрезвычайно рад. Чрезвычайно! Я это говорю совершенно без дураков и безо всяких оговорок или сдерживающих соображений. Хотя на сегодняшний день ситуация складывается парадоксальная: существует город Санкт-Петербург Ленинградской области. Или я, например, получаю оттуда письмо с таким обратным адресом: Санкт-Петербург, улица Косыгина. Это все несколько сводит с ума. Но в данном случае следует думать не столько о нас самих, сколько о тех, кто будет жить в этом городе, кто еще в нем родится. И лучше, если они будут жить в городе, который носит имя святого, нежели дьявола.

Волков: Значит, вы согласны с тем, что все-таки есть такая вещь, как мистика имени, которая оказывает воздействие на реалии?

Бродский: Безусловно, это так. Для меня всегда важно было то обстоятельство, что народ — даже в те годы, когда город именовался Ленинградом, — упорно продолжал именовать его Питером.

Волков: А когда вы и ваши друзья в те, молодые, годы называли этот город Питером или Петербургом — это помогало вам занять какую-то независимую позицию по отношению к советской власти?

Бродский: Вы знаете, это было последним соображением в ряду многих. Просто слово «Петербург» нравилось нам больше. И я могу сказать, что употребление этого слова было продиктовано не столько борьбой с советской властью, сколько определенным очарованием, в этом имени содержащемся. Причем очарование это даже внесемантического характера, оно чисто эвфоническое. Вы заметили, что в слове «Петербург» — в этом «г», которое стоит в его конце, — для русского уха слышна какая-то твердость, сродная твердости камня? И даже, может быть, в имени города больше твердости, чем в имени и облике самого Петра, да? Я еще одно могу сказать. Когда мы еще в советские годы настойчиво называли этот город Петербургом, то в первую очередь думали, пожалуй, о какой-то преемственности культуры. И это было средством если не установить, то по крайней мере намекнуть на эту преемственность. Во всяком случае, таково было наше внутреннее ощущение.

Волков: Меня, признаюсь, удивило предложение Солженицына о переименовании Ленинграда в Свято-Петроград. Я понимаю, что ему хотелось русифицировать имя города. Но странно, что он — писатель, обыкновенно внимательно относящийся к звучанию слова, — не почувствовал громоздкости и неуклюжести предложенного им варианта...

Бродский: Да ну, про этого господина и говорить неохота...

Волков: Как вы считаете — та миссия, для которой был создан Петербург (если согласиться с тем, что такая миссия имела место), — она уже осуществлена, закончена? То есть может ли этот город претендовать на исторически значимое будущее, сравнимое с его блестящим прошлым?

Бродский: Я бы все-таки еще не стал это место хоронить. Я уж не знаю — почему. Существует, конечно, мнение, что город, который имел начало, должен иметь и конец. И что в отличие от, скажем, Рима или Парижа Петербург — как говорят на ипподроме — город «заделанный». То есть те столицы развивались естественно и постепенно, в то время как застройка Петербурга была предопределена заранее. Это определение Петербурга как «заделанного» города есть, как мне кажется, современная перифраза слов Достоевского о Петербурге как самом «отвлеченном и умышленном» месте на свете. Но я с подобными историческими перекидками был бы более осторожен, особенно в отношении этого города. По самым разнообразным соображениям. Разумеется, в какой-то момент он действительно скатился на статус провинциального..

Волков: Ну, формально он превратился в провинциальный город в тот момент, когда в марте 1918 года Ленин перенес столицу России вновь в Москву...

Бродский: Вы знаете — и да, и нет. Мне кажется, что даже после перенесения столицы в Москву понадобилась смерть еще нескольких поколений, чтобы это ощущение центра действительно испарилось из Петербурга. Сегодняшний Петербург — это, разумеется, не Александрия. Но, я думаю, потребуется вторжение новых, действительно uprooted, как здесь говорят, — то есть наглухо лишенных исторической памяти — поколений, чтобы Петербург стал полностью провинциальным. Хотя уже и сейчас он даже не «город-герой», как Ленинград именовали после Второй мировой войны.

Волков: Зато он, как мне кажется, приобрел новый статус — «города-мученика». Это случилось в результате тех ужасных потрясений, которые выпали на долю Петербурга в XX веке как следствие русской истории.

Бродский: Вы знаете, русская история XX века представляется мне на нынешний момент ужасно невнятной. Относительно же Петербурга я могу сказать одно: все мы, все на свете становится жертвой демографии. Ни одно место на земле от влияния демографических обстоятельств не избавлено, в том числе и родной город. И полагаю, что его демографическая физиономия чрезвычайно сильно изменится в сторону широких скул и невысокого роста. Что, по-видимому, неизбежно. Но, поскольку останутся площади, и проспекты, и вода, и мосты над ней, и горизонт, и небо...

Волков: То есть те декорации, которые диктуют актерам их поведение, их реплики...

Бродский: Может быть, вы и правы... Может быть, действительно декорации как бы детерминируют репертуар актера. Вероятно, такой эффект должен иметь место. Но для нас самое важное заключается в том, что это за актер. И как он подготовлен к тому, чтобы появиться на фоне этой самой декорации. И тут-то наступает полный ужас, потому что нынешняя эпоха, с ее демографическим взрывом и тектоническими перемещениями народов, подготавливает сознание к популистскому восприятию мира: что все одинаковы, все равны. Что все более или менее движется на некоем среднем уровне, что никаких высот нет. А соответственно, не нужно этих высот и завоевывать. Для нас, для нашего поколения и город, и его декорации были очень важны. Но еще более важным было то, на чем мы как актеры этого спектакля воспитывались. Потому что мы воспитывались не просто этой декорацией, но тем, что в этой декорации было создано, когда она еще была реальной перспективой. И в этой перспективе мы видели Ахматову, Мандельштама, затем Блока, Анненского. Но и даже эти последние были, может быть, в меньшей степени насущны для сознания, выросшего в Петербурге, нежели все что в этом городе произошло в первой четверти XIX века. Когда там жили Пушкин, Крылов, Вяземский, Дельвиг. Когда туда приезжал Баратынский. И я называю далеко не все значительные имена. Я что хочу сказать? Что именно созерцание этой петербургс-

кой перспективы дает определенные основания для какой-то надежды, да? Поскольку ты видишь, что в этом городе примерно каждые двадцать–тридцать лет происходит некий творческий всплеск и нет
никакой гарантии того, что этот всплеск не произойдет и в будущем —
разумеется, видоизмененным образом. И если даже мы доживем до этого всплеска — а я думаю, что почти наверняка не доживем — то мы этого всплеска, вполне вероятно, не признаем. Но он, я думаю, должен
повториться — хотя бы потому, что петербургский пейзаж не изменил-
ся. И экология не изменилась. И еще я бы сказал следующее. Думаю,
что у каждого такого всплеска есть и будет также и нечто общее. Поскольку Петербург — это город у моря. И, как следствие этого, в сознании человека, там живущего, начинает возникать — быть может,
фантасмагорическое, но чрезвычайно сильное — представление о свободе. Личность в этом городе всегда будет стремиться куда-то в сторону, поскольку пространство, пред ней предстающее, не ограничено и
не разграничено землей. Отсюда — мечта о неограниченной свободе.
Вот почему я думаю, что в этом городе естественнее сказать всему су-
ществующему миропорядку — «нет».

Волков: То есть вы считаете, что петербургская декорация делает из
человека аутсайдера. Это, кстати, верно и по отношению к Шмакову,
которого вы признаете quintessential петербуржцем. Ведь Шмаков, в
сущности, был чужаком и в Ленинграде, и в Нью-Йорке. В Ленинграде
он был чужаком как переводчик с западных языков — то есть как человек, пытающийся контрабандой протащить западные ценности на советскую территорию. Затем, он был подозрителен как гомосексуалист.
И наконец, как балетоман. Поскольку балет в России всегда существовал скорее для экспортного употребления. А внутри страны балетом
увлекались очень немногие, составляя при этом изолированный, а для
многих невероятно эксцентричный островок. Вот вы, скажем, — разве вы в Ленинграде ходили на балет, скажите честно?

Бродский: Вы знаете, нет. Странно как-то получилось, да? Я знаю
колоссальное количество балетных — что балерин, что мужиков-со-
листов. Но, тем не менее, меня балет никогда особенно не интересовал. И до сих пор не интересует. Хотя, надо сказать, когда я вижу на сцене
Барышникова, то это ощущение совершенно потрясающее. Я даже думаю,
что это вообще уже даже и не балет — то, чем он занимается.

Волков: А что же это такое, если не балет?

Бродский: На мой взгляд, это чистая метафизика тела. Нечто, сильно вырывающееся за рамки балета.

Волков: В годы вашей молодости в Ленинграде молодые поэты обсуждали балет как нечто, заслуживающее уважения?

Бродский: В моем кругу — никогда. Мы все — то есть сколько нас
всего и было? по пальцам можно пересчитать — так вот, мы все к балету относились, если так можно выразиться, по-офицерски. Балерины,
цветы...

Волков: Вы что, сопротивлялись официальной ауре балета?

Бродский: Если уж говорить об официальной ауре, то она скорее относилось к тому, к чему мы находились несколько ближе — к кинематографу. Поскольку главный источник более или менее внятного заработка для нас был именно кинематограф — научно-популярный или даже художественный. Вот почему люди из кино были для нас важнее, чем балетные. Не говоря о том, что кино просто интересней для нас было, — как для всякого русского человека. Ведь для русских всякое дидактическое искусство куда интереснее просто чистого искусства. Так что к балету я никогда всерьез не относился. Видел однажды «Спящую красавицу», видел «Щелкунчика» — малышом, меня мать повела. И, конечно, бесчисленное количество «Лебединых» по телевизору.

Волков: Чайковского любили в России и по радио передавать...

Бродский: Да, неслось из всех репродукторов, наравне с Краснознаменным ансамблем песни и пляски Советской Армии и сюитами композитора Будашкина в исполнении оркестра народных инструментов.

Волков: Как же вы, при таком отношении к балету, все-таки познакомились и подружились с Барышниковым?

Бродский: А я и не помню, настолько это давно произошло. Дело в том, что в Ленинграде у нас было несколько общих, довольно близких знакомых. Не говоря о том, что мы просто ухаживали за девушками, жившими в одном доме, на одной и той же лестнице. Я-то тогда этого не знал. Мне это Мишель рассказал потом. Оказывается, его девушка ему меня показывала. Моя-то Барышникова не знала. И меня, по-моему, не знала тоже. Все это происходило в районе Мариинского театра. В конце концов, Ленинград — это small town, поэтому там практически все всех знали. И в этом смысле я, кстати, не думаю, что Шмаков в той среде как-то выделялся, что он был на подозрении. Единственная причина, по которой он мог казаться подозрительным, — эта та, что он виделся со слишком большим количеством иностранцев. За что в Ленинграде легко можно было схлопотать срок. В остальном же Шмаков чувствовал себя в Ленинграде в высшей степени дома — куда в большей степени, чем у себя на родине, в Свердловске. И куда в большей степени, чем в Нью-Йорке. В Ленинграде жили его учителя, друзья, коллеги. Он в этой среде плавал как угорь в Балтийском море или корюшка в Финском заливе. Чужаком он в Ленинграде не был. Хотя, разумеется, выделялся количеством своих знаний, да и просто отношением к жизни. О Шмакове кто-то сказал недавно, что он был романтик. Да, романтик, но одновременно он был таким счастливым гедонистом. Это был человек, которого ничто в жизни не могло огорчить, кроме одной простой вещи — отсутствия денег в кармане. И в тот момент, когда у него появлялись — в Ленинграде шестьсот рублей, а в Нью-Йорке двести долларов — и он мог купить то, что хотел, какую-нибудь дорогую вещь, в этот момент он был абсолютно счастлив, забывая о том, что было вчера, и не думая о том, что может произойти завтра или послезавтра. То есть этот человек вел себя — по всем стандартам легкомысленно, а по моим стандартам — как эллин. По крайней мере, я себе так эллинов представляю. И даже когда он умирал и мы стали говорить с ним о степени серьезности его болезни, он сказал мне: «Жозеф, я к смерти отношусь как французский аристократ к гильотине. Она неизбежна, поэтому чего об этом толковать».

Волков: Боюсь, Иосиф, что вы несколько идеализируете — задним числом — ситуацию с гомосексуалистами в Ленинграде. Конечно, официально никакой такой ситуации вообще не существовало — как не существовало официально и других сложных проблем. Но реальное положение гомосексуалистов в обществе — вспомните, Иосиф! Я даже не говорю сейчас о работягах. Но вот я, например, жил в Ленинграде в интернате, как он назывался, «для музыкально одаренных детей». Так вот, эти милые «музыкально одаренные» дети регулярно целыми кодлами отправлялись бить «гомиков», «пидоров» — выслеживали их и жестоко избивали. А потом еще похвалялись этим... И это были будущие музыканты, предположительно тонкие натуры! Многие из них знали, что их любимый Чайковский был «пидором». И все равно это их не останавливало... Мне еще один показательный эпизод запомнился, это было, когда «гласность и перестройка» в Советском Союзе уже вовсю раскручивались. Я поймал на коротковолновом приемнике передачу из Москвы на английском языке. Это был такой «радиомост» в прямой трансляции: люди из Штатов задавали вопросы, а советские эксперты в Москве, сидя в студии, им отвечали. Тема была — life styles. И вдруг какой-то гей из Сан-Франциско задает вопрос: «And what about gay life-style in the Soviet Union?» Что тут стряслось с советскими экспертами, описать невозможно: они все начали нервно хихикать и перебрасывать этот вопрос друг другу как горячую картошку. И никто из них не осмелился объявить американцу, что в Советском Союзе гомосексуализм — уголовно наказуемое деяние, даже между совершеннолетними и по взаимному согласию. И так дело обстоит, если я не ошибаюсь, до сих пор. Вот вам и весь советский gay life-style...

Бродский: Совершенно верно. Но в этом смысле любой life-style в Советском Союзе был уголовно наказуемым преступлением. Объективно говоря, если вы интересуетесь литературой — это уже девиация, отклонение от нормы. И каждый человек, который занимается литературой более или менее всерьез, ощущает себя — в той или иной степени — в подполье. Для меня это само собой разумеющийся факт. А в Советском Союзе ситуация еще более обострялась по одной простой причине. Ведь на самом-то деле литература, да вообще искусство — это, в конечном счете, частное предпринимательство. И у русского человека, по крайней мере в то время, в которое мы со Шмаковым воспитывались и воспитывали себя сами, существовало всего несколько форм частного предпринимательства. Для меня таковым была изящная словесность, для Шмакова — искусство, адюльтер, да еще вот —

пойти в кино. (Поскольку при всей ограниченности киноменю мы все-таки могли сами выбрать: куда пойти и что посмотреть.) Поэтому вы неизбежно чувствовали себя в несколько обостренных отношениях с системой, с государством. И не столько даже с государством и системой, сколько с людьми, вас окружавшими. И хотел бы вот что сказать, уточняя наши давешние рассуждения о том, кто и где ощущает себя чужаком. Вы знаете, дело тут вот в чем. Я помню, что еще в Ленинграде, написав стихотворение и выйдя после этого вечером на Литейный проспект, ощущал — и даже не просто ощущал, а знал точно — что я нахожусь среди людей, с которыми имею чрезвычайно мало общего. Потому что еще пятнадцать минут назад мою голову занимало то, что им в голову по той или иной причине не приходит — и, видимо, не скоро и придет. А это, между тем, были мои соотечественники. Поэтому когда выходишь с тем же самым ощущением на улицу в Нью-Йорке, то тут, по крайней мере, находишь оправдание, поскольку в данном случае у прохожих хотя бы родной язык иной, да? Так что ощущение чуждости здесь — оно не столь болезненно, сколь ощущение чуждости в отечестве. И это обстоятельство не следует упускать из виду, когда слушаешь все эти бесконечные и набившие оскомину рассуждения о жуткой драме писателей в изгнании. Потому что это, на самом деле, не совсем так. Я даже думаю, что аудитория здесь, на Западе, у писателей, музыкантов, танцовщиков из России или Восточной Европы — эта аудитория, в общем, более или менее адекватна, а зачастую даже превосходит ту, которая у этих людей имелась на родине. Я часто себя ловлю на этой мысли.

Волков: Это звучит логично даже с точки зрения простой арифметики. Помните, нам в Союзе постоянно долдонили про «одну шестую часть света»? Все-таки в остатке — пять шестых, не так уж мало. Кстати, вы знаете эту шутку: «что такое одна шестая часть света?» Ответ: «тьма». Это, кажется, Юз Алешковский придумал...

Бродский: Я бы к этому вот что добавил. Нам на наши рассуждения по этому вопросу могут возразить: да, у вас есть на Западе аудитория, но эти люди ничего не понимают, потому что не говорят с вами на одном языке. А я на это вот что отвечу: с человеком вообще на его языке никто не говорит! Даже когда с вами жена разговаривает, она не на вашем языке говорит! Разговаривая с ней, вы приспосабливаетесь к жене. И к другу вы себя приспособляете. В каждой подобной ситуации вы пытаетесь создать особый жаргон. Почему существуют жаргоны? Почему существуют всяческие профессиональные терминологии? Потому что люди знают, что они все — разные животные, но от этого страшненького факта они пытаются отгородиться, создав какую-то общую идиоматику, которая будет кодовым языком для «своих». Вот таким-то образом и возникает иллюзия, что ты — среди «своих», что в данной группе тебя понимают. Разумеется, когда ты, выступая, хохмишь, а в зале начинают улыбаться и хихикать — то есть демонстрируют, что «понимают» тебя, — то это вроде бы приятно. Но в общем это удовольствие, без которого можно обойтись.

Волков: То, о чем вы говорите, имеет отношение и к Шмакову. Переехав из Питера в Нью-Йорк, он, конечно, многое потерял. Но многое и приобрел. В частности, в Нью-Йорке ему больше не нужно было скрывать свою гомосексуальность. Причем выигрыш здесь был как бы двойной. С одной стороны, полностью исчезла висевшая над Шмаковым в Ленинграде постоянная угроза тюрьмы или лагеря. С другой, он все-таки ощущал себя принадлежавшим к некоему ордену, братству. Мне кажется, он в этой ситуации наслаждался.

Бродский: Нет, он был существом гораздо более сложным. Если уж мы говорим о том, о чем говорить не следует, то есть об эротических предпочтениях индивидуума, да? Хотя это, в конце концов, частное дело каждого человека. И я не понимаю, почему это надо превращать в тему для обсуждения. Но тем не менее...

Волков: Иосиф, вы меня знаете, я не стал бы затевать этого разговора из чисто скабрезного интереса. Но мы сейчас говорим о фигуре примечательной, имеющей, как мне кажется, определенный символический интерес и значение — как в контексте Ленинграда шестидесятых годов, так и в контексте Нью-Йорка семидесятых–восьмидесятых годов. И его сексуальные предпочтения имели огромное значение для его жизни...

Бродский: А также для его смерти. Ну вы знаете, я скажу так. Шмаков вовсе не был, что называется, your average flaming homosexual. Ничего подобного. Он был, если уж говорить об этом, бисексуален. Это для начала. Разумеется, здесь, в Нью-Йорке, ему уже не нужно было всячески скрывать ту сторону его натуры, которая была заинтересована и увлечена мужчинами. Но и это мое заявление тоже до известной степени является преувеличением. Потому что все-таки дело не столько в ограничениях, накладываемых социальной структурой, сколько в самоограничении человека определенной культуры. А мы с ним, наше поколение, все были продуктами в общем-то пуританской культуры. Соответственно, Шмаков был не тем человеком, который на каждом углу кричал о своих предпочтениях и привязанностях. Не забывайте, что он обожал Пруста, много переводил его. То есть он был пленником культуры в первую очередь — и в последнюю тоже — а не пленником своих эротических предпочтений, и эта культура, эта литература воспитывала его совершенно определенным образом. В конце концов, тот же самый Пруст, когда он писал свой роман, ведь он не зря Альберта превращал в Альбертину. Так и Шмакову в вопросах пола была присуща скорее таинственность, то есть он был склонен скорее покрывать свои любовные похождения некоторым налетом таинственности, нежели на каждом углу заявлять о своей сексуальной свободе. Он так и не стал одним из этих типичных местных геев, для которых существо их жизни состоит именно в утверждении своей сексуальной identify. (Уж не знаю, как это перевести на русский язык, хотя, наверное, перевод есть.) Другой identify у этих людей нет. А у Шмакова — была.

Волков: Помню, мы встретились со Шмаковым перед его отъездом из России в Нью-Йорк, дело было весной 1975 года. Он тогда подарил мне свою вышедшую в Тарту работу об отношениях Блока и Михаила Кузмина, с надписью, которую я люблю перечитывать — «Милому Соломону Волкову с надеждами на встречу в стране «цвета времени и снов». Такими ему из России виделись Штаты. (Сейчас-то я в эту надпись вкладываю совсем другой смысл.) А тогда Шмаков был радостно возбужден, говорил мне, что в Нью-Йорке будет, видимо, преподавать в университете. Из этого, однако, ничего не получилось...

Бродский: Вы знаете, я тоже предполагал, что как только Шмаков приедет в Штаты, все сейчас же станет на свои места. И он начнет преподавать в каком-нибудь университете — как я надеялся, в Колумбийском. Но тут обстоятельства сложились крайне неблагополучно. Потому что ключевые позиции на славистских кафедрах в нескольких из ведущих американских учебных заведений оказались занятыми теми людьми, которые в прошлом Шмакова доили, в некотором роде. Когда они в свое время приезжали в Советский Союз, Шмаков давал им разнообразные материалы, на основании которых они в дальнейшем писали свои диссертации, при этом без всяких ссылок на Шмакова или его консультации. И для них появление Шмакова в Нью-Йорке было хуже второго пришествия. Мы оба знаем, о ком идет речь, поэтому можем обойтись без фамилий. То, что они повели себя как подонки — это безусловно. Шмаков же, со своей стороны, когда его, по самому началу, приглашали на какие-то славистские конференции, усугубил ситуацию тем, что, слыша несущуюся с трибуны ахинею, таковой ее и называл. Такие номера он выкидывал несколько раз. Что ни в коем случае не помогло ему в приобретении друзей в академической славистской среде. Но Шмакова все это не особенно уязвило, как это ни странно. Поскольку он был человек очень гордый, подачек бы не стал принимать все равно. И он, в общем-то, действительно был равнодушен к успеху. То есть, конечно, ему было приятно, когда к нему хорошо относились. Это нам всем приятно. Но когда к нам относятся плохо, это нас ни в коем случае с толку не сбивает. В этом смысле Шмаков был типичным представителем нашего поколения. Мы там, в Питере, все выросли убежденными индивидуалистами — и потому, быть может, бо́льшими американцами, чем многие настоящие американцы, в Штатах родившиеся. По крайней мере, это так в философском и, может быть, психологическом плане. И Шмаков, потерпев в Нью-Йорке неудачу на академическом поприще, совершил несколько попыток реализации своих индивидуалистических устремлений. Помню, как он носился с идеей русской кухни в Нью-Йорке —то, что здесь называется catering. Потому что Шмаков, как вы знаете, был совершенно феноменальным кулинаром.

Волков: Да, шмаковские супы и котлеты я никогда не забуду!

Бродский: Я тоже второго такого волшебника в этой области не знал. За одним, пожалуй, исключением: Честер Каллман, приятель покойного Одена. Каллман и Шмаков во многом были существа конгениальные. Увы, ничего из этой затеи Шмакова не вышло, прогорела его кулинарная антреприза. Тогда он стал пописывать в разные журналы статьи о русском балете. Помните, вы как-то процитировали Слуцкого: «Его кормили. Но кормили — плохо»? Так вот, кормили Шмакова не очень плохо, на самом деле. То есть он сам кормился не очень плохо. Но вот платили ему, особенно поначалу, за его статьи — плохо. И тогда я познакомил его с Алексом Либерманом и Татьяной Яковлевой, его женой. Либерман, как вы знаете, возглавлял американский «Вог», для какового журнала Шмаков и стал более или менее стабильно поставлять материалы.

Волков: Насколько я знаю, Шмаков также стал записывать воспоминания Яковлевой. Она ведь прожила бурную жизнь — и в Европе, и в Америке. Великая любовь Маяковского — чего уж более!

Бродский: Из этого тоже, к сожалению, ничего не вышло, по многим и сложным причинам. Но Либерманы оказались для Шмакова новой семьей. Последние годы он просто жил в их загородном доме в Коннектикуте, уже довольно редко наведываясь в свою нью-йоркскую квартиру. В отношении Шмакова Либерманы были ангелами. И вообще, они ужасно хорошие. Ты сюда приезжаешь, чего-то там залупаешься, с кем-то сшибаешься из-за каких-то принципов. Но в том-то и прелесть жизни, что вот она проходит, и самыми важными становятся чисто человеческие дела и отношения, а не идеологическая или философская сторона дела. Я об этом в последнее время стал задумываться именно в связи с общением с Либерманами. И я рад, что они скрасили Шмакову его последние дни. Кроме того, они принимали живейшее участие в книжных проектах Шмакова, из которых он успел осуществить три. Первой вышла автобиография Натальи Макаровой, которую Шмаков фактически написал, хотя в этом издании он значился только лишь как редактор. Затем последовала биография Барышникова — на мой взгляд, чрезвычайно достойное произведение, чьи достоинства оказались до известной степени причиной финансового неуспеха этой биографии. Ибо в ней не было никаких сплетен, не перебиралось грязное белье звезды и так далее. И, наконец, великолепно изданный том под названием «The Great Russian dancers».

Волков: Извините, Иосиф, что я вас перебью, но мне хотелось бы высказаться по поводу первых двух книг Шмакова — автобиографии Макаровой и биографии Барышникова. Обе эти книги — как и «The Great Russian dancers», конечно, — стоят у меня дома на полке. Они для меня довольно-таки важны по многим причинам. Главное — я на собственном опыте знаю, как трудно здесь, на Западе, пробиться в книжный бизнес эмигранту из России, чья специализация — то, что у нас называлось «вед»: то есть если он литературовед, музыковед, искусствовед, его здесь рассматривают в первую очередь как «информанта», как источник сугубо фактических сведений. Принес, как собака, в зубах свою информацию — и хорошо, а твои выводы или обобщения никому здесь не нужны, можешь убираться на все четыре стороны. Шмаков такого отношения нахлебался, как мы знаем, в Штатах вдоволь. И я чрезвычайно уважаю его за настойчивость, которую он в данном случае, опубликовав не одну (что уже само по себе — почти подвиг), а целых три книги по-английски, проявил. Но тут я вынужден с горечью добавить, что герои книг Шмакова ему в этом многотрудном деле не очень-то поспособствовали. Я об этом знаю со слов самого Шмакова. Сколько крови попортила ему Наталья Макарова во время их совместной работы над ее автобиографией!

Бродский: Ну, она — звезда с фанабериями, это всем известно!

Волков: Коли звезда, то не грех было бы и рассчитаться с братом — эмигрантом из России — за выполненную им высокопрофессиональную работу пощедрее... А что случилось с книгой Шмакова о Барышникове? Закончив рукопись, Шмаков дал ее Барышникову на прочтение. И, как Шмаков мне рассказывал, Барышников вычеркнул из этой рукописи все показавшиеся ему «излишними» или «неудобными» биографические подробности. И вот этот кастрированный вариант Шмаков и опубликовал. Ясно, что у подобной биографии было мало шансов на успех; я помню, как нью-йоркские критики в своих рецензиях недоумевали: почему это Шмаков, многолетний и близкий друг Барышникова, не сообщил в книге о нем ничего нового и интересного? Шмаков оказался в глупом положении, но, в конце концов, это был его выбор, его дело. Меня удивило другое. Какое-то время спустя в «Нью-Йорк Таймс Мэгэзин» появилось интервью с Барышниковым, причем среди вопросов был и такой: «читали ли вы книгу Шмакова?» Тут, казалось бы, Барышникову предоставлялся удобный случай сказать о Шмакове и его работе хотя бы несколько теплых слов. Вместо этого он ответил, что книги этой не читал. Опять-таки, говорит Барышников репортерам правду или нет — это его личное дело. Но Шмакова он в данном случае уже во второй раз подставил.

Бродский: Ну да, в деловом смысле...

Волков: Поскольку он эту книгу не просто читал, но еще и выполнил по отношению к ней роль, которую уважающий себя американский автор ему бы выполнить не дал, а именно — роль цензора. В Штатах в принципе не положено нести биографию человека ему на предварительный просмотр и одобрение, поскольку это ставит под сомнение авторскую, как здесь говорят, integrity. Но Шмаков этим принципом поступился. В данном случае я его не одобряю, но он, видимо, считал, что это его обязанность по отношению к Барышникову как к другу, а не просто как к объекту исследования. Но тогда, в свою очередь, и Барышников должен был вести себя как друг. И когда я слушал такое теплое, прочувствованное выступление Барышникова на панихиде по

Шмакову, то не без грусти думал: а что мешало эти же красивые слова высказать публично еще при жизни Шмакова?

Бродский: Ну вы знаете, в конце концов все мы совершаем ошибки. Все мы находимся в тот или иной момент в какой-то диковатой ситуации.

Волков: Ведь когда Барышников сказал, что книги Шмакова не читал — это был чистой воды выпендреж, за счет друга.

Бродский: Ну да, наверное это был выпендреж, а может быть — и не выпендреж, я не знаю. Может быть, Барышников не хотел признаваться, что читал книгу Шмакова. Может быть, он хотел создать впечатление, что книг о себе не читает. И надо сказать, что зачастую так дело и обстоит. Например, я точно знаю, что он не читал скандальной книжки Гелси Киркланд. С другой стороны, я знаю довольно детально, в какой степени Барышников помогал Шмакову во всех других отношениях. Так что я думаю, что если Барышников в своем сознании занимался этой проблемой — хотя я не думаю, что он этим занимался или должен был бы заниматься — если он соотносил одно с другим, то у него, вероятно, не должно было возникать ощущения той подножки, о которой вы говорили. Вы знаете, одно уравновешивает другое.

Волков: Я лично остаюсь при мнении, что хорошие слова о человеке предпочтительнее говорить при его жизни, не стесняясь и публичных оказий. И, коли мы уж об этом заговорили, хочу поблагодарить вас за лестное для меня упоминание моего имени в вашем недавнем интервью московскому журналу «Огонек». Должен вам сказать, что это — первое после моей эмиграции на Запад появление моего имени в тамошней прессе без сопровождающего обязательного слова «отщепенец».

Бродский: Неизвестно еще, надо ли меня за это благодарить. Поскольку я думаю, что называться отщепенцем — это весьма лестно. Все мы отщепенцы, изгои, да?

Волков: С третьей, и последней книгой Шмакова, опубликованной при его жизни — «The Great Russian dancers», вообще сложилась, как мне представляется, ситуация трагическая. Она не только не нашла широкого читателя, но и профессиональная критика ее практически замолчала. Что отражало ту враждебность и пренебрежение к Шмакову, которые в тот момент накопились в этой среде.

Бродский: Безусловно! Поскольку Шмаков был человеком абсолютных мнений, плюс никогда их не скрывал. Я тоже считаю, что просто бессмысленно открывать рот, чтобы сказать то, чего ты не думаешь. Это полная трата отпущенного тебе времени и энергии. От Шмакова стали отгораживаться иронией и насмешками. Его имя, как вы знаете, для американского уха звучит несколько диковато и комично. И как следствие, оно дважды появлялось в списке местных критиков с самыми неудобоваримыми именами. Что очень отравляло Шмакову жизнь. Он даже изменил написание своего имени, но это его не спасло. Тогда он какие-то свои статьи стал подписывать псевдонимом, что было предметом наших бесконечных шуток. Вдобавок очередная работа

Шмакова о балете — биография Мариуса Петипа, первая в своем роде, насколько мне известно — была встречена его издателем без особого энтузиазма. Уж не знаю, в чем там было дело. В свое время я видел несколько сот страниц этого манускрипта, но ведь я этих вещей не читаю — я вам говорил уж не раз, что балет меня не особенно сильно занимает. В итоге Шмаков несколько поохладел к писаниям о балете. Думаю, главное, что его на свете интересовало в последние годы — годы, оказавшиеся последними — это опера, Мария Каллас, о которой он и принялся писать книгу. Кроме того, автобиографический роман. Вот вы употребили выражение «трагическая ситуация». Да нет же, я не устану повторять, что это был человек счастливой психологической конституции. И поскольку он имел хлеб насущный сегодня, его не особенно интересовало, что произойдет завтра. Тем более что его поддерживали Либерманы, Барышников — да все, кто его знал и любил.

Волков: В свою очередь, и он очень многим помог Барышникову...

Бродский: Да, он Барышникову дал чрезвычайно много. Поскольку у Шмакова, как вы знаете, была совершенно феноменальная балетная и сценическая память. Он знал и помнил наизусть множество классических балетных постановок. Он помнил в них каждую мизансцену, каждое движение. Это было нечто удивительное. Должен вам сказать, что мне было чрезвычайно интересно слушать разговоры Шмакова с Барышниковым о том или ином классическом балете. Я, помню, думал: какие у людей бывают странные качества! Представьте себе: я раньше не знал, что существует такое понятие, как музыкальная память. Что музыканты запоминают последовательность разворачивания музыки, такт за тактом, как мы помним разворачивание стиха — слово за словом. И даже музыкантская память — более подробная и точная. Для меня это было большим сюрпризом... Подождите, Соломон, я сейчас закурю...

Волков: Понятная человеческая слабость...

Бродский: Да, понятная человеческая слабость, от которой наступает еще большая слабость...

Волков: Когда Шмаков умер, меня поразило одно совпадение. Это была всего лишь деталь, но «говорящая». В «Нью-Йорк Таймс» появился некролог, в котором было сказано, что причина смерти — опухоль в мозгу. В то время как Шмаков умер от СПИДа...

Бродский: Этот некролог написал, кстати, я. Ну они мне его перекроили, разумеется. И даже вписали фразу, которая мне вообще не принадлежит — именно эту, об опухоли в мозгу. Я подобной вещи сказать не мог, поскольку факт смерти Шмакова от СПИДа был более или менее общеизвестен. Секрета из этого мы не делали. И я крайне удивился подобной цензуре со стороны «Нью-Йорк Таймс». Ну, в конце концов, смерть — это дело частное. Неважно, от чего умираешь...

Волков: Совпадение же, о котором я начал говорить, заключается в том, что приблизительно в это же время в московском журнале «Огонек» появилось огромнейшее интервью с главным тамошним сексологом Игорем Коном на тему о СПИДе в России. И это был, насколько я понимаю, прорыв в обсуждении этой темы там. Впервые открыто заговорили о СПИДе. Впервые, на моей памяти, официальная пресса высказалась без осуждения и паники о гомосексуалистах в России. Кон сказал, что по его оценкам от двух до пяти процентов мужского населения там — гомосексуалисты. Никогда раньше подобные цифры не приводились. Я уж не знаю, насколько они точны — скорее всего, сильно занижены: кто же сейчас в России будет признаваться в том, что он — гомосексуалист! Но все-таки это начало какого-то откровенного разговора. При том, что они настаивают, будто в России известен всего один случай заболевания СПИДом. Что, конечно, является неправдой. Кстати, Шмаков вовсе не был первым известным русским эмигрантом, умершим от СПИДа. В начале 1988 года в Амстердаме умер молодой пианист Юрий Егоров...

Бродский: Да, я знал его!

Волков: Это был музыкант фантастической одаренности! Он обещал стать новым Горовицем. Я получил извещение о его смерти, подписанное голландским другом Егорова. А через несколько месяцев пришло письмо, извещавшее о смерти этого друга... Что касается публикации в журнале «Огонек», то там обнажается масса проблем: ничего нет, даже презервативов в продаже нет.

Бродский: Никак перестал работать знаменитый Баковский завод резиновых изделий? Помните? Но эти изделия, насколько я припоминаю, никогда не пользовались у населения России особым доверием.

Волков: Да, гораздо больше ценились импортные китайские презервативы. Считалось, что они повышенного качества, поскольку китайцам надо было контролировать рождаемость.

Бродский: Это, по-моему, глобальная проблема. Недавно я прочел где-то довольно интересную информацию о том, что в Чикаго, в одном из исследовательских институтов, в качестве опыта презервативы просто положили на подоконник. И они от воздействия воздуха — от этого смога и так далее — начали разлагаться. То есть резина не выдерживает того воздуха, которым мы дышим.

Волков: Резина не выдерживает, а мы как-то выдерживаем.

Бродский: Но недолго. Недолго. И вдобавок, эта обременительная мысль о том, что надеяться на презервативы не приходится. На каковую тему мы в свое время со Шмаковым также немало шутили.

Волков: Хорошо бы теперь издать в России переводы Шмакова из Кавафиса, да и другие его работы. Нынче это в принципе возможно, поскольку там довольно жадно абсорбируют культурное богатство, накопленное русской эмиграцией за семьдесят лет. Дойдет, безусловно, очередь и до писаний Шмакова. Что будет восстановлением некоей исторической справедливости, поскольку, когда Шмаков эмигрировал, его имя в России стали отовсюду вычеркивать, а работы его повыкидывали из библиотек. Что самое удивительное — в свое время подобная варварская политика, которая применялась ко всем эмигрантам без исключения — все они словно проваливались в черную дыру — воспринималась в России как нечто естественное, само собой разумеющееся. Возникали всякого рода гротескные ситуации. Например, в Москве в 1976 году вышел сборник статей о Майе Плисецкой, в котором участвовали ведущие балетные критики, в том числе и Шмаков. Но, поскольку он в это время уже жил в Нью-Йорке, его статья подписана другим именем.

Бродский: Да, Шмаков к Майе относился с восторгом. И она к нему была очень благосклонна. Уже когда он был совершенно болен, Шмаков, вместе с Барышниковым, отправился в Бостон на галапредставление Майи. Но там он свалился с приступом, пришлось спешно возвращать его в Нью-Йорк.

Волков: Мне об этом рассказывал Андрей Вознесенский, который поехал в Бостон в одной компании со Шмаковым. Он тогда, кажется, сочинил свой стихотворный экспромт: «Геннадий Шмаков, ты не любил в душе башмаков».

Бродский: Должен сказать, что, при всей его подонностости, Евтушенко мне все же симпатичнее, чем Вознесенский. С моей точки зрения — которая конечно же не безупречна — у Евтуха русский язык все-таки лучше. Ну, что такое Евтух? Это такая большая фабрика по сомовоспроизводству, да? Он работает исключительно на самого себя и не делает из этого секрета. То есть он абсолютно откровенен. И, в отличие от Вознесенского, не корчит из себя poète maudit — «прóклятого поэта», богему, тонкача и знатока искусств. И я, между прочим, думаю, что искусство Евтушенко знает и понимает получше, чем Вознесенский.

Волков: Вы знаете, Иосиф, я уверен, что в какую-то будущую идеальную антологию русской поэзии XX века войдут при любом, самом строжайшем отборе, по десятку-другому стихотворений и Евтушенко, и Вознесенского.

Бродский: Ну это безусловно, безусловно! Да что там говорить, я знаю на память стихи и Евтуха, и Вознесенского — думаю, строк двести-триста на каждого наберется. Вполне, вполне.

Волков: И в истории русской культуры и общественно-политической жизни XX века и «Бабий Яр», и «Наследники Сталина» Евтушенко навсегда останутся.

Бродский: А я не уверен, что останутся. Потому что если в ту антологию, о которой вы говорите, будет включена «Погорельщина» Клюева или, скажем, стихи Горбовского — то «Бабьему Яру» там делать нечего.

Волков: Разница в том, что произведения Клюева или Горбовского все эти десятилетия распространялись по стране в лучшем случае в списках, а то и в устной форме, а «Бабий Яр» и «Наследники Сталина» появились в газетах с миллионными тиражами, их весь Советский Союз прочел. Потому эти стихи Евтушенко и сыграли свою историческую роль.

Бродский: Ну правильно. Ну, чуваки бросали камни в разрешенном направлении, зная, что они идут на полголовы впереди обывателя.

И обыватель балдел! Вот и вся их историческая роль. Все это очень просто, даже банально: у Евтуха и Вознесенского всю дорогу были какие-то друзья в ЦК партии — вторые, или третьи, или шестнадцатые секретари — и потому чуваки постоянно были более или менее в курсе дела, куда ветер завтра подует.

Волков: Скоро наступит конец ХХ века. У людей так уж устроено мышление, что в связи с подобными круглыми датами они всегда ожидают каких-то сверхъестественных событий, вроде конца мира.

Бродский: Самое интересное, что нечто в этом роде всегда и наступало...

Волков: Но особенно разительно ситуация под конец века все-таки изменилась в бывшем Советском Союзе и странах советской империи. Я не говорю сейчас об экономике, в которой все равно ничего не понимаю, а о культурной сцене. Здесь изменения наиболее радикальны, причем интересно, что произошли они вовсе не в том направлении, в каком...

Бродский: ...чуваки предполагали? Да, совершенно верно. Но это нормальный просчет. Это просчет всего государственного аппарата культуры. Это просчет бесчисленных чиновников всех этих так называемых творческих союзов. Это и просчет самих этих чуваков. Но это и естественно. Они не могли не просчитаться. Потому что единственный способ предсказать будущее с какой бы то ни было точностью — это когда на него смотришь сквозь довольно мрачные очки.

Волков: Особенно забавны сейчас сравнительно недавние издания в серии «Библиотека поэта» — кого там записали в классики русской поэзии ХХ века. До того, как в этой серии издали, наконец, Гумилева и Ходасевича, в ней появились пухлые тома Луговского, Луконина, Наровчатова, то есть поэтов с совершенно дутыми репутациями.

Бродский: Ну не такие уж они и дутые, там талант присутствовал. Другое дело, что с этим талантом произошло потом.

Волков: Ну разве можно Луговского сравнить хотя бы с Сельвинским или Тихоновым? Те действительно что-то сделали для русской поэзии. А что Луговской оставил? Стихи о чекистах, рыбоводах — фальшивая романтика, хуже Багрицкого.

Бродский: Это хуже Багрицкого, конечно. Багрицкий гораздо лучше Луговского, хотя тоже не бог весть что. Но я помню у Луговского целую книжку, называлась «Середина века». Это были белые стихи, которые сыграли определенную роль в становлении — по крайней мере, чисто стиховом — нашего поколения. Конечно, такая колоссальная фигура как Ходасевич их всех под себя подминает. Это безусловно. С другой стороны, следует ожидать издания в этой самой «Библиотеке поэта» и тома какого-нибудь эмигранта, вроде Георгия Адамовича, стихи которого мне никогда особенно не нравились. Помню, как я огорчился, увидев — еще в Ленинграде — первую книжку Адамовича. Поскольку все уже было понятно — логика развития и так далее. И все это было не очень интересно. Ну если уж мы заговорили о том, что под конец века все на культурной сцене как бы расставляется по своим местам, то я вот что скажу: никто не должен волноваться по этому поводу. Потому что на свои места ставит само время — независимо от наличия железного занавеса или же его отсутствия. Существует закон сохранения энергии: энергия, выданная в мир, не пропадает бесследно при любой политической или культурной изоляции. И если в этой энергии вдобавок есть еще и какое-то определенное качество, то тогда волноваться уж совершенно незачем. Поэтому зря поэты предаются вельтшмерцу по поводу того, что их не печатают или не признают. Им надо волноваться только по поводу качества того, что они делают. Потому что при наличии качества все рано или поздно станет на свои места. Особенно теперь, когда благодаря популяционному взрыву людям нечем заняться и многие из них идут в критики или литературоведы. Так что вниманием никто не будет обойден, с этим все будет в порядке. Неизвестных гениев — нет. Это просто такая мифология, доставшаяся нам в наследство от XIX века — мифология довольно-таки неубедительная. В будущем все сестры получат по серьгам.

Волков: Любопытно наблюдать за тем, как засуетились люди в связи с крушением установившихся иерархий в области культуры. Сначала было модным доказывать, что ты всегда был диссидентом или, по крайней мере, нонконформистом в душе. Но этот период сравнительно быстро прошел и теперь можно опять с гордостью вспоминать о былом высоком положении и близости к власть предержащим. Кто-то из писателей не так давно с воодушевлением описывал, как он сражался в теннис с комсомольскими вождями — не помню уж, кажется, это был Гладилин.

Бродский: Что касается Гладилина, то мне сейчас вспомнился связанный с ним характерный эпизод. Это был 1965 год, я только что освободился и приехал в Москву. Довольно хорошо помню, как я попал туда, но сейчас это неважно. Так вот, Евтушенко тогда пригласил меня в журнал «Юность» на банкет, который давал Гладилин в связи с публикацией там своей новой повести. Это была такая феня, о которой я совершенно не подозревал, для меня все это было большим открытием об ту пору; что писатель устраивает банкет для тех, кто помог протолкнуть, пропихнуть его произведение в журнал или какое-нибудь издательство. Здесь, на Западе, все происходит как раз наоборот: тут издатель тебе устраивает банкет, если он вообще что-нибудь устраивает. Но в принципе в банкете как таковом ничего ужасного нет, это даже и нормально. Дело не в банкете, дело в том, что я там услышал. Сидели там в основном сотрудники «Юности», довольно страшные существа. Гладилин встал и, обращаясь ко всем этим падлам и сволочам, начал что-то плести: «Только благодаря вашей мудрости, вашему тонкому чутью и пониманию современной русской литературы» и так далее. Я понимаю, что это этикет. Я понимаю, что все эти люди всего лишь исполняли свою работу, но объективно — это падлы, да? А Гладилин выдает им этот тост, этот шпиль минут на пятнадцать. И чего он только там не говорил! Меня от этого дела просто начало физически мутить. Тем не менее Гладилина-то я еще сдюжил, думал — ну сейчас жрать начнем. Но не тут-то было! Встает Евтух и выдает спич на таком уровне холуйской элоквенции, что мне действительно стало сильно не по себе. С сердцем началась лажа. Тогда Ахматова еще была жива, я с ней общался и потому все время носил с собой валидол. Пришлось мне выйти в предбанничек, я сел на лавочку и начал этот валидол лизать. Потому что так этих падл в лицо за столом, уставленном жратвой, превозносить нельзя. Это было сильно выше определенной черты. Это была уже такая, как бы сказать, ионосфера безнравственности. Но дело даже не в этом. Слова, конечно, ничего не значат. Эту концепцию, в общем, можно понять. Но только на уровне концепции! Потому что когда ты присутствуешь физически при этом выходе за пределы тяготения, то тебе становится худо: перегрузка начинает действовать.

Волков: Сейчас в России много говорят о деньгах: кто сколько зарабатывает и так далее. Некоторые осуждают подобные разговоры — дескать, куда же улетучился традиционный русский идеализм? Действительно, в Советском Союзе о деньгах, окладах и тому подобном говорить не то чтобы не поощрялось, но прямо запрещалось. Фактического равенства все равно не было, поскольку и тогда существовали огромные разрывы в доходах, но поддерживалась иллюзия этого равенства. Это было такое социальное лицемерие. И в теперешних разговорах о своем былом высоком положении, членстве в Союзе писателей и так далее, я слышу отголоски этого лицемерия. Потому что на самом-то деле человек хочет сказать: «Эх, сколько я тогда зарабатывал денег!»

Бродский: Это очень интересно, между прочим. У этой проблемы есть два аспекта. Прежде всего, всякое равенство, да и вообще идея равенства как таковая, мне представляется абсолютно бредовой, да? Что же касается этих воспоминаний о том, кто и кем был в Советском Союзе... Тут есть еще один нюанс, который я в общем-то считаю основой вот этой психологии. На самом-то деле эти люди имеют в виду даже не столько то, кем они некогда были и сколько они зарабатывали, а то, что они делом занимались. Что они реальные люди. Это попытка доказать реальность своего существования, хотя бы и в прошлом. К примеру, человек говорит: «Я работал главным инженером большого завода». Главный инженер в советской мифологии — это человек, который сталкивался с реальными проблемами, да? То же самое происходит, когда человек говорит: «Я был видным членом Союза советских писателей». Конечно, мне это все глубоко несимпатично, но когда я все эти речи сейчас слушаю, то пытаюсь найти в них некий лиризм. Потому что — ну какие мы этим людям судьи?

Волков: Оно конечно — «не судите, да не судимы будете»...

Бродский: Это вообще-то не про коммунальную квартиру сказано, это про несколько более высокий уровень. Но не в этом дело...

Волков: Просто, общаясь с людьми, мы производим какой-то отбор. А судить их при этом вовсе не обязательно.

Бродский: Я-то думал, что отбор, о котором вы говорите, производится на основе чисто физической. Знаете, когда ты кого-то просто на дух не переносишь, да? А совершенно не по принципиальным соображениям. Что же касается принципиальных соображений, то я вообще не очень понимаю их чрезмерной роли в личных отношениях, особенно среди соотечественников. Поскольку уж чему-чему, а одной вещи нас в России всю дорогу учили — хотя, к величайшему сожалению, не до конца научили — это прощать, извинять, оправдывать. А не судить. Нет, если я с кем-то там дел не имею, то исключительно потому, что меня от этого человека просто мутит. Есть такие... Ну что поделаешь — несовместимость.

Волков: Теперь вас в России много печатают, хвалят, цитируют. Но продолжаются также и нападки. Просто раньше эти нападки были государственными — «тунеядец», «хулиган», «отщепенец», «антисоветчик» и прочее, а теперь вас поносят в основном с правого фланга: националисты, коммунисты, неофашисты. Их атаки на вас сводятся в основном к следующему: вас нельзя называть русским поэтом, поскольку вы и не поэт, и не русский. То есть писания многих ваших врагов основываются на консервативной эстетике с весьма ощутимой примесью антисемитизма.

Бродский: Вы знаете, Соломон, я вам сейчас просто прочту две строчки из письма, полученного мною сегодня по почте из Москвы. Вот они: «Жид недобитый! Будь ты проклят!» Все.

Волков: Что, это письмо пришло прямо на ваш нью-йоркский адрес?

Бродский: Да.

Волков: От такого можно поежиться... В такие моменты благодаришь судьбу за то, что живешь по другую сторону океана, под защитой...

Бродский: Да, «под защитой чуждых крыл»...

Волков: И теперь я, пожалуй, лучше понимаю, почему вы до сих пор не съездили в Россию и, в частности, в родной город...

Бродский: Ну мы ведь знаем, что дважды в ту же самую реку вступить невозможно, даже если эта река — Нева. Более того, на тот же асфальт невозможно вступить дважды, поскольку он меняется после каждой новой волны траффика. А если говорить серьезно, современная Россия — это уж другая страна, абсолютно другой мир. И оказаться там туристом — ну это уже полностью себя свести с ума. Ведь как правило, куда-нибудь едешь из-за некой внутренней или, скорее, внешней необходимости. Ни той, ни другой я, говоря откровенно, в связи с Россией не ощущаю. Потому что на самом деле — не едешь куда-то, а уезжаешь от чего-то. По крайней мере со мной все время так и происходит. Для меня жизнь — это постоянное удаление «от». И в этой ситуации лучше свое прошлое более или менее хранить в памяти, а лицом к лицу с ним стараться не сталкиваться.

Волков: У Ахматовой есть на этот счет высказывание, которое я очень люблю. Она говорила примерно так: «Отсутствие — лучшее лекарство от забвения; а лучший способ забыть навек — это видеть ежедневно». Я эти слова Ахматовой часто в последние годы повторял, поскольку писал историю культуры Санкт-Петербурга и все это время воображал какой-то идеальный город, которого, наверное, на самом-то деле нет и не было. Конечно, можно было бы туда поехать, но это, я уверен, помешало бы мне закончить книгу.

Бродский: Что ж, это вполне достойное соображение. Но у меня даже и такого аргумента нет, поскольку я ведь не знал, что я пишу и чего я не пишу. Потому что со стишками — знаете, как это? — день так, день иначе, непонятно, что происходит... Но уж коли мы стали докапываться до каких-то причин, то вот вам еще одно соображение. Ведь что в сильной степени выводит из себя в Европе? Что страны разные, их культуры разные, истории их разные, а кожаные куртки и стрижки у европейской молодой шпаны — везде одинаковые. Видеть этих молодых хулиганов на улице мне крайне неприятно. И если уж неприятно шпану эту видеть здесь, то увидеть ее в родном городе — это было бы уж совсем ни в какие ворота, да? Ну я не знаю...

Волков: Я давно хотел спросить вас вот о чем. В России теперь книги ваши выходят одна за другой. Но все они составлены не вами, а другими людьми. И в связи с этим от вас часто можно услышать разного рода претензии по поводу того, как та или иная из ваших книг составлена. А сами вы тем не менее за эту работу так и не беретесь. Если я не ошибаюсь, за всю вашу творческую историю вы, быть может, всего раз или два взяли на себя, что называется, ответственность за состав собственной книги. Это что, ваша позиция?

Бродский: Самый простой ответ будет такой: да, это моя позиция. Это так, если угодно. Мне действительно все равно, как будет выглядеть очередная моя книжка — постольку поскольку уже с самого начала все у меня пошло неправильно. Быть может, все это и надо было бы печатать в свое время какими-то циклами, согласно хронологии появления. Но поскольку это не имело места, то чего об этом и заботиться. Карты раз и навсегда спутаны, а исправлять что бы то ни было, приводить в порядок — я не собираюсь. Мне это абсолютно безразлично. Тем более что я вообще не смотрю на себя и на свои дела как на какой-то линейный процесс. То есть этот процесс, безусловно, линейный — просто потому, что время, к сожалению, линейно. По крайней мере, в нашей культуре, да? Но тем не менее никаких дополнительных усилий по выпрямлению своих дел я предпринимать не собираюсь. Никаких особых ощущений или замечательных идей — например, что что-то в моих книжках стоит не на том месте, что-то напечатано неправильно — у меня нет. Не там стоит — да и прекрасно, что не там.

Волков: То есть вы категорически отказываетесь составлять собственные книги стихов?

Бродский: Да, я этого делать совершенно не в состоянии. Единственное, что я в состоянии сделать — это написать цикл стихотворений. И тогда, конечно, хочется, чтобы он сразу же был опубликован, да? Но этого практически никогда не происходило. А ретроспективно этим заниматься — бессмысленно. Да и вообще, чтобы этим заниматься, надо к себе лучше относиться, чем это имеет место в моем случае. Ведь сочинительство — это процесс, как бы это сказать, не очень-то гладкий, да? И уж если у тебя есть возможность чем-то заниматься, то ты уж лучше стишки сочиняешь, чем книжки составляешь. А в тот момент, когда можно бы составлять книжку... Как правило, в тот момент стихи не пишутся, чего-то не получается. А когда стихи не получаются, тебе кажется, что они уже никогда не получатся. Что это, как сказала бы Ахматова, «ушло». Поэтому заниматься составлением книги в этот период — ну совершенно уже полный моветон, потому что думаешь: елки-палки, что происходит? Получается, что ты живешь вчерашней репутацией, старыми заслугами.

Волков: Я знаю, что такие периоды творческого отчаяния, когда кажется, что никогда уже ничего не сочинится, периодически приключались с Шостаковичем. Но он их всякий раз преодолевал. А с вами такое часто случается?

Бродский: Довольно часто. Всякий раз, когда стихотворение не пишется, не получается. Не то что чаще, но примерно столь же часто, как оно и получается. И когда стихотворение получается, сразу охота другое делать. Поэтому на составление книг нет внутреннего времени, чисто психологически. Пусть их лучше кто-нибудь другой составляет. Ну только там хронологию проверишь, да иногда два или три стихотворения перетасуешь.

Волков: Понятно, что у вас были проблемы с публикацией ваших стихов в Советском Союзе. Но ведь когда вы переехали в Соединенные Штаты, то хотя бы здесь можно было попытаться начать все заново, разве не так?

Бродский: Не совсем так... В Штатах тоже с самого начала все пошло как бы не по тем рельсам. Первые мои книжки составлял Леша Лосев. Прежде всего, для начала, это должна была быть одна книжка, а не две. Но эту книжку по издательским соображениям — прежде всего потому, что им таким образом пошло больше денег — разбили на две: «Конец прекрасной эпохи» (стихи 1964–1971) и «Часть речи» (стихи 1972–1976). Ну с этим можно было согласиться, потому что 1972 год был какой-то границей — по крайней мере, государственной, Советского Союза, да? Но ни в коем случае не психологической границей, хотя в том году я и перебрался из одной империи в другую. Тем не менее границы психологической я в своих стихах того периода не вижу. Хотя и думаю, что, начиная со стихотворения «Темза в Челси», написанного в

1974 году, имеет место быть несколько иная поэтика. Это, я думаю, более или менее другие стихи. Но опять-таки, то, что эта поэтика другая, заметно только тогда, когда стихотворение это находится в соседстве с чем-то предыдущим, с тем, что более или менее подготовило этот сдвиг, или что было на излете или издыхало, что называется. Только тогда видно, что это — другая вещь. Так что мне самому не очень понятно, как все это делить на разделы и книжки, да и надо ли это делить вообще. Пусть себе идет одно за другим — как жизнь, более или менее.

Волков: А книги на английском языке, другие иностранные издания ваших стихов?

Бродский: Ну это — такое нормальное мероприятие, в них, в общем, включаешь те стихотворения, которые к данному моменту более или менее цивильно переведены. На этот счет у меня вообще никаких ни иллюзий, ни амбиций нет. Просто выходят книжки как книжки. В этом смысле я совершенно не профессионал.

Волков: И вдобавок, как бы выпадаете из традиций русской поэзии. Посмотрите, с какой маниакальной придирчивостью русские поэты нового времени — и Блок, и Анненский, и Пастернак, и Ахматова — относились к составлению циклов и книжек. Они бесконечно тасовали свои стихотворения.

Бродский: Быть может, за исключением Мандельштама...

Волков: Ну у него в какой-то момент наступили для этого неблагоприятные обстоятельства — вроде ваших. А так и он бы, думаю, весьма тщательно составлял бы все свои книжки. А вспомните классиков, вспомните книги Баратынского! На самом-то деле мне сейчас приходит в голову один-единственный пример отношения к собственным книжкам, схожий с вашим — это столь мало любимый вами Тютчев. Он тоже позволял другим людям составлять свои сборники, отказывался их править, а потом частным порядком жаловался на то, что там все перепутано. И он тоже настаивал на том, что не является профессиональным литератором. В этом отношении он был, пожалуй, еще последовательнее вас.

Бродский: Безусловно, безусловно. Никаких сомнений. Вы знаете, Соломон, — это, между прочим, наблюдение очень толковое и очень справедливое. Действительно, я — не литератор. У меня нет таких амбиций, как я уже сказал. Единственная амбиция, которая у меня существует — это амбиция по отношению к процессу, она заключается только в течении процесса, в самом процессе. А жизнь, так сказать, продукта меня совершенно не волнует. Мне совершенно безразлично, что происходит с моими стихами после того, как они написаны. И в этом смысле есть некоторые совпадения — или я надеюсь, что они есть — между тем, как я отношусь к своим занятиям — и древними. А вовсе не с Тютчевым.

Волков: Вы имеете в виду средневековых анонимов? Или же древних греков и римлян?

Бродский: Я говорю об античных авторах. Ведь все.эти издания античных поэтов — они, до известной степени, посмертные издания, да? Иначе к ним невозможно относиться. Ведь как все это происходит? Исследователи что-то такое находят, а затем все это располагается в порядке, самим авторам не очень-то известном, да? Что есть — то и суется под обложку. Ну то же самое, хочется надеяться, происходит и в моем случае, с большим или меньшим приближением. Какие эклоги у меня написаны, те я и отдаю в книжку. Ну когда их набирается достаточное количество. А вся эта забота поэта о своей биографии — моветон, как я уже сказал. Тем более для XX века, поскольку в этом веке, особенно в русской поэзии, стилистически все находится в процессе развития. И это развитие, как мне кажется, до сих пор продолжается. Так что мне совершенно неохота останавливаться на какой бы то ни было манере высказывания. И я думаю, что это не только мне свойственно, а и многим другим. Именно поэтому хронология в поэтических сборниках не так уж и важна, честно говоря. Поскольку за развитием поэта следишь либо по его стилистическому движению, либо по увеличивающейся глубине содержания. И в этом смысле ни составитель сборника, ни его читатель ошибки совершить не могут.

Волков: Не должны, во всяком случае...

Бродский: Да, не должны! Не должны. Невозможно в сборнике Пастернака, к примеру, стихи из «Доктора Живаго» поставить перед стихами из книги «Поверх барьеров». Это просто не будет иметь смысла. Или же будет иметь тот высший античный смысл, о котором мы только что говорили.

Волков: Я к вопросу хронологии в поэтических сборниках подхожу чисто эгоистически, как простой читатель. Мне всегда интересно знать, в каком именно году поэт написал то или иное стихотворение. Я тогда могу вычислить, сколько ему было в тот момент лет, каковы были обстоятельства — исторические и приватные. И меня раздражает, когда поэты эти обстоятельства нарочно затемняют. Многие из них к хронологии своих стихов относятся со сложными чувствами. А вы как-то особенно амбивалентны на этот счет.

Бродский: Вы знаете, Соломон, я тут перечитал какие-то свои старенькие стишки. Ну это полный бред! Это ночь, абсолютная! Чего там я только. не насочинял! И в связи с этим мне пришло в голову следующее соображение. Если бы у меня была возможность в отечестве печатать все, что мне в голову взбрело написать, то это, конечно, была бы полная катастрофа. Так что в некотором роде я должен быть благодарен за все те цензурные рогатки, которые в отечестве существовали. Слава Богу, что они были! Конечно, потом, лет после двадцати пяти, когда я начал заниматься сочинительством более или менее всерьез, был момент, когда хорошо было бы, если бы возник такой естественный процесс, да? Если бы я мог составлять и печатать свои книжки по мере появления каких-то циклов. И даже здесь, на Западе, меня несколько раз подмывало задним числом отобрать то, что было сделано, и напечатать это в каком-то определенном порядке. Но этого делать не следует. Так не делается. Стихи уже напечатаны — в каком-то скорее беспорядке, чем порядке. Но безумный беспорядок — есть порядок, как говорил Уоллес Стивенс. И я, в отличие от нормального читателя, подобные вещи понимаю буквально, а потому принимаю их чрезвычайно близко к сердцу. В жизни, в поведении своем я всегда исходил из того — как получается, так и получается. Впоследствии — если грамматически такое время вообще существует — все, в общем, станет более или менее на свои места. По крайней мере, в отношении издания моих книжек. Хотя я этого чудовищно боюсь, потому что представляю себе, чего там натворят даже самые замечательные люди, даже из самых замечательных побуждений. И какой хаос там воцарится. Потому что ничего более страшного, чем посмертные комментарии, вообразить себе нельзя. Я думаю, что даже в случае с Пушкиным хронология очень сильно переврана, то есть порядок стихов переставлен. Это, как вы понимаете, не параллель, а просто наиболее показательный пример, поскольку у Пушкина-то все должно было бы быть более или менее ясно. Что уж тут говорить о людях вроде Лермонтова, там вообще непонятно — где и что происходит. Вот сейчас мучаются над Цветаевой. Бог даст, какая-то внятная хронология выявится. А что касается меня, то, как мне кажется, какая-то и чисто стилистическая, и интеллектуальная, если угодно, прогрессия настолько очевидна, что никакой особенной трудности с установлением хронологии быть, вроде бы, не должно. Хотя я представляю себе, что они там в итоге наворотят! А потому мне абсолютно все равно.

Волков: Иосиф, я пытаюсь во всем этом разобраться вместе с вами, и мне кажется, что в этом вашем самоустранении в связи с публикацией собственных книг есть еще два чисто психологических момента. Первое: можно сказать, что это то самое смирение, которое паче гордыни. А другая эмоция — она, кстати, присутствовала, на мой взгляд, и у Тютчева, от которого вы так открещиваетесь, — сводится примерно к следующему: раз я этим не занимался, то с меня и взятки гладки. То есть вы с себя как бы снимаете ответственность за конечный продукт. Это боязнь — может быть, даже подсознательная — читательского суда.

Бродский: Соломон, я могу вам сказать совершенно точно, что никакой боязни, никаких комплексов у меня в связи с этим нет. И я не ставлю себя выше читателя — как, впрочем, и ниже. Может быть, в этом смысле я — продукт советской системы, но никогда я не относился к себе как к автору. Честное слово! Хотя это заявление, будучи произнесенным, может восприниматься как некое кокетство. На самом деле я всю жизнь относился к себе — и это главное! — прежде всего как к некоей метафизической единице, да? И главным образом меня интересовало, что с человеком, с индивидуумом происходит в метафизическом плане. Стихи на самом-то деле продукт побочный, хотя всегда считается наоборот. На самом-то деле это — чушь. И не то чтобы я считал это занятие — составление своих книжек и прочее — суетным. Ничего подобного, ровно наоборот! Это занятие чрезвычайно благородное, дельное, серьезное — в общем, выберите любой эпитет, какой вам заблагорассудится! Но вся история заключается в том, что у меня для этого нет ни времени, ни желания. Ахматова говорила: «Когда стихи не пишутся, жить очень неуютно». Когда поэт составляет книгу? Когда можно этим заниматься? Когда не занимаешься стихописанием как таковым. Но когда ты не занимаешься стихописанием, то совершенно балдеешь. Ты звереешь — в первую очередь по отношению к самому себе. Я хочу, чтобы вы меня поняли, Соломон. Когда не пишется, то думаешь, что жизнь кончилась. У меня к себе отношение в некотором роде романтическое. Не столько даже к себе лично, сколько к существованию как к таковому. А с самим собой у меня отношения кальвинистские, если угодно. И это вовсе не гордыня.

Волков: Как же вы перепрыгиваете через эту психологическую пропасть — я имею в виду, когда стихи не сочиняются?

Бродский: Когда они не сочиняются, их стараешься сочинить, да? Или пытаешься каким-то образом забить себе голову, да уж так, чтоб и не вспоминать об этом. Переводы делаешь, лекции готовишь, книжки читаешь — я уж не знаю что. Книжку, кстати, куда интереснее читать, чем составлять, я вам точно говорю. То есть важнее для индивидуума в чисто метафизическом, да и каком угодно смысле. Было время, когда я думал, что уж не составлю в своей жизни ни одной книжки, что этого не произойдет никогда. Просто не доживу. Поскольку чем старше становишься — тем труднее этим заниматься. Но один сборничек я все же составил.

Волков: «Новые стансы к Августе»?

Бродский: Да. Как вам, вероятно, известно, это сборник стихов за двадцать лет с одним, более или менее, адресатом. И до известной степени это главное дело моей жизни. Когда я об этом думал, то решил так: даже самые лучшие руки этого касаться не должны, так что лучше уж это сделаю я сам. И опять-таки если бы я этого не сделал сам, то уж тут наворотили бы такого ералаша! Кроме того, мне пришла в голову совершенно внезапным образом, во время разговора с Лешей Лосевым, одна мысль. Я просмотрел все эти стихи и вдруг увидел, что они поразительным образом выстраиваются в некий сюжет. И мне представляется, что в итоге «Новые стансы к Августе» можно читать, как отдельное произведение. К сожалению, я не написал «Божественной комедии». И, видимо, уже никогда ее не напишу. А тут получилась в некотором роде поэтическая книжка со своим сюжетом — по принципу скорее прозаическому, нежели какому бы то ни было другому. И у меня есть тайная надежда, что читатели это сообразят. То есть что они в каком-то таком бесконечном смысле тоже окажутся на уровне. Что они дотянут. Ну я не знаю даже, как это объяснить.

Волков: Кстати, одно обстоятельство меня удивляет. Поэзия ваша весьма эпична и все более и более эпичнеет, что ли...

Бродский: «Эпичнеет» — это замечательно...

Волков: Но при этом вы до сих пор не разразились каким-нибудь монументальным романом в стихах.

Бродский: Вы знаете, я ведь два раза предпринимал подобную попытку. Ну, по молодости лет я написал эту ахинею — «Шествие». Мне тогда было чуть больше двадцати. Потом, когда все уже посерьезнело, я написал нечто, что — даже и сейчас, когда я оглядываюсь на это — хотя это уже почти и невозможно — мне представляется произведением чрезвычайно серьезным.

Волков: «Горбунов и Горчаков»?

Бродский: Да. А что касается «Комедии Дивины»... Ну я не знаю, но, видимо, нет — уже не напишу. Если бы я жил в России, дома — тогда, может быть, я и предпринял бы подобную попытку в третий раз. Знаете, ведь такие вещи можно сочинять, только находясь в каком-то естественном контексте. Когда ты начинаешь думать: ладно, я им сейчас всем врежу — и старым, и малым. То есть и предшественникам, и потомкам, да? Подобный сентимент может вас одолевать исключительно в том случае, если вы находитесь в своей естественной среде. Когда же вы из нее выпадаете — или выбываете — то существование начинает носить несколько более отчаянный характер. И уже не до грандиозных замыслов.

Волков: А с другой стороны то, что по-русски называется несколько высокопарным словом «изгнание», дает фантастическое преимущество в виде эффекта остранения.

Бродский: Совершенно верно. Но у меня уж этого самого остранения навалом. Я вообще чересчур уж наостранялся, вы знаете. Это уже превратилось в инстинкт. Зарекаться, конечно, не надо, да я и не зарекаюсь, но по тому, как жизнь идет — крупных произведений мне уже не сочинять. А читателю — не читать. Не говоря уж о том, что они не читают того, что уже написано людьми получше нас — скажем, «Гильгамеш», Гомера или, допустим, того же Данте.

Волков: Ну люди всегда предпочитают читать современников. И за это их стыдить не приходится, хотя есть такая вечная тенденция: вздымать руки к небу и сокрушаться, что вот, не читают Гомера, а читают, как когда-то Саша Черный сказал, «поэта Бородавкина». Но это же ерунда. Потому что современный поэт всегда скажет нечто, что гораздо больнее резанет по коже, чем любой классик. Так всегда было и будет. Это совершенно нормальная вещь.

Бродский: Не знаю, не знаю... Может быть... Ну может быть я чего-нибудь предприму вроде оденовского «For the Time Being», если Бог даст. Это, знаете ли, не от меня зависит. Ведь сочиняешь более или менее в зависимости от того, как твоя собственная просодия развивается. А вовсе не потому, что тебе есть что сказать. Вы знаете, ведь существует какой-то такой непосредственный диктат языка: слова начинают звучать — то-се, пятое-десятое. Не знаю, может быть, моя просодия и доизменяется до какого-нибудь эпоса. С другой стороны, вот Монтале ничего такого не сочинил эпического. Да и Элиот тоже ничего такого особенно эпического не сочинял, хотя он, конечно, примером служить не может. И Йейтс ничего эпического не сочинял.

Волков: И Мандельштам... А у Пастернака его стихотворный роман «Спекторский» — не из лучших его сочинений.

Бродский: Ну, Пастернак сочинил этого самого «Доктора Живаго».

Волков: Пардон, это же проза!

Бродский: Нет, это именно тот самый случай, тот самый ход и тот самый резон, о котором мы говорили: диктат языка.

Волков: Иосиф, вы меня несколько ошарашили своей горячей защитой вашего права на существование не в качестве профессионального автора, а в качестве метафизической единицы, и я склонен поверить искренности ваших заявлений. Но все-таки в ваших высказываниях меня продолжает тревожить одно противоречие. С одной стороны, вы настаиваете на том, что существование важнее творчества. С другой же утверждаете, что когда вам не пишется, то и жить не хочется.

Бродский: Это и есть существование. А составление книг — это и не существование, и не творчество. И я даже могу сказать, *что* именно диктует рассуждения, подобные вашим, Соломон: это — принцип прозы, применяемый к изящной словесности. Мы живем в обществе, которое рехнулось на идее культуры как продукта. Поэтому оно требует книг, книг, книг. Из-за этой игры культура и зашла в тупик. На самом-то деле, когда ты сочиняешь, ничего не понятно: кто там читает, кто чего понимает? Или ничего не понимает? Или все понимает? И так и должно быть! А если жить ради выпуска книг, то тогда ведь надо и рецензии на книгу читать, небось. А потом, исходя из рецензии, себя как-то соответственным образом вести. Да вы что? Лично меня — знаете, что больше всего устраивает? Вполне устраивает! Судьба античного автора, какого-нибудь Архилоха, от стихов которого остались одни крысиные хвостики, и больше ничего. Вот такой судьбе можно позавидовать.

Именной указатель

Содержание

Соломон Волков

ДИАЛОГИ
С ИОСИФОМ БРОДСКИМ

Зав. редакцией   *О. Морозова*
Редакторы   *Е. Семашко,*
    А. Райская,
    Т. Киселева
Художник   *А. Рыбаков*
Менеджер   *Ю. Кручинова*
Корректор   *О. Колупаева*
Компьютерная верстка   *О. Черкаса*

Изд. лиц. № 063481 от 24.06.84

Подписано в печать 14.08.98.
Бумага офсет № 1. Формат 70x100 1/16.
Гарнитура Garamond. Печать офсетная.
Заказ № **598**

Издательство Независимая Газета
101000, Москва, ул. Мясницкая 13.

АО Типография «Новости»
107005, Москва, ул. Фр. Энгельса 46.